LA CONTRAOFENSIVA
ESTRATÉGICA

Fidel Castro Ruz

LA CONTRAOFENSIVA
ESTRATÉGICA

Fidel Castro Ruz

OFICINA DE PUBLICACIONES
DEL CONSEJO DE ESTADO

CUIDADO DE LA EDICIÓN   Katiuska Blanco Castiñeira

EDICIÓN   Lilian Sabina Roque

DISEÑO Y REALIZACIÓN   Elio Duarte Cruz
Laura Cuendias Abreu
Agustín Álvarez Peralo
Ángel Luis Sánchez Figueredo

MAPAS   Otto Hernández Garcini
Gral. de Brig. Amels Escalante Colás
Jorge Oliver Medina

FOTOGRAFÍAS Y DOCUMENTOS   Especialistas:
de los Fondos de la Oficina de Asuntos   Elsa Montero Maldonado
Históricos del Consejo de Estado   Asunción Pelletier Rodríguez
Noemí Valera Castillo

CORRECCIÓN   Nilza González Peña
Mónica Orges Robaina
Niurka Duménigo García
Alba Orta Pérez
Bryseis Socarrás Valdés

Agradecimientos a: Oficina de Asuntos Históricos y Departamento de Versiones Taquigráficas del Consejo de Estado; Ministerio de las Fuerzas Armadas Revolucionarias; Durero Caribe S.A. y Oficina del Historiado de La Habana.

Edición realizada por el Grupo Creativo
del Comité Central del Partido Comunista de Cuba.

ISBN 978-959-274-105-8

OFICINA DE PUBLICACIONES DEL CONSEJO DE ESTADO
DE LA REPÚBLICA DE CUBA.
Calle 8, No.210, entre Línea y 11,Vedado, La Habana, Cuba.
Telf.: (537) 855 5258 Fax: (537) 836 5234, e-mail: publice@enet.cu

Introducción

Este libro narra la forma en que el enemigo fue totalmente derrotado por el Ejército Rebelde, tras los últimos combates librados en la Batalla de Las Mercedes, que concluyó el 6 de agosto de 1958.

Entre esa fecha y el 1ro. de enero de 1959 transcurrieron cuatro meses y 25 días.

Las Fuerzas Armadas de Cuba eran sobradamente poderosas. Parecían instituciones imposibles de retar en el terreno militar por parte de civiles desarmados, sin conocimientos ni entrenamiento alguno en ese terreno. Fueron creadas y equipadas por Estados Unidos desde la ocupación de nuestra patria en 1898, con el pretexto de que España había hecho estallar el acorazado Maine en el puerto de La Habana, el 15 de febrero de 1898. Desde el 6 de agosto de 1958, en que finalizó aquella batalla, hasta el 1ro. de enero de 1959, cuando penetramos en Santiago de Cuba, en la provincia de Oriente, y terminaron los combates el día 3 de ese mes y año, las 100 000 armas y todos los medios terrestres, aéreos y navales, con que contaba aquella espuria fuerza, quedaron bajo el control total del Ejército Rebelde.

FIDEL CASTRO RUZ

La enorme diferencia entre ambas partes contendientes creó la necesidad de moverse y combatir sin tregua ni descanso durante esos 147 días.

No intentaré narrar cada acontecimiento día por día, porque no terminaría en muchos meses. Hablaré únicamente de aquellos en los que participé, aunque solo los suficientes para explicar el contenido de este libro: La contraofensiva estratégica.

De nuevo se repitió la misma historia, me quedé sin jefes, todos marcharon con las viejas y nuevas columnas bajo sus mandos, reforzadas con más de 500 armas ocupadas, incluso, la ametralladora 50 con el valiente capitán Braulio Curuneaux* y su escuadra, que tan brillantes páginas escribió en las batallas del Primer Frente de la Sierra Maestra.

Partí el día 11 de noviembre de 1958 (mapa p. 548) con 30 hombres bajo el mando del teniente Orlando Rodríguez Puertas, seguido por aproximadamente 1 000 reclutas desarmados de la escuela de Minas de Frío en mi retaguardia, los que en 41 días, descontando algunas decenas de bajas en combate, fueron armados.

No tenía Estado Mayor ni contaba con jefes para las nuevas columnas, no disponía de ellos para crearlo. Yo mismo tenía que hacer ese papel, desde dictar instrucciones pertinentes a numerosas columnas, hasta

---

* Aunque los medios de prensa y algunos libros han escrito Coroneaux, el apellido que consta en su firma y en el acta de nacimiento es Curuneaux (n. del e.).

asignar armas y recursos materiales o financieros a las tropas e, incluso, a determinadas personas por motivos justificados.

Los días restantes del mes de agosto y todo septiembre los dediqué casi por completo a esas tareas. Me ocupaba igualmente de la dirección del Movimiento 26 de Julio.

En la primera quincena de octubre dediqué parte del tiempo a los asuntos civiles, incluidos en la Administración Civil del Territorio Libre (ACTL), entre ellos, asuntos como los impuestos al arroz y al ganado. También dediqué horas a escribir mensajes a los comandantes Delio Gómez Ochoa, Eddy Suñol, Juan Almeida, por el orden en que fueron remitidos; y al doctor Luis Buch, que residía en Caracas y desempeñaba una misión importante. Algunas de estas comunicaciones estaban redactadas en una clave que ni yo mismo puedo descifrar ahora. Atendía los ascensos militares y la asignación de territorios de acuerdo con las situaciones cambiantes de la guerra.

La farsa electoral del 3 de noviembre de ese año ocupó de forma particular mi atención, por cuanto se trataba de una gran batalla política en que mediríamos fuerzas con la tiranía. Recordaba mucho las últimas elecciones que habían tenido lugar en noviembre de 1954, cuando estábamos en prisión, lo cual constituyó otra vez un severo y humillante golpe al pueblo por parte de la dictadura, en complicidad con la vieja politiquería, representada en esta ocasión por el Partido Revolucionario Cubano (Auténtico) del doctor Ramón Grau San Martín. Poco tiempo después de la derrota batistiana, en diciembre de 1958, nadie más se acordó de ellos. Las nuevas generaciones no han oído mencionar nunca sus nombres.

En esas actividades transcurrieron los meses entre el final de la ofensiva de verano y la victoria del 1ro. de Enero de 1959.

En lo referido a la esfera militar, con el pequeño grupo que quedó a mi lado, como rutina, hostigábamos y realizábamos algunos ataques contra un batallón enemigo atrincherado tras los muros de una elevada muralla de tierra, erigida en torno a esa fuerza, con nido de ametralladoras instaladas en las partes altas que batían los alrededores del cerro, en las proximidades del central Estrada Palma. Conservábamos todavía la 50 de Curuneaux y su dotación. Algunos choques fueron fuertes. La avioneta siempre nos asedió, aún en la madrugada, a veces con luna muy clara. Usábamos también un mortero 81 con escasos proyectiles, sin impulsores adicionales y muy poca puntería.

Solo un episodio de gran trascendencia tuvo lugar en octubre, antes de mi partida de la Comandancia de La Plata: el grave error del jefe de la Columna 11 de Camagüey, que costó severas y dolorosas bajas.

Considero suficientes estas líneas para iniciar de inmediato la narración.

Agosto de 1958

El 6 de agosto de 1958 había concluido la Batalla de Las Mercedes. Los días subsiguientes fueron empleados en la devolución del segundo contingente de prisioneros de los últimos combates: 163. Solicité al mando superior enemigo el envío de un helicóptero para el traslado, rápido y seguro, de los heridos.

Fue necesario interpretar el a veces enrevesado vocabulario de los que dirigían la Cruz Roja Internacional y la nacional. En este caso, se trataba de una situación sui géneris. ¿Qué sabía el mando de un Ejército Rebelde brotado de la Sierra Maestra?

Concluida esa tarea, me ocupé inmediatamente de la guerra.

Tenía que comunicarme con los jefes rebeldes, hombres curtidos por la guerra y el sacrificio. Mi lenguaje con ellos era a veces áspero y duro, disponía del rico repertorio adquirido en Birán.

En este recuento sustituiré por puntos suspensivos las palabras, contenidas en los mensajes de entonces, que no deben ser trasladadas al papel.

FIDEL CASTRO RUZ

JUEVES
14

Le envío carta al Che:

Agosto 14, 58, 5 p.m. *

Che:

Si no me das nombre ni seña alguna del hombre que se autotrasladó a la tropa de Camilo, ¿cómo lo voy a mandar a detener? Yo mañana pienso ver a Camilo y le hablaré del asunto para ver si lo localizo.

Te adjunto un papel para que se lo remitas a Ango [Sotomayor]. **

Yo salgo temprano para ver la gente de Hubert [Huber] y Camilo.

Niño [Roberto Piñeiro Soto] preparó las dos pilas de 67V que mandaste, pero apenas dan chispa. Será mejor que yo mande a fabricar 3 de pilas de linternas y te las envíe ahí cuanto antes.

Temo que con la bazooca vaya a pasar igual que con el tanque. El ingeniero [Miguel Ángel Calvo] se comprometió

* *En los documentos citados se ha respetado la literalidad de los textos, solo con mínimas correcciones ortográficas, imprescindibles para su comprensión.*
** *Las notas entre corchetes son del editor. Las tachaduras son enmiendas al original.*

a arreglar el magneto. Ahora mismo mandé a [Luis] Crespo para ver cómo estaba el asunto.

Yo llegaré hasta la Plata, arreglaré las cosas pendientes y volveré para acá. Sigue preparando tu viaje.

Procura que a partir de esta noche haya la menor concentración posible en Las Mercedes.

Fidel

SÁBADO
16

Este día le envié dos cartas a Camilo.

Camilo:

Hubiera deseado cambiar algunas impresiones antes de que te marcharas, para ver cómo andabas de balas y otras cosas.

El motivo de esta comunicación es el siguiente: William [Gálvez] tenía aquí unos papeles de interés que por su propia cuenta se dio a la tarea de guardar.

Ahora, con la irresponsabilidad habitual en ese señor, se ha marchado sin decirle a nadie dónde están los papeles y qué hago con ellos.

Esto naturalmente viene a sumar un dolor de cabeza y una preocupación más a los muchos que este señor me ha dado por haber sido defensor de él frente a muchas críticas.

FIDEL CASTRO RUZ

Así que tan pronto recibas esta comunicación solicita de William informe sobre esto y la solución no puede ser otra, estén donde estén, que me manden los papeles en cuestión o me manden a William arrestado.

Te ruego entiendas esta orden al pie de la letra.

Fidel Castro Ruz

Agosto 16 de 1958

Camilo:

Tú como todos los demás tienes la tendencia a armar la mayor... [equivale a caos]* posible y dejarla como herencia por aquí.

No te has molestado siquiera en enviarme la lista de hombres, armas y balas que llevas. No sé tampoco si llevas una sola mina.

Imagino hayas dejado a cargo de alguien los rastrojos de los pelotones que quedaron por ahí.

Me gustaría aunque sea tener alguna noticia de todo eso [documento p. 493].

Lamento no haber tenido tiempo de comunicarte una serie de planes muy importantes.

Si este mensaje te agarra todavía en Providencia, coge un caballo y ven a la Plata, aunque te retrases dos días.

Si ya has salido, sigue viaje, pero no dejes de mandarme los informes que te pido.

* *Comentario del autor.*

Apriétate los tornillos y no dejes de tener en cuenta que la fama, la jerarquía y los éxitos echan a perder un poco a la gente.

Si llegas a Pinar del Río tendrás un pelo de la gloria de Maceo, pero no te olvides que por todo el camino van a tratar de... [equivale a que fracase].*

Fidel

Envío carta dirigida al Che ese mismo día.

Che:

Esta mañana te mandé los hombres que tienen garands del pelotón de Crespo. Haz lo que creas mejor con los hombres y con los garands.

El que no te convenga le das otra arma y lo devuelves. Tienes que decirme cuántos garands vas reuniendo y cuántos crees necesitar. Así mismo debes ir haciendo la lista de las demás armas. El incidente de ayer no es el mejor premio al entusiasmo mío por dotar a esa columna de las mejores armas, queriendo destinarle las trescientas mejores chocando el propósito con las exigencias tuyas, que se salían de nuestras realidades y dejaban de tener en cuenta todos los trastornos que ocasionan las campañas en el personal.

El cambio de lugar en lo de la Cruz Roja es la causa de que yo no hubiese podido reorganizar rápidamente todas

* Comentario del autor.

FIDEL CASTRO RUZ

5

las tropas pues yo las había concentrado en otra dirección y perdí el contacto durante estos días.

Tengo la sensación de que todo ha sido una... [equivale a basura],* después de la ofensiva.

Pepito me habla del asunto de los camiones. Que arregle eso contigo de acuerdo con tus planes. Que coja lo que necesita, donde sea y de quienes sean, pero que procure si es posible agarrarlos con comida.

Fidel

DOMINGO
17

Envío carta dirigida al Che.

Agosto 17, 58, 8 y 30 a.m.
Che:
Todos los esfuerzos del ingeniero eléctrico (y me consta que ha trabajado con mucho interés) para arreglar el magneto de la bazooca han sido inútiles. Se va hacer una adaptación para usarlas con pilas.

Le he dicho que invente un sistema sencillo y práctico, de modo que las pilas puedan ser sustituidas fácilmente.

* *Comentario del autor.*

Hoy sale de Santo Domingo el Vaquerito [Roberto Rodríguez] con los hombres que le quedan (1 garand, 3 cristóbal y 23 sprinfield). Te lo mando de acuerdo con tu última nota.

Sólo queda lo de la bazooca por resolver. Dile a tu bazooquero que regrese mañana a buscarla.

Los hombres que vayan a quedar por ahí desvinculados, mándaselos a [Roberto] Fajardo en las Vegas. Infórmame lo que queda de [José Ramón] Silva, Fonso [Alfonso Zayas] y Raúl [Castro Mercader].

Sería muy conveniente que fueras al alto de Mompié el martes 19 por la tarde y yo trasladarme allí para los últimos toques.

He decidido un cambio importante de estrategia que debes conocer, aunque no altera nada la parte tuya.

Estoy en la Plata remendando pelotones y atendiendo otras cosas.

Fidel Castro Ruz

LUNES
18

ORDEN MILITAR [documento p. 488]
Se asigna al Comandante Camilo Cienfuegos la misión de conducir una columna rebelde desde la Sierra Maestra

FIDEL CASTRO RUZ

hasta la Provincia de Pinar del Río, en cumplimiento del plan estratégico del Ejército Rebelde.

La Columna N° 2, "Antonio Maceo", que así se denominará la fuerza invasora en homenaje al glorioso guerrero de la Independencia, partirá del Salto el próximo miércoles 20 de Agosto de 1958.

Al Comandante de la Columna Invasora se le otorgan facultades para organizar unidades de combate rebeldes a lo largo del territorio nacional, hasta tanto los comandantes de cada provincia, arriben con sus columnas a sus respectivas jurisdicciones; aplicar el Código Penal y las Leyes Agrarias del Ejército Rebelde en el territorio invadido; percibir las contribuciones establecidas por las disposiciones militares; combinar operaciones con cualquier otra fuerza revolucionaria que se encuentre ya operando en algún sector determinado; establecer un frente permanente en la Provincia de Pinar del Río que será base de operaciones definitiva de la columna invasora y designar para esos fines a oficiales del Ejército Rebelde hasta el grado de Comandante de Columna.

La Columna Invasora, aunque tiene como objetivo primordial llevar la guerra libertadora hasta el occidente de la Isla, y a él deberá supeditarse toda otra cuestión táctica, batirá al enemigo cuantas ocasiones se presenten durante el trayecto.

Las armas que se ocupen al enemigo serán preferentemente destinadas a la organización de unidades locales.

Para premiar, destacar y estimular los actos de heroísmo en los soldados y oficiales de la columna N° 2 invasora Antonio Maceo, se crea la medalla al valor "Osvaldo Herrera", capitán de dicha Columna, que se arrancó la vida en las prisiones de Bayamo, después de gallarda y heroica actitud de resistencia frente a las torturas de los esbirros de la tiranía.

Fidel Castro Ruz
Comandante en Jefe
Sierra Maestra, Agosto 18, 58, 9 a.m.

A la cada vez más amplia audiencia de Radio Rebelde, en el ámbito nacional e internacional, trasmití una pormenorizada información sobre lo que había sido la ofensiva de verano de la dictadura contra el firme de la Maestra, cómo fue derrotada y, finalmente, cuál fue la postura del Ejército Rebelde ante los prisioneros de guerra.

Sierra Maestra, Agosto 18, 1958
Al pueblo de Cuba y a los oyentes de América Latina.

Hace exactamente cuatro meses hice uso de los micrófonos de nuestra emisora Rebelde para hablarle al pueblo en un instante difícil. Fué después de la Huelga del 9 de Abril. En las ciudades los ánimos estaban caídos. Para muchos los días de las fuerzas revolucionarias estaban contados y el país quedaría sumido por muchos años en una noche sin esperanza. Junto al fracaso de la Huelga, el Estado Mayor de la Tiranía emitió una serie de partes mentirosos anunciando que también en el campo militar las fuerzas rebeldes también habían sido batidas. La Tiranía una vez aplastada la Huelga, consideraba llegado el momento oportuno de lanzar todas sus fuerzas militares para destruir los núcleos rebeldes que habían mantenido inhiestos desde hacía más de un año los pendones de la rebeldía.

Respondiendo a la campaña del enemigo y expresando nuestra inquebrantable determinación de resistir, dije entonces:

El pueblo de Cuba sabe que la lucha se está librando victoriosamente; el pueblo de Cuba sabe que a lo largo de 17 meses, desde nuestro desembarco con un puñado de hombres que supieron afrontar la derrota sin cejar en el patriótico empeño, la Revolución ha ido creciendo incesantemente; sabe que lo que era chispa hace apenas un año, es hoy llamarada invencible; sabe que ya no se lucha solo en la Sierra Maestra, desde Cabo Cruz hasta Santiago de Cuba, sino también en la Sierra Cristal, desde Mayarí hasta Baracoa, en la Llanura del Cauto, desde Bayamo hasta Victoria de las Tunas, y en otras provincias de Cuba; pero sobre todo, sabe el pueblo de Cuba, que la voluntad y el tesón con que iniciamos esta lucha se mantiene inquebrantable, sabe que somos un ejército surgido de la nada, que la adversidad no nos desalienta, que después de cada revés la Revolución ha resurgido con más fuerza; sabe que la destrucción del destacamento expedicionario del *Granma* no fue el fin de la lucha sino el principio; sabe que la Huelga espontánea, que siguió al asesinato de nuestro compañero Frank País, no venció a la Tiranía pero señaló el camino de la Huelga organizada; que sobre el montón de cadáveres con que la Dictadura ahogó en sangre la última Huelga no se puede mantener en el poder ningún gobierno, porque los centenares de jóvenes y obreros asesinados y la represión sin precedentes desatada sobre el pueblo, no debilita la Revolución sino que la hace más fuerte, más necesaria, más invencible; que la sangre derramada hace más grande el valor y la indignación, que cada compañero caído en las calles de las ciudades y en los campos de batalla despierta en sus hermanos de ideal un deseo irresistible de dar también la vida, despierta en los indolentes el deseo de combatir, despierta en los tibios el sentimiento de la Patria que se desangra por su dignidad, despierta en todos los pueblos de América la simpatía y la adhesión.

FIDEL CASTRO RUZ

Y terminé aquel discurso con las siguientes palabras:

Al pueblo de Cuba la seguridad de que esta fortaleza no será jamás vencida y nuestro juramento
de que la Patria será libre o morirá hasta el último
combatiente.

Hoy vuelvo a hablar al pueblo desde esta emisora que no
dejó de salir al aire ni en los días en que los morteros y las bombas estallaban a su alrededor, no con una promesa por cumplir, sino con toda una etapa de aquella promesa cumplida.

El Ejército Rebelde después de 76 días* de incesante batallar en el Frente número Uno de la Sierra Maestra,
rechazó y destruyó virtualmente a la flor y nata de las
fuerzas de la Tiranía, ocasionándole uno de los mayores
desastres que pueda haber sufrido un ejército moder-
no, adiestrado y equipado con todos los recursos bélicos,
frente a fuerzas militares no profesionales circunscriptas
a un territorio rodeado de tropas enemigas, sin aviación,
sin artillería y sin vías regulares de abastecimiento de armas, parque y víveres.

Se libraron más de 30 combates y seis batallas de
envergadura. La ofensiva enemiga comenzó el 24 [25]
de mayo. Desde Semana Santa la tiranía había estado

* *En su libro* La Victoria Estratégica, *el Comandante Fidel Castro
considera el inicio de las acciones de la ofensiva a partir del 25 de
mayo, por lo que serían 74 días (n. del e.).*

concentrando tropas a todo lo largo de la Sierra Maestra, que se iban acercando paulatinamente a las estribaciones de la cordillera. El mando enemigo había logrado reunir para esta ofensiva 14 batallones de Infantería y 7 compañías independientes consistentes en las siguientes unidades:

Batallón 10, Comandante Nelson Carrasco Artiles; batallón 11, Tte Coronel Ángel Sánchez Mosquera; batallón 12, Capitán Pedraja Padrón; batallón 13, Comandante Triana Tarrau; batallón 14, Comandante Bernardo Guerrero Padrón; batallón 15, Comandante Martínez Morejón; batallón 16, Capitán Figueroa Lara; batallón 17, Comandante Corzo Izaguirre; batallón 18, Comandante José Quevedo Pérez; batallón 19, Comandante Suárez Fouler [Fowler]; batallón 20, Comandante Caridad Fernández; batallón 21, Comandante Franco Lliteras; batallón 22, Comandante Eugenio Menéndez Martínez; batallón 23, Armando González Finalés; Compañía I, Capitán Modesto Díaz Fernández; compañía K, Comandante Roberto Triana Tarrau; compañía L, Capitán Noelio Montero Díaz; Segunda compañía Regimiento 5, Primer Teniente, Miguel Pérez Lallama; Primera compañía, regimiento 3, Capitán Luis Vega Hernández; Segunda compañía, regimiento 3, Primer Teniente Adriano Coll Cabrera; compañía C de Tanques, regimiento 10 de marzo, Capitán Victorino Gómez Oquendo, una fuerza aérea al mando del Teniente Coronel Armando Soto Rodríguez y una fuerza de la

Marina de Guerra al mando del Capitán J. López Campo y fuerzas de la Guardia Rural al mando del Tte. Coronel Arcadio Casillas Lumpuy.

La Plana Mayor enemiga estaba integrada por el Teniente General Eulogio Cantillo Porra, el General de Brigada Alberto del Río Chaviano, el Brigadier Dámaso Sogo Hernández, el Coronel José Manuel Ugalde Carrillo, el Tte. Coronel Merob Sosa, los Comandantes Raúl Sáenz de Calahorra, Juan Arias Cruz, Bernardo Perdomo Granela, J. Ferrer Da' Silva, Timoteo Morales Villazón, Raúl Martín Trujillo, los capitanes M. Llinás-Valdés, F. Ball-Llovera, Ricardo Montero y Duque, Lorenzo Tundidor, Rodolfo Ugalde Carrillo, Julio Roldán Cid, Miguel J. López Naranjo y los segundos Tenientes Heriberto M. Ruiz Segredo y Agustín G. Padrón y Rivero.

La estrategia de la dictadura fué concentrar el grueso de sus tropas contra el Frente número Uno de la Sierra Maestra, sede de la Comandancia General y de la Emisora Rebelde. El mando rebelde, después que el enemigo hubo dispuesto sus fuerzas y suponía divididas las nuestras, movió secretamente todas las columnas del Sur y Centro de la provincia hacia el Frente número Uno. La Columna 3, al mando del Comandante Juan Almeida que operaba en la zona de El Cobre; la Columna número 2, al mando del Comandante Camilo Cienfuegos, que operaba en el centro de la provincia; la Columna número 4, al mando del Comandante Ramiro Valdés, que operaba al Este del Turquino; la Columna número 7, al mando del Comandante Crescencio Pérez, que operaba en el extremo Oeste de la Sierra Maestra; fueron movilizadas hacia el Oeste inmediato del Pico Turquino.

Estas columnas, la columna número 8, al mando del Comandante Ernesto Guevara y la Columna número Uno, al mando de la Comandancia General, formaron un frente defensivo compacto de unos 30 kilómetros de extensión cuyo eje principal era el Alto de la cordillera Maestra.

La estrategia rebelde estaba sintetizada en las siguientes palabras de las instrucciones dirigidas por la Comandancia General a los Comandantes de Columnas, en los primeros días del mes de Junio, que decía textualmente, entre otras cosas:

Tenemos que estar conscientes del tiempo mínimo que debemos resistir organizadamente y de cada una de las etapas sucesivas que se van a presentar. Más que en este momento estamos pensando en las semanas y meses venideros. Esta ofensiva será la más larga de todas. Después del fracaso de ésta, Batista estará perdido irremisiblemente; él lo sabe y por tanto hará el máximo esfuerzo. Esta es una batalla decisiva que se está librando precisamente en el territorio más conocido por nosotros. Estamos dirigiendo todo el esfuerzo por convertir esta ofensiva en un desastre para la Dictadura. Estamos tomando una serie de medidas destinadas a garantizar: Primero: la resistencia organizada, Segundo: desangrar y agotar al Ejército adversario, Tercero: la conjunción de elementos y armas suficientes para lanzarlos a la ofensiva, apenas ellos comiencen a flaquear.

Están preparadas una por una, las etapas sucesivas de defensa. Albergamos la seguridad que haremos pagar al enemigo un precio altísimo. A estas horas es evidente que están muy retrasados en sus planes, y aunque presumimos que hay mucho que luchar, dados los esfuerzos que deben hacer para ir ganando terreno, no sabemos hasta cuándo les dure el entusiasmo.

La cuestión es hacer cada vez más fuerte la resistencia y ello será así a medida que sus líneas se alarguen y nosotros vayamos replegándonos hacia los sitios más estratégicos.

Como consideramos posible que en algunos puntos ellos logren flanquear la Maestra, en documento adjunto se comunican las instrucciones precisas para cada caso.

Los objetivos fundamentales de estos planes son:

Primero: disponer de un territorio básico donde funcione la organización, los hospitales, los talleres, etc.

Segundo: mantener en el aire la Emisora Rebelde que se ha convertido en factor de primera importancia,

Tercero: ofrecer una resistencia cada vez mayor al enemigo, a medida que nos concentremos y ocupemos los puntos más estratégicos para lanzarnos al contraataque.

El plan contenido en estas instrucciones se cumplió rigurosamente.

La guerra de guerrillas había dejado de existir para convertirse en una guerra de posiciones y de movimientos. Nuestros pelotones fueron situados en todas las entradas naturales de la Sierra por el Norte y por el Sur. Fue necesario cubrir con nuestras escasas fuerzas 30 kilómetros al Norte y 30 kilómetros al Sur de la Maestra.

El 24 y 25 de mayo el enemigo atacó simultáneamente por las Minas de Bueycito y por Las Mercedes. Desde el primer instante encontró tenaz resistencia. Para tomar Las Mercedes, defendido solamente por 14 rebeldes, el enemigo, apoyado por tanques y aviones, se vio obligado a luchar durante 30 horas, mientras en Las Minas de Bueycito, las fuerzas de [Ángel] Sánchez Mosquera tenían que pagar muy caro cada metro de terreno que avanzaban logrando progresar solo 10 kilómetros en 15 días de lucha. El día 5 de Junio el ataque enemigo comenzó también por el Sur desde la costa, al desembarcar en Las Cuevas el batallón 17 [Batallón 18] de Infantería. El curso posterior de los acontecimientos ha sido relatado día a día, en los partes de guerra sobre la situación militar, trasmitidos por Radio Rebelde y sería demasiado extenso reproducirlo detalladamente.

Durante 35 días el enemigo fue ganando terreno paulatinamente. A mediados de Junio los batallones 11 y 22, que habían estado presionando desde las Minas de Bueycito, cortaron diagonalmente las estribaciones de la cordillera y avanzaron hacia Santo Domingo.

Todas las fuerzas enemigas giraban así sobre el Oeste del Turquino.

El día que marcó el momento más crítico fue el 19 de Junio. En el curso de esas 24 horas las fuerzas enemigas penetraron combatiendo simultáneamente en Las Vegas de Jibacoa, Santo Domingo y avanzaban hacia Naranjal, en La Plata, desde Palma Mocha, amenazando con aislar los pelotones más avanzados de nuestras fuerzas. Días más tarde avanzaron por Gaviro [Gabiro] y franquearon la Maestra por el Alto de San Lorenzo. Fue la rapidez con que nuestros incansables combatientes se movieron de unas posiciones a otras, de acuerdo con los movimientos enemigos, lo que permitió afrontar en cada caso la situación difícil.

Los puntos más avanzados que lograron establecer las fuerzas enemigas fueron: Naranjal, hasta donde llegó el batallón 18 del Comandante Quevedo, avanzando desde la desembocadura de La Plata, y Meriño, donde penetró el batallón 19 del Comandante Suárez Fouler [Fowler].

El territorio Libre había quedado reducido considerablemente.

Por el Norte y por el Sur el enemigo había penetrado a fondo. Entre las tropas que atacaban desde ambas direcciones apenas quedaba una distancia de 7 kilómetros en línea recta, pero la moral de nuestras tropas estaba intacta, y se mantenía casi completa la reserva de parque y de minas de alto poder destructivo. El enemigo había tenido que invertir mucha energía y tiempo para ganar terreno en el interior de las montañas.

El 29 de Junio se asestó en Santo Domingo a las fuerzas de la tiranía al mando del Tte. Coronel Sánchez Mosquera el primer golpe anonadante, contra una de las tropas más agresivas que contaban. Con las armas y el parque ocupado en esa acción que duró 3 días, se inició el fulminante contraataque que en 35 días arrojó de la Sierra Maestra a todas las fuerzas enemigas, después de ocasionarles casi mil bajas, entre ellas más de 400 prisioneros. Las batallas de Santo Domingo, Meriño, El Jigüe, segunda batalla de Santo Domingo, Las Vegas de Jibacoa y Las Mercedes se sucedieron ininterrumpidamente. La etapa final de la lucha se convirtió en un intento desesperado de la tiranía por retirar de la Sierra Maestra lo que le quedaba de las fuerzas que había empleado en la ofensiva, para evitar que todas absolutamente fuesen cercadas y aniquiladas por nuestro Ejército. Hasta el campamento de Pino del Agua lo evacuaron sin esperar el ataque. Fue una fuga vergonzosa del frente de batalla, que en cualquier lugar del mundo habría sido suficiente para que un ejército con sentido de su honor y su prestigio, hubiese exigido en pleno la renuncia de su Estado Mayor completo por el número de vidas sacrificadas y el equipo bélico perdido torpe y criminalmente, porque los soldados que fueron víctimas de los errores del Mando Militar no tienen la culpa del desastre. Puede decirse que en el Puesto de Mando el pánico cundió primero que en las tropas y la retirada consecuentemente se convirtió en fuga precipitada.

Fue aniquilado el batallón 22 de Infantería, fue diezmado el batallón 11, el batallón 19 perdió en Meriño todas las arrias con las mochilas, víveres y parque, el batallón 18 fue obligado a rendirse por hambre y sed, la compañía G-4 fue destruida en Purialón, la compañía de la división de infantería fue aniquilada cerca de la desembocadura del río La Plata, la compañía 92 fue cercada y rendida en Las Vegas, junto con el Jefe de la compañía C de Tanques, la compañía P fue destruida en El Salto, el batallón 23 fue diezmado en Arroyones, el batallón 17 y tres batallones más de Infantería con fuerzas de tanques que fueron en su rescate, sufrieron severo castigo abandonando el campo de batalla después de 7 días de lucha, virtualmente en pleno llano.

En poder de las fuerzas rebeldes quedaron un total de 507 armas, incluyendo dos tanques de guerra de 14 toneladas con sus respectivos cañones, dos morteros 81, dos bazookas de 3 pulgadas y media, 8 morteros calibre 60, 12 ametralladoras trípode, 2 fusiles ametralladoras, 142 fusiles Garand, cerca de 200 ametralladoras Cristóbal y el resto Carabinas M-1 y fusiles Sprinfields, más de cien mil balas y cientos de obuses de morteros y bazookas, 6 Minipak y 14 micro-ondas PRC-10.

Las fuerzas rebeldes sufrieron un total de 27 [31, registradas hasta la actualidad] muertos y medio centenar de heridos, algunos de los cuales murieron y están incluidos en la cifra de muertos señalados entre los que se encuentran: un Comandante Rebelde, René Ramos, *Daniel*, 4 Capitanes: Ramón Paz, Andrés Cuevas, Angelito Verdecia [documento p. 486] y Geonel Rodríguez, cada uno de los cuales escribió páginas de heroísmo que la Historia no olvidará. Este número elevado de Oficiales caídos revela el profundo sentido que del deber tienen los Oficiales rebeldes, combatiendo en primera línea en los puestos de mayor peligro.

Si el Ejército de la dictadura no estuviera también bajo el terror de la tiranía que no permite el menor enjuiciamiento de sus actos, habría motivos más que suficientes para someter a Consejo de Guerra, a los que desde sus cómodos despachos a muchas leguas del fragor de la batalla, en un terreno que quizás si han visto alguna vez

FIDEL CASTRO RUZ

desde un avión, jugaron con la vida de los Comandantes, Capitanes, los Tenientes, las clases y soldados, que a fuerza de adversarios honestos, debemos reconocer que combatieron tenaz, aunque inútilmente. ¿Qué explicación puede dar el Estado Mayor Conjunto, el General Cantillo, Jefe de Operaciones, el Coronel Ugalde Carrillo, Oficial Ejecutivo y toda la Plana Mayor de los cientos de soldados que han muerto por la imprevisión, la insensibilidad y falta de capacidad de los flamantes estrategas de la tiranía?

Yendo más lejos aún, qué justificación pueden tener ahora las miles de bombas incendiarias de Napalm, explosivas de alto poder y cohetes, amén de los ametrallamientos incesantes a que fueron sometidos todos los caseríos de la Sierra Maestra, porque si desde el punto de vista humano jamás tendrían justificación, desde el punto de vista militar la derrota sufrida los justifican menos y hacen más criminal y canallesca sus técnicas vergonzosas y fallidas de guerra. ¿Para eso han sacrificado a sus propios soldados? ¿Para eso han sacrificado al pueblo? Como hecho demostrativo del desprecio que siente la tiranía por la vida de sus propios soldados, está el caso de que en Las Vegas de Jibacoa ametrallaron el Hospital de sangre donde estaban recluidos los prisioneros heridos, a pesar de la bandera de la Cruz Roja.

Lo que no hacemos nosotros con los soldados adversarios, a los cuales brindamos toda la asistencia posible, lo hicieron ellos con sus propios compañeros de armas, que yacían heridos en los hospitales rebeldes por defender la tiranía, ametrallándolos despiadadamente. En otra ocasión, durante la batalla de Las Mercedes, el mando militar enemigo, en vez de enviar los tanques Sherman delante de la Infantería para proteger a los soldados, envió la Infantería a la Vanguardia para proteger los tanques de las minas eléctricas rebeldes, siendo barrida por nuestros fusileros. En el afán de engañar a las tropas acerca de la realidad, el mando militar ha incurrido en hechos criminales de los que somos testigos presenciales. La compañía G-4, del 18 de Infantería, fue ordenada a avanzar desde la playa de La Plata hacia el Jigüe, sin advertirle siquiera que dicha posición estaba cercada, cayendo la misma en mortal y aniquiladora emboscada. Otro tanto ocurrió con la compañía L, de Infantería, siendo destruida en el propio sitio donde cayó la compañía G-4 por no ser advertida de la derrota sufrida por aquella dos días antes.

En El Salto, durante la segunda batalla de Santo Domingo, interceptamos una comunicación del Oficial Ejecutivo, que desde el avión ordenaba a la compañía P que avanzara sin preocupación hacia Santo Domingo que el camino había sido reconocido por él y estaba limpio. Media hora después la compañía era destruida. El batallón 22 fue ordenado [a] moverse de Santo Domingo a Pueblo Nuevo, sin advertirle que 4 días antes había ocurrido un combate con fuerzas rebeldes apostadas en dicho camino donde encontró su destrucción.

La compañía 92, situada en Las Vegas, fue ordenada a salir por el Oficial Ejecutivo desde el avión, informándole que no tenía dificultades pues los firmes que dominaban la ruta estaban tomados por mil soldados del ejército, siendo la verdad que dichas posiciones estaban ocupadas por fuerzas rebeldes.

Como adversario leal, con sentido humano de la guerra, en muchas ocasiones he sentido verdadera pena por la forma criminal y estúpida con que esos soldados eran engañados y sacrificados por el mando militar.

Desde el primer combate de Santo Domingo el equipo de microonda de la compañía N del batallón 22 de Infantería, compuesto por un Minipak y un PRC-10, con sus claves de guerra, cayeron en poder de nuestras fuerzas. El mando enemigo ni siquiera se percató de ese detalle y desde entonces todas las batallas se libraban con perfecto conocimiento nuestro de todas las disposiciones tácticas y las órdenes del enemigo. La clave secreta del 5 de junio, del mando militar, que cayó en poder nuestro el 29 de ese propio mes, no fue sustituida hasta el 25 de Julio en que se dispuso una nueva clave que cayó en nuestro poder ese mismo día con nuevos equipos de micro-ondas al ser destruida la compañía P, en El Salto. En ocasión de encontrarse una unidad enemiga sin comunicación por habérsele descompuesto el Minipak, los propios rebeldes dimos órdenes por radio a la aviación enemiga de bombardear la posición del ejército.

La técnica de engañar a los soldados ocultándoles las dificultades y las derrotas que afectaban a cualquier unidad dio los naturales frutos que la mentira tarde o temprano produce. Cualquier tropa caía fácilmente en los mismos errores que habían costado serias consecuencias a otras tropas; caían en las mismas trampas y hasta en las mismas emboscadas donde habían caído otras días antes. Ningún oficial al mando de una unidad recibía la menor noticia de la experiencia ocurrida a otros Jefes de unidades.

Ahora mismo, al finalizar la ofensiva, el Estado Mayor de la dictadura, acaba de emitir los más fabulosos partes de guerra que se han escuchado en Cuba, hablando de cientos de muertos rebeldes. Pero el simple hecho de dar tan elevado número de bajas rebeldes, que por supuesto son las propias bajas del ejército, indican el reconocimiento de la magnitud de las batallas que se han librado. Ha sido tan grande el cinismo del Estado Mayor que el mismo día que nosotros entregábamos a la Cruz Roja en Sao Grande, 163 prisioneros y heridos del Ejército, de todo lo cual se levantó acta firmada por los oficiales de la Cruz Roja, que en total suman con los anteriores 422, emitió un parte diciendo que los rebeldes se estaban presentando en Manzanillo, Bayamo y otros puntos. Siendo así que en los 76 [74] días que duró la ofensiva las fuerzas de la dictadura no han

FIDEL CASTRO RUZ

hecho un solo prisionero, ni ha habido ni un solo desertor rebelde.

¿Qué les dirá el Estado Mayor a los soldados cuando estos presencien el desbordamiento de las tropas rebeldes a lo largo y ancho de la Isla? ¿No opina el Estado Mayor que en ese instante sus soldados se van a llevar la más terrible sorpresa y la más amarga de las decepciones sobre su mando militar, que después de haberlos llevado a la derrota les miente descaradamente diciendo que el enemigo ha sido destruido, un enemigo que en cualquier instante puede aparecer a las puertas desprevenidas de sus cuarteles?

Cabe repetir aquí con más razón que nunca lo que decíamos hace 4 meses:

Cuando se escriba la historia real de esta lucha y se confronte cada hecho ocurrido con los partes militares del régimen, se comprenderá hasta qué punto la tiranía es capaz de corromper y envilecer las instituciones de la República, hasta qué punto la fuerza al servicio del mal es capaz de llegar a extremos de criminalidad y barbarie; hasta qué punto los soldados de una dictadura pueden ser engañados por sus propios Jefes. ¿Qué les importa, después de todo, a los déspotas y verdugos de los pueblos la desmentida de la Historia?

Lo que les preocupa es salir del paso y aplazar la caída inevitable. Yo no creo que el Estado Mayor mienta por vergüenza: el Estado Mayor del Ejército de Cuba ha demostrado no tener pudor alguno. El Estado Mayor miente por interés; miente para el pueblo y para el ejército; miente para evitar la desmoralización en sus filas; miente porque se niega a reconocer ante el mundo su incapacidad militar, su condición de jefes mercenarios, vendidos a la causa más deshonrosa que pueda defenderse; miente porque no ha podido, a pesar de sus decenas de miles de soldados y los inmensos recursos materiales con que cuenta, derrotar a un puñado de hombres que se levantó para defender los Derechos de su pueblo. Los fusiles mercenarios de la tiranía se estrellaron contra los fusiles idealistas que no cobran sueldos; ni la técnica militar, ni la academia, ni las armas más modernas sirvieron de nada.

Es que los militares cuando no defienden a la Patria, sino que la atacan, cuando no defienden a su pueblo, sino que lo esclavizan, dejan de ser Institución para convertirse en pandilla armada, dejan de ser militares para ser malhechores, y dejan de merecer, no ya el sueldo que arrancan al sudor del pueblo, sino hasta el sol que los cobija en la tierra que están ensangrentando con deshonor y cobardía.

FIDEL CASTRO RUZ

Los que creíamos al Mayor General Eulogio Cantillo un Oficial de distinta calaña que los Ugalde Carrillo, Salas Cañizares, Chaviano, Tabernilla, Cruz Vidal, Pilar García, etc., hemos estado variando de opinión, pues si bien al principio de la campaña guardó cierto discreto silencio sobre el curso de las operaciones, y dictó pautas más humanas a los jefes de batallones sobre el trato con la población civil, aunque ya muy tardíamente para compensar los crímenes horribles que se habían cometido anteriormente, los últimos partes del Ejército más cínicos y más falsos que nunca constituyen una verdadera prostitución del carácter y un deshonor para cualquier hombre recto. Los bombardeos que estos días ha ordenado contra los caseríos de vecinos indefensos, como una cruel venganza producto de un pánico desmedido, los desalojos de campesinos ordenados por medio de miles y miles de volantes lanzados desde el aire, de los crímenes que perpetra el sanguinario Morejón en los alrededores de Bayamo y otros hechos, van siendo más que suficientes para incluir al Mayor General Eulogio Cantillo no sólo entre los pusilánimes que han contemplado indiferentes el rosario de cadáveres que sus colegas Chaviano, Ventura, Pilar García y otros han regado por las ciudades y pueblos de Cuba, sino también, entre los hombres que han prostituido a la tiranía su honor y su carrera militar.

Dada la extensión del tema y el deseo de no abusar de la atención de los oyentes, continuaré mañana a esta misma hora para exponer la actual situación militar, nuestra actitud respecto al Ejército y a las fuerzas Armadas de la República, nuestra posición frente al golpe de Estado posible, el próximo avance del Ejército Rebelde hacia el resto del territorio nacional y el papel del pueblo en la nueva etapa de lucha.

Durante estos días me dirigí, a través de la radio, a los pueblos de América Latina para analizar el proceso de la ofensiva lanzada por la tiranía contra la Sierra y que el Ejército Rebelde acababa de derrotar.

Me referí a la estrategia desarrollada por el mando rebelde y a la actitud moral con que había dirigido la guerra.

Analicé también el fracaso y descrédito del régimen de Batista, que había enviado contra la Sierra Maestra batallones y compañías independientes —apertrechados con tanques, aviones, artillería y marina—; fuerza militar que el Ejército Rebelde resistió primero, concentrándose en los puntos más estratégicos de la cordillera, y rechazó después para lanzarse finalmente en una violenta contraofensiva que desalojó al Ejército batistiano de la Sierra.

A la vez, comenté la desmoralización de la alta jerarquía del Ejército y consideré la posibilidad de un golpe militar que el Movimiento 26 de Julio rechazó categóricamente.

Anuncié la inminente invasión rebelde y expresé que las columnas de combatientes revolucionarios avanzarían en todas direcciones hacia el resto del territorio nacional, sin que nada ni nadie las pudiera detener.

Finalmente, pronuncié las siguientes palabras: "[...] antes moriremos todos, que abandonar la meta por la que está luchando nuestro pueblo desde hace seis años, y está anhelando hace medio siglo".

MARTES
19

Este día continué informando por Radio Rebelde a nuestro pueblo y a América Latina acerca del trato humano a los prisioneros enemigos durante el desarrollo de la guerra y alerté sobre la posibilidad de un golpe militar.

Los heridos enemigos atendidos por nuestros médicos ascendieron a 117. De ese total sólo dos murieron, todos los demás están ya sanos o en proceso de plena recuperación.

Este dato revela con elocuencia singular dos cosas:

Primero: el cuidado con que fueron atendidos los enemigos heridos.

Segundo: la capacidad y el mérito extraordinario de nuestros médicos que carentes de todos los recursos técnicos, en hospitales improvisados, realizaron tan brillantemente su humana tarea.

Mas no quisimos nosotros exponer a esos heridos a los inconvenientes y los sacrificios que necesariamente impone la reclusión en hospitales que se han erigido en plena selva, y desde el primer momento apelamos a la Cruz Roja para que fuesen trasladados a los hospitales de las Fuerzas Armadas, lo que en algunos casos era absolutamente necesario para salvar algún miembro gravemente lesionado y hasta la propia vida, y donde todos en general tendrían una alimentación mejor, mayores comodidades y sobre todo las visitas y atenciones de sus propios familiares.

Fueron devueltos a la Cruz Roja Internacional y Cubana, entre prisioneros heridos y no heridos, 422, aparte de 21 prisioneros heridos en el combate de Arroyones que se depositaron en un sitio próximo para que fuesen recogidos por el propio ejército y que elevan a 443 el número total de soldados, clases y Oficiales enemigos puestos en libertad durante la contraofensiva Rebelde.

Todos los heridos y demás prisioneros fueron devueltos sin condición alguna.

FIDEL CASTRO RUZ

Puede no parecer lógico que en medio de la guerra se ponga en libertad a los prisioneros adversarios. Eso depende de qué guerra se trate y el concepto que se tenga de la guerra.

En la guerra hay que tener una política con el adversario, como hay que tener una política con la población civil. La guerra no es una mera cuestión de fusiles, de balas, de cañones y de aviones. Tal vez esa creencia ha sido una de las causas del fracaso de las fuerzas de la Tiranía.

Aquella frase que pudo parecer meramente poética de nuestro Apóstol José Martí, cuando dijo que lo que importaba no era el número de armas en la mano sino el número de estrellas en la frente, ha resultado ser para nosotros una profunda verdad.

Desde que desembarcamos en el *Granma* adoptamos una línea invariable de conducta en el trato con el adversario, y esa línea se ha cumplido rigurosamente, como es posible que se haya cumplido muy pocas veces en la historia.

Desde el primer combate, el de La Plata el 17 de Enero de 1957, hasta la última batalla en Las Mercedes los primeros días de Agosto, han estado en nuestro poder más de 600 miembros de las Fuerzas Armadas en este solo frente de la Sierra Maestra. Con el orgullo legítimo de los que han sabido seguir una norma ética, podemos decir que sin una sola excepción los combatientes del Ejército Rebelde han cumplido su Ley con los prisioneros. Jamás un prisionero fue privado de la vida; jamás un herido dejó de ser atendido; pero podemos decir más: jamás un prisionero fue golpeado, y algo todavía que añadir a esto: jamás un prisionero fue insultado u ofendido.

Todos los Oficiales que han sido prisioneros nuestros pueden atestiguar que ninguno fue sometido a interrogatorio por respeto a su condición de hombres y de militares.

Las victorias obtenidas por nuestras armas sin asesinar, sin torturar y aun sin interrogar a un adversario demuestran que el ultraje a la dignidad humana no puede tener jamás justificación. Esta actitud mantenida durante 20 meses de lucha con más de 100 combates y batallas habla por sí sola de la conducta del Ejército Rebelde. Hoy en medio de las humanas pasiones no tiene tanto valor como lo tendrá cuando se escriba la historia de la Revolución.

Que esta línea la hubiésemos seguido ahora que somos fuertes no es, en el sentido humano tan meritorio como cuando éramos un puñado de hombres perseguidos como fieras por las abruptas montañas. Era entonces, por aquellos días de los combates de La Plata y Uvero, cuando haber sabido respetar la vida de los prisioneros tiene un profundo significado moral. Y todavía esto no sería más que un deber de elemental reciprocidad si las fuerzas de la tiranía hubiesen sabido respetar la vida de los adversarios que caían en su poder. La tortura y la muerte era la suerte segura que esperaba a cuanto rebelde, simpatizante de nuestra causa, y a simple sospechoso caía en poder del enemigo.

Muchos casos hubo en que infelices campesinos fueron asesinados para juntar cadáveres con que justificar los partes falsos del Estado Mayor de la tiranía. Si nosotros podemos afirmar que 600 miembros de las fuerzas armadas que pasaron por nuestras manos están vivos y en el seno de su familia, la dictadura como contrapartida puede afirmar que más de 600 compatriotas indefensos y en muchos casos ajenos a toda actividad revolucionaria han sido asesinados por sus fuerzas en esos 20 meses de campaña. Matar no hace más fuerte a nadie; matar los ha hecho a ellos débiles; no matar nos ha hecho a nosotros fuertes.

¿Por qué nosotros no asesinamos a los soldados prisioneros?

Primero: porque solo los cobardes y los esbirros asesinan un adversario cuando se ha rendido.

Segundo: porque el Ejército Rebelde no puede incurrir en las mismas prácticas que la tiranía que combate.

Tercero: porque la política y la propaganda de la dictadura ha consistido esencialmente en presentar a los revolucionarios como enemigos jurados e implacables de todo hombre que vista uniforme de las Fuerzas Armadas.

La dictadura, mediante el engaño y la mentira, ha tratado a toda costa de solidarizar al soldado con su régimen haciéndole creer que luchar contra la Revolución es luchar por su carrera y su propia vida. Lo que a la dictadura convendría no es que nosotros curásemos a los soldados heridos, respetásemos la vida de los prisioneros, sino que los asesináramos a todos sin excepción, para que cada miembro de las Fuerzas Armadas se viera en la necesidad de combatir por ella hasta la última gota de sangre.

Cuarto: porque si en cualquier guerra la crueldad es estúpida en ninguna lo es tanto como en la guerra civil, donde los que luchan tendrán que vivir algún día juntos y los victimarios se encontrarán con los hijos, las esposas y las madres de las víctimas.

Quinto: porque frente a los ejemplos vergonzosos y deprimentes que han dado los asesinos y torturadores del dictador hay que anteponer como estímulo edificante a las generaciones venideras el ejemplo que están dando nuestros combatientes.

Sexto: porque hay que sembrar desde ahora la semilla de la confraternidad que debe imperar en la Patria futura que estamos forjando para todos y por el bien de todos. Si los que combaten de frente saben respetar la vida de un adversario que se rinde, mañana nadie se podrá sentir con derecho a practicar en la Paz la venganza y el crimen político.

Si hay Justicia en la República, no debe haber venganza.

¿Por qué ponemos en libertad a los prisioneros?

Primero: porque mantener en la Sierra Maestra a cientos de prisioneros implicaría compartir con ellos los víveres, las ropas, los zapatos, los cigarros, etc. que se adquieren con mucho esfuerzo, o por el contrario mantenerlos en un régimen de escasez tal que sería inhumano e innecesario.

Segundo: porque dadas las condiciones económicas y el enorme desempleo que hay en el país, a la dictadura no le faltarían nunca hombres que se enrolen por un sueldo. No tiene pues lógica pensar que se debilita reteniendo a los prisioneros. Desde nuestro punto de vista militar, lo que nos importa no es el número de hombres y armas que la dictadura posea, porque siempre hemos supuesto que contará con los recursos bélicos que desee teniendo a su disposición la hacienda de la República, sino el número de hombres y armas que los rebeldes poseamos para cumplir nuestros planes estratégicos y tácticos. La victoria en la guerra depende de un mínimo de armas y un máximo de moral.

Una vez en nuestro poder el arma que trae el soldado, este no nos interesa para nada.

Ese hombre difícilmente se sentirá con deseos de combatir a los que lo han tratado noblemente. Matar al soldado o someterlo a las penalidades de la prisión serviría sólo para que una tropa, por ejemplo, sitiada y vencida, resistiera aunque militarmente no tuviese justificación para ello.

Quinto [sic]: porque un prisionero en libertad es el mentís más rotundo a la falsa propaganda de la tiranía.

El día 24 de Julio se devolvieron pues, en Las Vegas, 253 prisioneros. Las actas de liberación están firmadas por

Pierre Jecquier y Jean Pierre Schoenhoenlzer, Delegados del Comité Internacional de la Cruz Roja, que vinieron de Ginebra, Suiza. Los días 10 y 13 de Agosto fueron devueltos 169 prisioneros en Sao Grande. El acta [de] liberación está firmada por el Dr. Alberto C. Janet, Teniente Coronel de la Cruz Roja Cubana.

No podía haber canje de prisioneros, porque en toda la ofensiva las fuerzas de la dictadura no hicieron un solo prisionero rebelde.

No exigimos condición alguna a cambio de ello, porque entonces la liberación de los prisioneros por parte nuestra hubiera dejado de tener el sentido moral y político que este acto entraña.

Aceptamos solo las medicinas que envió la Cruz Roja Internacional en el acto de entregar nosotros el segundo grupo de prisioneros porque lo interpretamos como un gesto generoso y espontáneo de dicha institución que compensaba en parte las medicinas que invertimos curando a los heridos enemigos. Las medicinas de la Cruz Roja Internacional llegaron en un helicóptero del ejército. ¿Qué menos podían hacer después que nosotros les habíamos salvado la vida a tantos soldados?

Es una verdadera lástima que el Estado Mayor y los voceros de la dictadura se hayan puesto a politiquear con un detalle tan simple e intrascendente desnaturalizando el sentido del acto.

FIDEL CASTRO RUZ

Nuestros sentimientos respecto a los miembros de las Fuerzas Armadas los hemos demostrado con hechos y los hechos tienen más valor que las palabras.

En nuestro trato con los prisioneros hemos observado una circunstancia permanente y característica [del Ejército de la dictadura]: el engaño. En el ejército opera toda una maquinaria de mentiras funcionando constantemente manejada por los centros superiores.

Nosotros hemos capturado numerosos documentos, circulares y órdenes secretas, muy reveladoras. A la tropa en campaña se le engaña. Se les asegura que los rebeldes son grupos dispersos, que su moral es baja, que están armados con escopetas, etc. Lógicamente el soldado, al chocar con la realidad, recibe un duro impacto.

Ningún soldado, ni Oficial conoce por lo general las cosas que han ocurrido en la Sierra Maestra.

Si nosotros, por ejemplo, en Uvero, hace más de un año, hicimos 35 prisioneros, curando 19 heridos, poniéndolos a todos en libertad, el Estado Mayor se las ingenia para que esos hombres permanezcan lo más aislados posible.

Al soldado le hacen creer que si caen prisioneros los torturamos, los castramos, los matamos, en fin, todas las cosas que en los cuarteles y las estaciones de policía ellos les han visto hacer con Revolucionarios.

Con la censura de prensa el soldado está ignorante de lo que ocurre en el país. No lee otra cosa que lo que aparece en los libelos gubernamentales o en las circulares de orden interior que usa mucho el Estado Mayor.

A fines de Septiembre de 1957, por ejemplo, en el Oro de Guisa fueron asesinados 53 campesinos. Días después el Estado Mayor emitió una circular informando que dos batallones habían obtenido allí una espléndida victoria, dando muerte a 53 rebeldes sin sufrir ellos baja alguna.

La circular terminaba: Viva el Viejo Pancho, Candela al Jarro.

Los soldados no escuchaban otros discursos que los que les endilgan en Columbia los 10 de marzo y los 4 de Septiembre. Nadie les dice jamás que detrás de toda esa palabrería, mentiras y engaños de que los hacen víctimas, se esconde un interés de los políticos del régimen: robar, y un propósito: que los soldados mueran para defender el infamante y corrompido régimen.

Yo estoy completamente seguro de que si un solo día, en vez de combatir se pudieran reunir y conversar todos los revolucionarios y todos los soldados, la tiranía desaparecería al instante, y una paz larga y sincera se iniciaría, por muchos años. He observado la calidad humana de muchos soldados, y a fuerza de sincero hubiera deseado que en vez de adversarios fueran compañeros de lucha. Me he preguntado muchas veces cuántos hombres valiosos habrán muerto en el engaño de que defendían algo por lo que valiera la pena luchar.

FIDEL CASTRO RUZ

Lo mejor del ejército está en sus oficiales de línea y en sus soldados, si exceptuamos los reclutas que han ingresado los últimos meses sin selección alguna. Los tenientes sobre todo han demostrado capacidad y valor en los combates. Tiene el ejército de Cuba una oficialidad joven que ha despertado en estos meses de lucha nuestro sincero reconocimiento. No están corrompidos, aman su carrera y quieren su institución. Para muchos de ellos la guerra en que los han enfrascado es absurda y sin razón, pero cumplen órdenes e individualmente poco pueden hacer. Entre otras barbaridades la dictadura ha extraído de las aulas a los alumnos de la Escuela de Cadetes, sin terminar sus cursos y los ha enviado al frente. Parece como si quisiera responsabilizar a los futuros oficiales con la guerra que se libra contra el pueblo y con todos los crímenes que se han cometido. Son muchos los oficiales jóvenes que han muerto en los combates de la Sierra Maestra.

Lo peor del ejército comienza en sus Coroneles y se agrava a medida que se llega a los Generales. Estos son en su mayor parte gente corrompida y sin escrúpulos. Se podrían contar con los dedos de una mano, y sobran casi todos los dedos, los que [no] se han hecho millonarios en la explotación del juego, el vicio, la exacción y los negocios turbios.

Resulta evidente que dado el estado de cosas a que ha llegado la situación del país sin salida alguna para el régimen, y el desencadenamiento de los últimos sucesos, es muy posible un golpe de Estado.

El Movimiento 26 de Julio frente a esa eventualidad quiere dejar sentada bien claramente su posición.

Si el golpe de Estado es obra de militares oportunistas cuyo propósito es salvar sus intereses y buscar una salida lo mejor posible a la camarilla de la tiranía estamos resueltamente contra ese golpe de Estado, aunque se disfrace con las mejores intenciones.

Porque en fin de cuentas los sacrificios que se han hecho y la sangre derramada no han de servir únicamente para que las cosas queden más o menos como están y se repita aquí la historia que siguió a la caída de [Gerardo] Machado.

Si el golpe militar es obra de gente honesta y tiene un fin sinceramente revolucionario será posible entonces una solución de Paz sobre bases justas y beneficiosas a la Patria.

Entre las Fuerzas Armadas y la Revolución, cuyos intereses no son ni tienen por qué ser antagónicos, puede resolverse el problema de Cuba. Nosotros estamos en guerra contra la tiranía, no contra las Fuerzas Armadas; pero es a las Fuerzas Armadas de la República [a] las que corresponde deshacerse de las ataduras que la han vinculado al régimen más infamante y odioso que ha padecido nuestra Patria. El dilema que se ofrece en estos instantes al Ejército es bien claro: o dá un paso al frente, desprendiéndose de ese cadáver que es el régimen de Batista y se reivindica ante la Nación, o el ejército se suicida como institución. Lo que hoy todavía puede salvar al ejército no podrá salvarlo dentro de unos meses.

Si la guerra se prolonga medio año más, el ejército se desintegrará totalmente. La situación que tiene delante sólo podría dominarla con el respaldo de toda la población; y al revés de ello, toda la población está identificada y colabora con la rebelión. El propio ejército debe saber mejor que nadie lo que acaba de ocurrir en la Sierra Maestra. Más de 200 oficiales participaron en la última ofensiva y no pueden ignorar el desastre, ni dejar de meditar sobre los hechos. Y si no ha podido dominar un solo núcleo rebelde, concentrando sobre él todas sus fuerzas, menos podrá dominarlos cuando tenga que luchar en 20 frentes de batalla.

La deserción masiva de los soldados es algo que difícilmente pueda disimularse. En el Cerro el día 24 de Julio por la noche, en una sola madrugada, desertaron 31 de 80 soldados destacados en ese punto. Esto para no citar más que un ejemplo de lo que ha estado ocurriendo en los demás batallones. Cuando un cuerpo armado llega a esa situación, está en el deber de analizar las causas que lo han conducido a ese abismo, cuando aún es tiempo de reaccionar. La objetividad con que les hablo no puede dar lugar a dudas sobre la sinceridad que encierran estas palabras.

Un acuerdo entre militares y revolucionarios no podrá desearlo jamás una veintena de asesinos sin salvación posible que con sus actos han deshonrado el cuerpo armado y lo están conduciendo al suicidio; pero ese acuerdo es la única salvación que queda a los militares que de veras les preocupe el destino de su ejército y su Patria.

La oficialidad joven debe estar alerta para que el golpe no se convierta en una maniobra propiciada tal vez por la propia tiranía para salvar aunque sea las cabezas de sus peores corifeos.

Como no estamos dispuestos a ceder un solo ápice en lo que a los intereses del pueblo se refiere, el Movimiento 26 de Julio y el ejército Rebelde, sólo aceptarán discutir una solución de Paz con el ejército sobre estas bases.

Primero: Detención y entrega del dictador a los Tribunales de Justicia.

Segundo: Detención y entrega a los Tribunales de Justicia de todos los líderes políticos que se han responsabilizado con la tiranía, son los causantes de la guerra civil y se han enriquecido con el dinero de la República.

Tercero: Detención y entrega a los Tribunales de Justicia de todos los militares que se han caracterizado por sus torturas y crímenes, tanto en las ciudades como el campo y de los que se han hecho ricos con el contrabando, el juego, los negocios turbios y la exacción, cualquiera que sea su grado.

FIDEL CASTRO RUZ

Cuarto: Entrega de la Presidencia provisional a la figura que designen todos los sectores que combaten a la dictadura, para que convoque en el más breve plazo posible a unas elecciones generales.

Quinto: Reestructuración y alejamiento de los Institutos Armados de las luchas políticas y partidaristas, a fin de que las fuerzas armadas no vuelvan a ser nunca más instrumento de ningún caudillo o partido político y se concentren a su misión de defender la soberanía del país, la Constitución, las leyes y los Derechos del ciudadano, para que entre civiles y militares reine la confraternidad y el respeto mutuo, sin temor ni de unos ni de otros, como corresponde a un verdadero ideal social de Paz y de Justicia. La República exige mañana mejores y más honestos políticos, pero también mejores y más honestos militares.

Sin el cumplimiento estricto de estas condiciones nadie debe hacerse ilusiones de que la guerra pueda concluir, porque antes moriremos todos, que abandonar la meta por la que está luchando nuestro pueblo desde hace seis años, y está anhelando hace medio siglo. Nadie como nosotros tiene derecho a exigir algo en bien de la Patria, y nadie como nosotros ha sabido renunciar de antemano a toda aspiración personal. Esperamos la respuesta sobre la marcha.

Las Columnas Rebeldes avanzarán en todas direcciones hacia el resto del territorio nacional sin que nada ni nadie las pueda detener. Si un Jefe cae, otro lo sustituirá;

si un hombre muere, otro ocupará su puesto. El pueblo de Cuba debe prepararse a auxiliar a nuestros combatientes. Cualquier pueblo o zona de Cuba puede convertirse los próximos meses en campo de batalla. La población civil debe estar lista para soportar valerosamente las privaciones de la guerra. Que la entereza demostrada por la población de la Sierra Maestra, donde hasta los niños auxilian a nuestras tropas, soportando 20 meses de campaña con incomparable heroísmo, no deje de tener ejemplar emulación en el resto de los cubanos para que la Patria sea verdaderamente libre cueste lo que cueste y se cumpla aquella promesa del Titán cuando dijo que "la Revolución estaría en marcha mientras quedase una injusticia sin reparar".

Hay Revolución porque hay tiranía. Hay Revolución porque hay injusticia. Hay y habrá Revolución mientras una sola sombra amenace nuestros Derechos y nuestra Libertad.

Fidel Castro

Ese día, 19 de agosto:

Se comisiona a la compañera Pastora Núñez a fin de que con otras personas integre una comisión con el objeto de visitar a todos los propietarios de Ingenios azucareros de la Provincia de Oriente para informarles que por disposiciones militares del Ejército Rebelde, se establece la contribución de quince centavos por cada saco de azúcar de 250 libras producido en la zafra de 1958, de los cuales, diez centavos corresponden al central y cinco centavos al colono, debiendo el Central abonar la parte correspondiente al colono para facilitar el cobro de la contribución, y descontarla al mismo en su oportunidad.

Esta contribución deberá ser satisfecha en su totalidad antes del próximo 15 de Octubre.

El cumplimiento de esta obligación por parte del contribuyente lo hace acreedor a las garantías que sólo el Ejército Rebelde puede hoy brindar a las cañas y a las instalaciones industriales de todos los centrales de la Provincia.

El no cumplimiento de la misma en el tiempo y forma indicados dará lugar a sanciones que serán irrevocables a partir de dicha fecha, pues no se admitirá aplazamiento alguno ni aceptaremos su cobro posterior.

Fidel Castro Ruz
Comandante Jefe

En una información dirigida al pueblo, expresé:

El pueblo de Cuba debe cooperar con el Movimiento de Resistencia Cívica para aumentar los abastecimientos de las columnas invasoras del Ejército Rebelde para que con el esfuerzo y el sacrificio de todos podamos poner pronto fin a la tiranía.

Se inicia la marcha de las columnas rebeldes, equipadas con las armas conquistadas al Ejército batistiano durante su ofensiva contra el Primer Frente en la Sierra Maestra.

Ese día partió del Salto el comandante Camilo Cienfuegos al frente de la Columna Invasora Antonio Maceo, cuyo propósito era llevar la guerra al extremo occidental del país.

Ordené al comandante Juan Almeida que, al frente de la Columna 3, regresara hacia su antigua zona de operaciones en el extremo oriental de la Sierra, próximo a Santiago de Cuba.

Envié una nota dirigida a José Antonio [Miguel Ángel Ruiz Maceira], jefe de acción del Movimiento en Santiago de Cuba:

Es muy necesario que vengas a verme lo antes posible, para tratar asuntos que requieren hacerlo personalmente para estudiarlos y resolverlos con éxito.

Un saludo fraternal y nuestra felicitación a valientes compañeros de Santiago.

Fidel Castro Ruz

El propio día 21, en carta dirigida a Camilo le comunicaba:

No dejes de mandarme la lista completa del armamento que llevas.

Pregúntale a Pinal [Antonio Sánchez Díaz, *Pinares*] qué hizo con los tres sprinfields que tenía guardados.

No tengo aquí "microonda de aire" pues supongo te refieres al P.R.C.-10. Ni creo que ellos las vuelvan a usar de ese tipo.

Investiga bien la conducta de [Carlos] Borjas, pues me parece que ese señor no promete nada bueno. Recuerda que el refuerzo debes dárselo a tu teniente y aleccionarlo bien.

Ayer tiraron aquí unos botellones muy raros con líquido u otra cosa que no se ha podido investigar bien, pues solo se recogieron los vidrios del recipiente y que puede ser cualquier cosa.

Apúrate no vaya a ser que te agarre por aquí una epidemia de viruela o cualquier cosa por el estilo.

Buena suerte.

Fidel Castro Ruz

P. D. No tengo una bala de cristóbal. Si llegan te las mandaré como pueda.

Mediante Orden Militar le asigné al comandante Ernesto Guevara la misión de trasladar una columna para la provincia de Las Villas y comenzar las operaciones en ese territorio.

ORDEN MILITAR [documento p. 498]

Se asigna al Comandante Ernesto Guevara la misión de conducir desde la Sierra Maestra hasta la Provincia de Las Villas una columna rebelde y operar en dicho territorio de acuerdo con el plan estratégico del Ejército Rebelde.

La columna Nº 8 que se destina a ese objetivo llevará el nombre de "Ciro Redondo", en homenaje al heroico capitán rebelde muerto en acción y ascendido póstumamente a Comandante.

La Columna Nº 8, Ciro Redondo partirá de las Mercedes entre el 24 y el 30 de Agosto.

Se nombra al Comandante Ernesto Guevara Jefe de todas las unidades rebeldes del Movimiento 26 de Julio que operan en la Provincia de las Villas, tanto en las zonas rurales como urbanas y se le otorgan facultades para recaudar y disponer en gastos de guerra las contribuciones que establecen nuestras disposiciones militares, aplicar el Código Penal y las Leyes Agrarias del Ejército Rebelde en el territorio donde operen sus fuerzas; coordinar operaciones, planes, disposiciones administrativas y de organización militar con otras fuerzas revolucionarias que operen en esa Provincia, las que deberán ser invitadas a integrar un solo cuerpo del Ejército para vertebrar y unificar el

FIDEL CASTRO RUZ

esfuerzo militar de la revolución; organizar unidades locales de combate, y designar oficiales del Ejército Rebelde hasta el grado de Comandante de Columna.

La Columna N⁰ 8 tendrá como objetivo estratégico batir incesantemente al enemigo en el territorio central de Cuba e interceptar hasta su total paralización los movimientos de tropas enemigas por tierra desde Occidente a Oriente, y otros que oportunamente se le ordenen.

Fidel Castro Ruz [Firma]

Comandante en Jefe

Sierra Maestra, Agosto 21, 58 9 p.m.

VIERNES
22

Le envié al comandante Quevedo una carta con el siguiente contenido:

Comandante Quevedo:

Entre varios papeles que recibí esta mañana, entre ellos una carta de mi madre, venía ese papel, que le envié sellado tal, como lo recibí. Ignoro por completo su contenido. Ahora me dicen que usted "cree su contenido era una broma". No sé qué tontería le puedan haber escrito. Esos papeles los mandó Enrique López. Me preocupa que lo anden molestando y le ahorraría con gusto que ocuparan su atención con cosas intrascendentes si no fuese una indelicadeza leer cualquier comunicación dirigida a usted.

Cuando yo estaba en prisión nada me molestaba tanto como que un censor leyese mi correspondencia.

Afectuosamente

Fidel Castro Ruz

Carta dirigida a Carlos Chaín, miembro de la dirección del Movimiento 26 de Julio en la provincia de Oriente.

Carlos:

Tony [Antonio Santos Buch] lleva una misión específica que cumplir, como parte de un plan que quiero tratar ampliamente con José Antonio [Miguel Ángel Ruiz Maceira]. Pero no quiero que las dilaciones del viaje de éste, retrasen la preparación del trabajo de Tony que es de suma importancia. Lo primero que hace falta es poner en manos de Tony cinco mil pesos, la dinamita y las armas que haya en existencia, así como cualquier vehículo disponible que tú o cualquier otro departamento no necesite para su funcionamiento. Deben suspenderse a partir de esta comunicación los planes de acción que estén verificándose. Esta suspensión durará diez o doce días. El objeto es combinar operaciones de mayor envergadura. Vamos a reforzar los cuadros de acción con armas y, además, tropas que operarán combinadas. Todo esto es

FIDEL CASTRO RUZ

rigurosamente secreto, para conocimiento tuyo, de Zoilo [Marcelo Fernández Font] y José Antonio [Miguel Ángel Ruiz Maceira]. Bríndale a Tony todas las facilidades.

Si no todo el dinero, hay que disponer por lo menos de parte de la cantidad señalada, tomándolo de cualquier recaudación, mientras yo recibo sumas gruesas que he solicitado y atiendo esos gastos directamente.

Recibe un fuerte abrazo
Fidel.

P. D. Que José Antonio haga el viaje lo antes posible.

SÁBADO
23

Este día le envié a Gustavo [Arcos Bergnes], en México, el siguiente mensaje en clave:

Pista 100 E Guilla [Cienaguilla] y encañado C. Punto. Espino [Cayo Espino] lista extensión aproximadamente quinientos metros Punto. sincopal debe conocer lugar, Punto. Peletería mejor seis y media. P.M. Bandera 26 jueves próximo.

Llegó así a la Sierra un avión que transportaba armas y una planta de radio de alta potencia.

El avión *"hubo que quemarlo, pues lo ametrallaron y le hicieron una avería en el tanque de gasolina"*, informé en aquel momento.

DOMINGO

24

En un pequeño block de notas escribí la respuesta a la carta de mi madre, Lina Ruz, recibida la mañana del 22 de agosto. Hacía casi cuatro años que no la veía, y comunicarme con ella representaba para mí una ocasión especial, sobre todo, después de lo vivido, y en medio de la guerra.

Querida madre:

Recibí con mucha alegría tu carta y considero una gran cosa la oportunidad de enviarte estas líneas.

Seré breve porque sobre las cosas que podría hablarte habría que escribir mucho o no escribir nada. Tiempo habrá cuando concluya la guerra.

Estoy bien de salud como nunca lo había estado y Raúl lo mismo. Yo puedo comunicarme con él por radio cada vez que quiera, y todo marcha bien.

Sabía ya que Ramón estaba en España y también el viaje de Agustinita. Algún día la familia volverá a reunirse.

FIDEL CASTRO RUZ

Puedes mandarme noticias por esta vía y recibir cartas mías con frecuencia.

Muchos recuerdos a todos los buenos amigos que no menciono pero a los que siempre recuerdo y recibe tú muchos besos de tu hijo.

Fidel

Como parte de los preparativos de la invasión, asigné un armamento de superior calidad y poder de fuego a los combatientes de la Columna 8, que cumplirían esa misión.

En nota dirigida al Che le comuniqué.

Che:

Te mandé entregar los 7 garands con 100 balas cada uno para que devuelvas 7 cristóbal sin balas.

No te complazco con lo del antitanque porque los voy a necesitar muy seriamente y me parece que su única eficacia puede consistir en concentrar el fuego de varios sobre un mismo tanque. Tengo mis dudas de que le hagan algo al Sherman.

Sobre el M-2, como no sería un arma personal para ti, pues ya tienen uno, y no hay además parque, guardo los dos que vinieron.

No solamente parque 30.06 y M-1; hace falta también el de 7 milímetros para los máusers y mendozas. Pasan ya de cien las armas sin uso por falta de balas.

Entre las cuestiones que no debía descuidar se encontraba velar por la disciplina guerrillera. La nota al capitán Eduardo Ruiz Samé muestra mi preocupación en tal sentido y la noble disposición de los combatientes rebeldes, para los cuales significaba un castigo el hecho de no poder partir con su tropa a cumplir una misión.

Samé:

Impuse al portador, Ángel Carmenate, 15 días de reclusión en la escuela, como requisito para volver a entrar en la tropa, salvo que haya cometido falta de mayor gravedad que a entender de usted requiera más sanción. Cumplidos los 15 días puede partir a juntarse con su tropa.

Saludos.

Fidel Castro

De asuntos y detalles similares a este había que ocuparse constantemente.

LUNES

25

En la tarde de este día, mediante Orden Militar, dispuse que se organizara el hospital Mario Muñoz, en La Plata.

Orden Militar

Se dispone por la presente Orden Militar que los capitanes médicos, doctores Raúl Trillo y Eduardo Ordaz organicen el Hospital Mario Muñoz, en La Plata, de acuerdo con las normas que ellos estimen más convenientes a su funcionamiento pudiendo redactar al efecto un reglamento para el mismo, estableciendo horas de visita, consulta, enfermos que puedan tener acompañante de acuerdo con su estado y todas las demás disposiciones administrativas y disciplinarias que estimen pertinentes, las cuales serán de obligatorio cumplimiento para toda autoridad civil o militar de la Sierra Maestra, ninguna de las cuales podrá interferir las órdenes y disposiciones del hospital que es un establecimiento absolutamente autónomo.

Se hace constar además que en cuestión de abastecimiento el hospital tiene preferencia que deberá ser reconocida en cualquier almacén o depósito rebelde de suministros.

Fidel Castro Ruz
Comandante Jefe, Sierra Maestra
Agosto 25, 58, 2 p.m.

MIÉRCOLES
27

En este tiempo distribuí armas y municiones entre las unidades, de acuerdo con las misiones que debían cumplir dentro del plan estratégico del Ejército Rebelde. Fue una tarea que seguí al detalle y en la cual tuve que luchar contra individualismos y tendencias personales.

Nota dirigida por Huber Matos a Luis Crespo:

Compañero Crespo:

Quiero que me consigas algunas balas de salva para lanzar granadas de Garant [Garand]. También te agradecería mucho que de las armas que tú tengas ahí, le facilitaras una a Omar, ya que a nosotros se nos queda en taller el fusil ametralladora Browning y por esta causa nos falta un arma.

Siempre a tus órdenes tu amigo y compañero

Huber Matos B.

Le hice llegar de inmediato esta nota a Crespo con un añadido de mi puño y letra respondiéndole a Huber Matos:

Hubert [Huber]:

No me explico que te pueda faltar alguna arma cuando el chino que estaba aquí de armero se fué con una

Cristóbal. No me gustan estas gestiones a mis espaldas porque lo descontrolan y desorganizan todo. Nadie puede disponer de las armas que están en la armería. Hay que ordenar y no desordenar. ¿Cuándo vamos a poder contar con la colaboración de los compañeros más responsables?

¡Que te acabe de ir bien!

Fidel

Luis Buch, viejo guiterista y activo militante del 26, realizaba una valiosa labor en el ámbito internacional de apoyo a nuestro Ejército Rebelde, desde Caracas. Ese día envío mensaje en clave a Luis Buch a Venezuela.

Parque 30.06 mejicano no sirve tiene que ser americano. Parque siete milímetros mejicano sí sirve y hace falta acabar de venir con lo que tenga.

Alejandro [Comandante Fidel Castro Ruz]

JUEVES
28

Mensaje dirigido al capitán Félix Duque:

Duque:

Al hacer el recuento de peines pequeños faltan 4 peines. Por tanto deduzco que cogiste también peines chiquitos.

En esta fecha envié la siguiente nota dirigida al Che:

Che, dado el tiempo que ha sido necesario invertir en los preparativos y el peligro de que el proyecto se haya divulgado mucho, tienes que tomar medidas extraordinarias de precaución a la salida.

Se me ocurre que cuando vayas llegando a las zonas más peligrosas, cercanas a la carretera, la gente debe bajarse, avanzar a pié a distancia de los caminos, y los camiones cruzar solos esa parte hasta más allá de la carretera protegidos por emboscadas en los flancos, en cada cruce, muy especialmente la carretera, instalándose minas y teniendo lista la bazooka en el lugar estratégico por si meten tanques. Si cruzas sin novedad el primer tramo estaré más tranquilo, el problema a mi entender consiste en el hecho de que dispones de una sola vía de salida. Las noticias se divulgan mucho aquí, los preparativos son muy visibles, la gente muy curiosa y solo falta que el enemigo sea muy estúpido para que no tome algunas medidas, ya me informaron la llegada de las balas, solo me preocupa saber si Pedro Luis [Díaz Lanz] ha podido salir sin dificultad, si es cierto que vinieron solamente mil y pico de... [incompleto].

VIERNES

29

Le envío la siguiente indicación a Lalo Sardiñas:

Lalo, después que el Che recoja las balas que le indiqué... el cargamento debe ser guardado en Las Vegas en lugar seguro.

A mi nota escrita el día 27, al pie de la dirigida a Luis Crespo por Huber Matos, este reaccionó con un gesto y una respuesta groseros.

El Descanso, Ag. 29-58.

Comandante:

Mi deseo de tener más armas para mi columna tiene un límite impuesto por mi propia dignidad de hombre, que no es menos que la suya. Soy ajeno, y Ud. si me conociera lo debía suponer así, a lo que Duque le haya hecho interesado en quedarse con 4 peines en vez de 2. Su Beretta le fue entregada a César Suárez, con 200 balas para que me llevara él mismo hasta la Comandancia.

Creáme que hoy he deplorado el haber venido aquí a la Sierra. Acepto su insulto como un sacrificio más en esta hora en que lo que importa es la suerte de Cuba.

Le devuelvo su papel y le exhorto a que se supere en la forma de tratar a algunos de sus colaboradores, sobre todo, a los que creen haber probado que están aquí defendiendo ideales y principios.

Huber Matos B.

SÁBADO

30

Inspirado en la ética martiana, respondí enérgicamente al insolente mensaje de Huber Matos, donde él deploraba haber subido a la Sierra.

Sierra Maestra Agosto 30, 58 [documento p. 502]
Huber:

Más que como un acto de indisciplina y una grosería, indigna del espíritu de confraternidad con que siempre nos hemos tratado todos aquí, duele la evidente ingratitud con que has pasado por alto las reiteradas pruebas de consideración personal que he tenido contigo.

Soy hombre poco dado al teatralismo y he tratado siempre aquí a quienes tengo en alguna estima, con la confianza y familiaridad con que se trata a los hombres cuando no median ridículos convencionalismos ni hipocresías de ninguna índole. Soy franco y natural en todas mis expresiones y eso compensa en mí lo que falte de formulismos cortesanos en mis relaciones con los compañeros a los que he considerado siempre como iguales, porque no soy aristócrata ni en la más insignificante manifestación de mi espíritu.

Estoy haciendo esta revolución con hombres de humilde cuna, con más instinto para conocer las verdaderas raíces de mis sentimientos democráticos y humanos, que los hombres un poco más privilegiados por la fortuna, a quienes ha sido dada la oportunidad de adquirir un poco más de educación y con ella también muchos prejuicios.

No he deplorado jamás, a pesar de haber sufrido muchas más amarguras, más ofensas y más sacrificios que tú, haber estado luchando por esta causa desde hace siete años, venciendo muchos más obstáculos de los que han encontrado los hombres a los que [de] algún modo he ayudado a satisfacer sus ansias de lucha y sus anhelos de realizar un ideal, para lo cual he tenido la abnegación y la paciencia que debieran tener en cuenta los que tan fácilmente como tú deploran el haber venido a un lugar de sacrificio donde por todo premio no hay que esperar otra cosa que heridas como las contenidas en tu inoportuno y desconsiderado mensaje no es tal vez más que una leve muestra.

Tú no eres un colaborador mío, sino de la revolución. Yo aquí no soy un amo, ni un jefe arbitrario, sino un miserable esclavo de lo que creo mis obligaciones. Si me excedo a veces en el humor con que exijo detalles insignificantes, como el que puede implicar un arma para dotar a otras unidades con el mismo celo e interés con que he dotado la que tú mandas y las que han partido con otros compañeros, se debe a la lucha que tengo que librar en un ambiente donde cada cual quiere tener lo mejor para su tropa y se olvidan de que la victoria solo puede ser el fruto de la eficacia y el esfuerzo de todos. Y esa lucha contra los individualismos y tendencias personales debiera preocupar más a los que son testigos de ellas, que andar expurgando agravios inexistentes, como si el orgullo importara por encima de todo lo demás. Rechazo terminantemente el calificativo de insulto que les das a las palabras contenidas en mi nota, que guardaré como constancia de este incidente. No te la devuelvo porque nunca hago ni escribo nada con el fin de ofender. Invierto mis energías y mi tiempo en propósitos más elevados.

Afea tu acción el hecho de que la hayas realizado en instante en que exigirte cuenta de tu conducta ocasionaría un irreparable daño a todos los planes, o por lo menos al más importante plan contra las fuerzas enemigas, a las que me interesa más destruir que reparar agravios personales. Lo personal no me importa y cuando personalmente fuese un estorbo a esta causa y así lo entiendan los que hoy me obedecen, me apartaré sin vacilación, porque veo en eso mucha más honestidad y honra que en estar mandando a otros y asumir jefaturas que para mí no constituyen un placer sino un amargo deber, y hubiera deseado que otro más capaz y mejor que yo (lo que digo con toda sinceridad, por si lo dudas) estuviese dirigiendo esta lucha, porque con la modesta filosofía que he dotado mis más íntimas convicciones siento un profundo desprecio por todas las vanidades y ambiciones humanas. Todo el orgullo del mundo vale menos que un átomo de humildad cuando comprendemos que los hombres somos una desoladora nada.

No te tomes jamás la molestia de pensar que me preocupe lo más mínimo la actitud que cada cual asuma con respecto a mí. Me preocupa solo la forma en que cada cual cumpla con su deber. Y ese deber, entiéndelo bien, no lo veré jamás como algo que tenga que ver con mi nombre, o con mi orgullo o con mi personal interés, que por fortuna no existe en absoluto. Y cuando otros entiendan su deber de modo distinto al que mi conciencia me indique que es el mío, cuando esté seguro de que mis actos estén limpios de todo innoble propósito, me tiene sin cuidado lo que ello implique, porque en definitiva esa es mi vocación y mi destino: luchar.

Duro es tener que invertir las energías de un hombre para llevar este mensaje que hubiera sido innecesario, pero tú no eres un soldado de fila sino un jefe de columna y algún interés tengo en aclararte estos conceptos.

Exhortaciones, no te hago ninguna. Yo debo darte órdenes y no hacerte exhortaciones. Te agradeceré en cambio todas las que me hagas, siempre que te las autorice, y te exijo terminantemente que rectifiques los conceptos vertidos en tu mensaje. Y si tu honor, tu orgullo o como quieras entenderlo, te impide rectificar la indecencia de haber devuelto la nota mía, entrega el mando al Capitán Félix Duque, al que impondré de este incidente, y en cuyo caso debe proseguir hasta la Comandancia de Almeida a recibir instrucciones, y tú presentarte en la Comandancia General.

Fidel Castro Ruz

El 4 de septiembre, Huber Matos recoge vela y escribe:

La Estrella, sep. 4 de 1958
Dr. Fidel Castro R.
Cmte. Jefe del Ejército Rebelde "26 de Julio".
Comandante:

Yo no tengo tiempo para contestar su carta párrafo por párrafo como hubiera deseado. Responsabilidades y deberes que Ud. me confió me obligan a ser breve en la respuesta.

Por creerme digno del mando con que Ud. me honró, lo seguiré desempeñando en tanto Ud. disponga lo contrario; en cuyo caso acataré disciplinadamente lo que Ud. disponga.

Debo aclararle que aceptar los conceptos contenidos en su nota de Agosto 28, que ha dado lugar a este incidente, implicaba para mí el no tenerme por hombre honrado, y yo no quiero vivir cuando piense que he dejado de ser un hombre honrado. Comprendo ahora al leer su carta de Agosto 30, que Ud. no tuvo intención de ofenderme, pero yo no pude leer su intención, sino lo que su pluma escribió. Aclarado ésto no tengo inconveniente en ofrecer rectificaciones, pero como éstas pudieran tener un valor formal, atendiendo a la diferencia de grados; vale mucho más aquí que ratifique que le admiro y le sigo porque le conozco dedicado por entero al bien de la Patria y a la causa de la Libertad.

Siempre a sus órdenes

Cmte. Huber Matos B.

El último día de agosto escribí una carta a Cayita [Leocadia Araújo] por quien sentía un entrañable afecto. Ella era heredera de una larga tradición patriótica, desde los tiempos de los mambises.

Querida madre:

No la olvido nunca como sé que usted no me olvida.

Si no le he escrito muchas veces sé que me lo perdona porque sabe cómo hemos vivido embargados en este esfuerzo. Pero tengo la fortuna de poder enviarle hoy estas líneas, si no largas, por lo menos llenas de filial y fiel cariño.

Ardo en deseos de volver a verla y escuchar de nuevo con la emoción profunda que usted sabe darles, las anécdotas de nuestros patriotas con las cuales deben educarse y prepararse para una vida más digna y feliz nuestras futuras generaciones.

Reciba usted, M. A. y todos mi más devoto [y] sincero cariño.

Fidel Castro Ruz

Dispuse que todas las fuerzas que operaban en las zonas inmediatas a Santiago de Cuba formaran parte del frente este de la Sierra; el cual quedaba bajo la jurisdicción del comandante Juan Almeida.

A principios de septiembre, dos nuevas columnas, salidas de la Sierra Maestra, se situaron, siguiendo las instrucciones del mando rebelde, en forma de arco alrededor de Santiago de Cuba, cerrado al Sur por el mar. Se trataba de la Columna 9 Antonio Guiteras y la 10 René Ramos Latour, las cuales, junto con la Columna 3, Santiago de Cuba, integraron el Tercer Frente, denominado: Dr. Mario Muñoz Monroy.

Le envío carta a Almeida.

Almeida:

En vez de una patrulla mando una columna al mando de René de los Santos, quien estoy seguro será un buen Jefe. Esta fuerza como todas las que operan en el frente este de la Sierra Maestra quedará bajo tu jurisdicción, establecerá su sede de operaciones en el punto que te indiqué y realizará el plan progresivo de acción, que tú conoces, con algunos aspectos nuevos.

FIDEL CASTRO RUZ

La columna de Hubert [Huber], también hacia ese frente va delante. Más adelante enviaré la planta que está aquí, tan pronto instale otra que recibí por avión. Tienes que enviar noticias con la mayor frecuencia.

Abrazos.

Fidel Castro Ruz

Septiembre de 1958

MIÉRCOLES
03

Estaba en La Plata.

Le escribí a Roberto Fajardo que se trasladara con su pelotón al lugar donde me encontraba.

A finales de agosto había presidido una reunión con los oficiales, en el hospital de La Plata, en la que se discutió la incorporación de las mujeres guerrilleras —hasta ese momento haciendo labores de retaguardia— como combatientes en la línea de fuego.

Frente al criterio de algunos, hablé finalmente y durante largo rato, los convencí del derecho de la mujer a luchar también con las armas en la mano.

El 3 de septiembre quedó organizado el pelotón femenino Mariana Grajales, nombre de la madre de Antonio Maceo y ejemplo de patriota cubana.

Designé al frente del pelotón de mujeres, con el grado de teniente, a la enfermera rebelde Isabel Rielo, quien llegó a ostentar el grado de capitana de las Fuerzas

FIDEL CASTRO RUZ

69

Armadas Revolucionarias. Como segunda al mando fue nombrada la teniente Teté Puebla.

El pelotón Mariana Grajales tuvo su bautismo de fuego varios días después, en el Combate de Cerro Pelado, el 27 de septiembre de 1958.

Alguien me preguntó airado por aquellos días: "¿Por qué usted arma a esas mujeres con esos fusiles M-1?". "Te voy a decir por qué" —le respondí—, "¡porque son mejores soldados que tú!". No volvió a hacer comentario alguno. Era un buen soldado rebelde.

VIERNES
05

Envié a Oscar Orozco, con un pelotón en misión especial de operaciones, al territorio entre la carretera Bayamo-Manzanillo y la costa norte de Oriente.

Desde meses atrás había patrullas rebeldes en esa zona.

Rechacé de plano la entrevista que solicitó Manuel Márquez Sterling, uno de los candidatos de la llamada oposición política a Batista y que se aprestaba a concurrir a las elecciones convocadas por la tiranía. Le respondí:

Si es para tratar sobre el rechazo a las elecciones en las presentes condiciones que son antidemocráticas e indignas y en consecuencia adoptar la tesis sostenida por el Movimiento 26 de Julio estoy dispuesto a conversar con él. Si es para tratar sobre algún plan que tenga que ver de algún modo con la aceptación de dichas elecciones, me es imposible aceptar conversación alguna [...].

DOMINGO
07

Después de ser desalojado el Ejército batistiano de la Sierra Maestra, con la derrota de la ofensiva, fue creada, el día 7, la Administración Civil del Territorio Libre (ACTL), que tenía a su cargo garantizar los suministros, fijar los precios, perseguir los delitos, asegurar la educación y la atención médica; así como, dictar todas las disposiciones necesarias para regular la convivencia normal de la población campesina del amplio territorio en poder del Ejército Rebelde.

LUNES
08

Me comuniqué por escrito con Raúl, jefe del Segundo Frente, a fin de establecer una más estrecha

FIDEL CASTRO RUZ

coordinación en cuanto a los planes estratégicos inmediatos.

En esa carta le dije:

Sierra Maestra
Sep. 8 / 1958
Raúl:

Mando a José Antonio [Miguel Ángel Ruiz Maceira] para que te transmita personalmente algunas cosas que no quiero confiar al papel referente a proyectos.

Sobre cuestiones de orden general hace días estoy por escribirte largamente. La falta de comunicación principalmente de mi parte ha sido causa de que no coordinemos debidamente todas las cuestiones. Pero yo he estado extraordinariamente ocupado antes, durante y después de la ofensiva.

Los días posteriores fueron como aquellos que siguieron al combate de Pino del Agua antes de tu partida. Pero en esta ocasión hubo que hacer nuevas todas las columnas, amén del aumento extraordinario de necesidades. Hubo tropas que retrasaron su partida por falta de zapatos. He movido ya 553 hombres armados la mayoría con automáticas. Cuando yo digo hombres, quiero decir armas. Espero que el efecto de nuestra ofensiva va a ser tremendo. Camilo y Che van hacia el oeste. El primero hasta la tierra de Pepe Suárez, lleva entre otras armas, 43 garands; el segundo hasta las Villas, lleva la bazooca; ambos una excelente tropa. Otra columna va en marcha para Camagüey; tres hacia el Este y el resto de las tropas las estoy terminando de reorganizar.

Efectivos de las tres columnas que interesan a los efectos de la misión de José Antonio:

Columna 3:

25 Garands
19 Cristóbal
12 M-1
4 Browning   Almeida
1 Johnson
1 Trípode 30
50 Springfields

Columna 9:

22 Garands
21 Cristóbal
6 Berettas
5 M-1
1 M-2
2 Browning   Hubert
4 M-3   Matos
1 Thompson
1 Fusil aut. Remington
1 Calibre 30 trípode
32 Springfields

FIDEL CASTRO RUZ

73

Columna 10:   1 Trípode 30
                    6 Carabinas M-1
                    22 Cristóbal
                    14 Springfields
                    1 M-3
                    1 Johnson   René de los
                    1 Beretta   Santos
                    4 Stern
                    11 Fusiles italianos
                    2 Thompson
                    2 Browning
                    9 Garands

Total de las 3 columnas: 56 Garands
                                62 Cristóbal
                                23 M-1
                                8 Fusiles ametralladoras
                                3 Trípodes
                                7 Berettas
                                5 M-3
                                4 Stern
                                1 M-2
                                3 Thompson
                                2 Johnson
                                11 Fusiles italianos
                                97 Springfields

Son 185 automáticos y 106 cerrojos.

Las intenciones son interesantes y pienso que no quede una microonda ni un jeep en toda la zona. Después volaremos los tanques. Estoy confeccionando una gran cantidad de minas.

De los informes de José Antonio decidí la conveniencia de coordinar rápidamente contigo las operaciones preliminares. Tú adivinarás perfectamente el resultado final.

Es necesario que segregues la capitanía de Narciso [Rosendo Lugo] y la incorpores a la columna 10, del nuevo frente. No me interesan las armas, pero veo dificultades en el trasiego, por lo que conviene que esa capitanía se incorpore con las suyas, y así elevaremos a trescientos los efectivos. Lo que más me interesa de la capitanía de Narciso es el material humano. Creo que si las unidades cumplen los planes, pronto tendremos doscientos o trescientos hombres más, armados a costa del enemigo. Hay que coordinar bien la acción de todas nuestras tropas en la Provincia. Yo necesito conocer tus efectivos.

Hay otra cuestión: el abastecimiento de equipos.

En primer término no existe la menor duda de que nuestro actual delegado es una persona altamente competente. No me explico cómo llegaron ustedes a pensar que no querían abastecerlos. Durante la ofensiva, cuando más desesperada era nuestra situación aquí, me consultaron sobre un envío a ese frente y yo di mi aprobación.

FIDEL CASTRO RUZ

Nosotros sólo recibimos 42 armas antes de la misma y ni una sola más hasta después.

Aunque comprendo lo desesperante que es la necesidad de disponer de miles de hombres, para armar, la distribución de equipo hay que hacerla de acuerdo riguroso con el plan estratégico. No se puede ceder en esto a las exigencias de la gente. Tú sabes que mi norma ha sido sacar el máximo provecho de nuestros escasos efectivos y constantemente estoy enviando hacia otras zonas los mejores hombres y las mejores armas. Pero existe la tendencia desde los capitanes a los jefes de columnas, lo que no debe convertirse también en tendencia de los frentes, a acumular la mayor cantidad posible de efectivos. Hay tropas que por su posición pueden en un momento dado carecer de importancia.

Tú debes orientar tus mejores efectivos hacia la misma dirección cardinal que estoy dirigiendo yo los míos. No sé si me comprendes.

En el orden económico mi propósito es dotar de todos los recursos posibles al delegado bélico.

Pastorita [Núñez] me acaba de informar los proyectos que sobre los impuestos a la caña tú habías hecho. A tu jefe de propaganda yo le había dicho el plan mío. Mi criterio es el de una cantidad menor que la ideada por ti, pero con el propósito de aplicarlos a todo el territorio nacional. Es lógico que en el territorio completamente dominado paguen lo que pidamos, pero no así en otras zonas; quería evitar una desigualdad en la contribución. En tu caso, si el plazo de pago se vence, puedes aplicar tu tarifa.

Sobre las recaudaciones hay que establecer una norma saludable: que todos los frentes remitan un balance periódico sobre ingresos y gastos. Hay en todos nuestros jefes la tendencia a recibir y gastar sin rendir cuenta y esto puede crear un hábito muy nocivo. Yo pienso establecer la norma de contabilidad desde el jefe de pelotón hasta los jefes de frentes. Cada frente debe remitir por lo menos un informe mensual. Lo más importante es que el dinero se invierta en armas.

Toda la recaudación sobrante, deducidos los gastos generales, aparte de cualquier compra de armas por medios propios, debes remitírselas al delegado bélico. Yo te advierto que no debes confiar absolutamente en nadie para operaciones en el extranjero, lo que además interferiría con los planes. Si tú tienes dispuesta alguna cantidad para el Movimiento, puedes seguirla remitiendo.

Creo que los próximos meses podemos adelantar mucho en abastecimiento, aparte de que si coordinamos bien la acción de los distintos frentes, podemos adquirir una gran cantidad de armas enemigas.

Pedro Luis [Díaz Lanz] está aquí porque hubo tropiezos. Espero salga de un momento a otro.

Gustavo [Arcos Bergnes] habló de haber recibido tu carta. ¡Cómo nos da dolores de cabeza Gustavo! Ojalá tengamos un poquito de suerte con lo que hay por allí y no tengamos que tragar un buche más de hiel.

Válganos a nosotros la ofensiva; y si salimos bien hay que agradecerlo a las balas que trajo el primer avión.

Dicho sea de paso, sólo teníamos en reserva cinco mil 30.06 cuando empezó la fiesta y cuando concluyó teníamos seis mil; calcula cómo las ahorramos. Pero ahora, con tantas armas, lo que antes era una gran cantidad, hoy no alcanza para nada.

Hay también contactos militares del mayor interés; pero no tengo apuro porque lo que más conviene en este instante es que nuestras tropas tomen posición en toda la Isla.

Tengo la impresión de que en cualquier momento ponemos a Batista fuera de combate; pero va a ser mucha la nostalgia; ahora es cuando más formidablemente se desarrolla la revolución.

F. [Fidel Castro Ruz]

ADICIONAL

Hay un detalle de forma que deseo resolver. Coincidió que a la columna mandada por Daniel [René Ramos Latour], le pusimos su nombre después de su muerte. Más curioso es todavía que se trate de nuestra columna 10, de igual número y nombre que la de ustedes y para colmo en la misma zona. Yo quisiera que la columna 10 nuestra siga llevando ese nombre pues es difícil que los compañeros que pelearon con él se resignen a renunciarlo.

Yo pienso trasladar mi cuartel general hacia zonas de mayor interés.

Las columnas de ese frente deben llevar numeración del 15 al 25, para que no haya números repetidos. Una de ellas puede seguir siendo la número 6.

F. [Fidel Castro Ruz]

LUNES
15

La Comandancia General informó oficialmente, ese día por Radio Rebelde, la salida de seis columnas del Primer Frente de la Sierra Maestra, destinadas a penetrar en territorio enemigo.

Como respuesta a una criminal orden general del Estado Mayor del Ejército batistiano, en que se disponía la inmediata ejecución de todo miembro de las Fuerzas Armadas de la tiranía que desertara, el mando rebelde proclamó:

COMANDANCIA GENERAL

Sierra Maestra, sep. 15 de 1958

El carácter de las operaciones y los movimientos de numerosas fuerzas rebeldes que se han estado efectuando en las últimas semanas ha obligado a mantener silencio sobre importantes acontecimientos acerca de los cuales se pueden brindar ya algunas noticias.

FIDEL CASTRO RUZ

Seis Columnas Rebeldes que partieron del Frente número Uno de la Sierra Maestra, después de rebasar las líneas enemigas están penetrando a fondo en el territorio de la República.

Antes de que la Dictadura pudiera reponerse del desastre militar sufrido nuestras fuerzas iniciaron el avance.

La Columna número 2, "Antonio Maceo", va al mando del Comandante Camilo Cienfuegos. La Columna número 3, "Santiago de Cuba", va al mando del Comandante Juan Almeida. La Columna número 8, "Ciro Redondo", va al mando del Comandante Ernesto Guevara. La Columna número 9, "Antonio Guiteras", va al mando del Comandante Hubert [Huber] Matos. La Columna número 10, "René Ramos Latour", va al mando del Capitán René de los Santos y la Columna número 11, "Cándido González", va al mando del Capitán Jaime Vega.

Razones lógicas impiden revelar por ahora la dirección y el objetivo de esas columnas.

Otros destacamentos menores del Ejército Rebelde, se han filtrado a través de las líneas enemigas para hostigarlas en lo profundo de su retaguardia. El avance rápido y sorpresivo de nuestras tropas se está desarrollando sin novedad desde varios días.

Fuerzas nuestras han rebasado ya los límites de Oriente y Camagüey después de marchar más de 200 kilómetros.

Ni la perturbación ciclónica, ni las lluvias incesantes de las últimas dos semanas retrasaron los movimientos.

El río Cauto fue atravesado en botes en plena creciente.

Los hechos están demostrando que la rebelión mantenida durante casi dos años en las montañas de la Sierra Maestra era algo más que simbólica. Las fuerzas de la Dictadura son impotentes para contener el desbordamiento Rebelde.

Al igual que en el mes de marzo pasado, cuando la Columna número 6, "Frank País" cruzó de la Sierra Maestra a la Sierra Cristal para ocupar luego un extenso territorio que es hoy modelo de organización, administración y orden, en cuyo seno se encierran las riquezas de 17 centrales azucareros y los yacimientos minerales más ricos de Cuba, las Columnas 2, 3, 8, 9, 10, y 11, perfectamente equipadas con las armas arrebatadas al enemigo en la última ofensiva de la Dictadura, cruzan las líneas y avanzan sin que las tropas de la Tiranía hayan podido interceptarlas. Numerosas guarniciones enemigas están acampadas en la línea Pilón-Manzanillo-Bayamo-Santiago de Cuba. Este cordón militar no pudo impedir el cruce de nuestros contingentes hacia el llano.

Las unidades de la Dictadura que permanezcan en este frente corren el peligro de ir quedando aislados y el mando enemigo tendrá que mantenerlas en número crecido frente a la Sierra Maestra o abandonar algunas ciudades importantes.

La situación del ejército de Batista es similar a la de cualquier ejército que estando defendiendo las fronteras viera invadida su retaguardia por batallones enemigos transportados por aire. Sólo que en las guerras entre naciones las unidades que descienden en la retaguardia, encuentran la hostilidad de la población civil que colabora con el Ejército nacional en la delación y el exterminio de las mismas, y en esta guerra, al revés de eso, tratándose de una lucha interna contra un régimen despótico y odiado, el pueblo entero ayuda a las tropas que operan detrás de las líneas en cuya circunstancia ningún Ejército puede evitar el colapso.

A medida que, en la Sierra Maestra, el enemigo se repliega en el llano hacia sus cuarteles nuestras avanzadas se aproximan a los pueblos y las carreteras.

A fines de Agosto un camión de soldados fue interceptado en la carretera de Niquero por una patrulla rebelde ocasionándole 6 muertos y 12 heridos; otro camión fué interceptado en el camino de Yao a Palma Soriano ocasionándosele 5 muertos y más de 10 heridos; en la carretera de Dos Palmas a Bayamo fueron aniquilados los tripulantes de dos jeeps con un saldo de 10 soldados muertos.

Ayer se recibió por radio en esta Comandancia la noticia de una importante victoria militar en el Segundo Frente "Frank País"; tropas Rebeldes al mando del Comandante Efigenio Almegeiras [Ameijeiras] interceptaron un tren de soldados enemigos entre Guantánamo y Santiago de Cuba. De los 34 soldados que venían en él sólo 6 lograron escapar; 14 quedaron muertos y el resto heridos y prisioneros.

Se ocuparon un fusil ametrallador, 2 ametralladoras Cristóbal, 21 fusiles Springfields, y miles de balas. Cuando fué atacado el tren Central hace pocos días, por fuerzas rebeldes del Segundo Frente rescatando al compañero Carlos Iglesias, fueron muertos otros 14 soldados de la Dictadura.

Esto no es más que un preámbulo. La Dictadura va a sentir en sus carnes el rigor de la guerra en toda su intensidad. Hace aproximadamente 18 meses Tabernilla con toda la innobleza y el impudor que lo caracteriza declaró que "los rebeldes éramos 12 solamente y no nos quedaba otra alternativa que rendirnos o escaparnos si es que podíamos". Éramos efectivamente un puñado insignificante, pero ni nos escapamos ni nos rendimos. Y hoy por cada uno de aquellos 12 hay 2 Columnas en campaña, y si entonces no pudieron vencer la Revolución hoy podemos devolverle la frase y decirle que a la Tiranía no le queda otra alternativa que rendirse o escapar, si es que puede, porque los propios soldados que han estado mandando a la muerte para defender bastardos y vergonzosos intereses le van a cortar la retirada.

Tan desesperada es la situación militar de la Dictadura, tan grande el descontento de los soldados y tan extraordinario el número de desertores que el Estado Mayor del ejército acaba de circular a todos los mandos Superiores de Operaciones la orden General 196, en modelo número 20SPE mediante la cual se ordena la inmediata ejecución de todo soldado, clase u oficial que deserte de las filas de las Fuerzas Armadas.

De acuerdo con la circular el desertor será juzgado por cualquier miembro de las Fuerzas Armadas que ostente el grado inmediato superior al que deserte, comprendiendo la misma a los soldados, clases y oficiales hasta el grado de General de Brigada. Lo cual quiere decir que en estos momentos de acuerdo con la Orden General cualquier miembro de las Fuerzas Armadas, pretextando que un compañero maquinaba desertar puede matar a otro soldado sin temor a sanción de ninguna clase.

Esta orden es draconiana y absolutamente ilegal.

Ante este peligro que se cierne sobre los miembros de las Fuerzas Armadas, que tienen sobradas razones para estar descontentos, que no tienen la culpa de las ambiciones, los crímenes y los errores de la pandilla gobernante que ahora se ensaña contra los soldados para exigirles mayores sacrificios después de dos años de cruenta lucha, como si fueran pocos los huérfanos, las viudas, y los dolientes de los hombres de uniforme que han caído para defender este régimen bárbaro y odioso, el Movimiento 26 de Julio y el Ejército Rebelde se solidarizan con los miembros de las Fuerzas Armadas que son víctimas también del terror y el despotismo imperantes y les ofrece su apoyo:

A) Todo soldado, clase u oficial de las Fuerzas Armadas que no quiera seguir defendiendo la innoble y vergonzosa causa de la Tiranía puede venir a residir en territorio libre, donde con toda seguridad no podrán penetrar jamás sus sanguinarios perseguidores.

B) Ningún soldado, clase u oficial de las Fuerzas Armadas que solicite vivir en el territorio libre tendrá obligación de combatir contra sus propios compañeros de armas ni de realizar actividades bélicas de ninguna índole.

C) Todo soldado, clase u oficial que se acoja a estos beneficios seguirá percibiendo en el territorio libre el mismo sueldo que devengaba por el Estado, a fín de que pueda sostener a su familia sin otro requisito que traer consigo su arma.

D) Todo soldado, clase u oficial que deseando abandonar las filas de la Tiranía teme que los esbirros de la Dictadura tomasen represalias, contra sus seres queridos, pueden traer también sus familiares más allegados al territorio libre, donde se les brindará alojamiento y manutención hasta el final de la guerra.

E) Para penetrar en territorio libre ningún soldado, clase u oficial de las Fuerzas Armadas necesitará credencial, contacto previo ni requisito de ninguna otra índole. Basta con que venga con su arma y haga contacto con nuestras postas o con los campesinos, alegando que se acoge a la hospitalidad de los Rebeldes proclamada en la declaración del 15 de septiembre.

Los Rebeldes siempre hemos cumplido nuestra palabra. Cientos de soldados prisioneros y heridos que fueron entregados a la Cruz Roja son testigos del trato caballeroso que recibieron de nosotros.

FIDEL CASTRO RUZ

El territorio libre, ofrece su hospitalidad generosa a todos los militares que no quieran seguir defendiendo la Tiranía, para que no los asesinen en los cuarteles por simple sospecha.

Esta es nuestra respuesta a la criminal orden general 196 del Estado Mayor de la Dictadura. Ningún soldado debe temer esas amenazas cuando a un paso tiene el territorio libre de Cuba que es un pedazo de la Patria donde reina la Libertad y la Justicia.

Firmado, Fidel Castro

Comandante-Jefe.

SÁBADO

20

En una nota enviada a Lalo Sardiñas le comuniqué mi salida para Las Vegas. Este mismo día le escribí la siguiente carta a Enrique Oltuski:

Sierra Maestra

Compañeros Sierra [Enrique Oltuski] y Diego [Víctor Paneque]:

Por el extraordinario trabajo que he tenido en las últimas semanas descuidé comunicarles oficialmente el envío de tropas hacia Las Villas y la designación del compañero E. Guevara como Comandante de las Fuerzas del 26 de Julio en la misma.

Supongo sin embargo, que Eloy (Zoilo) [Marcelo Fernández] los haya informado ampliamente de los planes. Creo que la posición del Movimiento mejorará notablemente. El apoyo de la organización a las tropas en campaña será un factor decisivo. Esperamos que a todos los espere una cadena de éxitos. Estamos dispuestos a seguir mandando refuerzos.

Las Villas tiene para nuestros planes estratégicos una gran importancia. Valen la pena todos los esfuerzos.

Fraternalmente

Fidel Castro

MARTES
23

Ordené que se anotaran todos los gastos e ingresos de las tropas rebeldes, y que se remitiera mensualmente el estado de cuenta al tesorero general del Ejército Rebelde.

Cada comandante debía exigir a los jefes de patrulla, o a cualquier otra persona que administraba dinero, que presentara el balance periódico de sus gastos. Aunque los fondos habían sido manejados con absoluta pulcritud, era una necesidad ir habituando a todos los rebeldes a rendir cuentas. Sobre estos temas le informé a Almeida en una carta.

Almeida:

Te hago esta nota, para informarte lo siguiente:

Todo lo que se recaude por concepto de ganado, café u otra entrada, desde la peña [Las Peñas] (inclusive) hasta Santiago, debe ir a la Tesorería de ese frente. Tu tesorero tiene la obligación de anotar todos los gastos y todos los ingresos, remitiendo mensualmente el estado de cuentas a Raúl Chibás, Tesorero General de Ejército Rebelde.

Tú debes proveer de fondos a los distintos comandantes, quienes a su vez deben enviar su estado de cuenta mensual al Tesorero tuyo. Cada Comandante debe a su vez establecer la costumbre, lo cual debe conceptuarse como una orden, de exigir que cada jefe de patrulla o cualquier otra persona que administre dinero, debe presentar balance de todos sus gastos.

Es una necesidad ir habituando a todos los rebeldes a rendir cuentas. Esto obedece al propósito de crear una sana costumbre para el futuro y un principio elemental de orden y disciplina.

Por supuesto, que realmente los fondos la gente los ha ido administrando honestamente, según mi impresión; es decir, no ha habido, a lo que yo sepa, robos ni malversaciones, pero ya esto se ha extendido mucho y no hay control.

No sé a cuánto puedan ascender tus recaudaciones, ni siquiera sé si han de alcanzar; pero aún así, yo estimo que si lo del café se administra correctamente debe producir grandes sumas. Yo tengo sumo interés en que lo que se ingrese por concepto de café se dedique enteramente a armas. Esto sería así, con respecto a las recaudaciones de esa zona, si por otros conceptos, se ingresara lo suficiente para cubrir los gastos. Aplica una política económica de restricción en los gastos. Que la gente no se acostumbre a la abundancia de dinero.

Sorí [Humberto Sorí Marín] seguirá trabajando en el aparato recaudador de fondos respecto al café. Yo le daré instrucciones para que de Las Peñas hacia allá, lo ordene ingresar en la Tesorería tuya. Tú a la vez, los fondos sobrantes, si los llega a haber, los remites a la Tesorería General del Ejército para armas.

Aparte de las recaudaciones generales, yo puedo hacer y estoy haciendo gestiones tales como por ejemplo: cobrar a los ganaderos de toda la zona de Bayamo, a través de la Asociación, o establecer un impuesto a la Mina de Charco Redondo, etc. cuyos resultados los ingresaría directamente en la Tesorería General, aun cuando la industria o interés económico que se grave estuviesen situados en cualquier zona.

Siempre habrá interferencias en estas actividades, debido a la imposibilidad de establecer un sistema general y uniforme en las actuales condiciones. Pero lo

FIDEL CASTRO RUZ

importante es recaudar y hacerlo dentro de lo posible con un sistema.

Cité aquí al Mejicano [Francisco Rodríguez] para tratar los asuntos de la Peña [Las Peñas]. Yo estoy satisfecho con su trabajo. Se ha mejorado mucho el orden en aquella zona. Lo que Universo [Sánchez] dejó allí era una vergüenza. Hay dificultades con [José] Soler, porque cae antipático, pero yo, investigando, no he podido comprobar otra cosa sino, que es un hombre "demasiado recto"; también le achacan "que tiene cara de Verdugo", etc. Se rumoró algo de tortura, pero hasta ahora, he podido comprobar que no es cierta esa imputación contra [José] Soler. Sí parece cierto que Bárcega [Orestes Bárzaga] del Dorado [El Dorado], suspendió con una soga tres veces a un individuo y he mandado a investigar eso, para tomar medidas severas.

En la Peña [Las Peñas] una vez, se usó la soga, para amedrentar, pero no se llegó a ningún acto de violencia. Yo he prohibido terminantemente que se utilice ese procedimiento ni otro alguno de tortura mental. Esto es lo que yo en general puedo apreciar desde aquí. Mi concepto sobre el Mejicano es, sin vacilación alguna, bueno. Estará allí, hasta que lo incorpore a una tropa. Le doy instrucciones de que lo que se recaude en la Peña [Las Peñas], dedique la mitad a pagar las deudas pendientes y la otra mitad lo remita a tu tesorería. La mercancía nueva o las nuevas deudas, desde que cesó la Comandancia de Ramiro, las pagaré yo directamente.

[Emiliano] Reyes debe quedar como Jefe de patrulla. Pero su actividad será exclusivamente de carácter militar: operar sobre el enemigo dondequiera que vea una oportunidad, abasteciéndose en la Peña [Las Peñas]. Pero, hasta nueva disposición, las cuestiones de orden público, escuelas, recaudaciones y política general, como es: devolución de caballos quitados a los campesinos, etc. etc. quedarán a cargo del Mejicano, que está haciendo un buen trabajo. No le prestes muchos oídos a las quejas. La gente allí se acostumbró al relajo de Universo y prefiere aquello al orden que era preciso establecer allí.

René de los Santos me escribió y supongo te habrá informado las cosas deprimentes que pasan por el Dorado. No dejes de tomar medidas severas para superar el desorden que debes haberte encontrado en el territorio.

Fidel Castro Ruz [firma]

SÁBADO
27

En la noche se produjo el Combate de Cerro Pelado, que se extendió hasta la madrugada del siguiente día, sobre el cual elaboré un documento que explica detalladamente lo ocurrido, y que reproduzco a continuación:

LA SITUACIÓN MILITAR

Dos combates de importancia y otras acciones menores han tenido lugar en los frentes 1 y 3 de la Sierra Maestra. Mientras el Comandante Juan Almeida informaba que fuerzas rebeldes del frente Nº 3 habían derrotado un batallón de la dictadura, haciéndole prisionero al propio Jefe, teniente Coronel Nelson Carrasco Artiles y cinco soldados más, ocasionándole 25 bajas y ocupándole 10 armas en el frente Nº 1, a muchas millas de distancia, se libraba otro combate victorioso contra las tropas de la Tiranía. Un batallón enemigo estaba acampado en el Cerro a 4 kilómetros de Estrada Palma fuertemente atrincherado.

Después de un estudio minucioso del terreno, y la observación cuidadosa de las posiciones enemigas, fuerzas de la columna Nº 1 apoyadas con mortero y ametralladoras pesadas, en las primeras horas de la noche del viernes 27 rodearon el lugar, emplazaron las ametralladoras 50 y los morteros. A las 11 y 45 de la noche un mortero 60 y dos ametralladoras 50 al mando del capitán Braulio Curuneaux abrieron fuego sobre el campamento enemigo. Cinco minutos después, a las 11 y 50 de la noche, una batería de mortero 81, al mando del Capitán Pedro Miret, situada a sólo 240 metros de las posiciones enemigas, abrió fuego iniciando un barrage de mortero sobre el cuadro de 150 metros de fondo por 100 de ancho donde el batallón enemigo estaba situado. Durante una hora completa los morteros 81 rebeldes estuvieron disparando. 54 obuses cayeron en el campamento. Las casas de campaña, el puesto de mando, y cuanta instalación enemiga se encontraba allí, volaron. A las 12 y 50 dos pelotones de infantería rebelde, al mando del Comandante Eduardo Sardiñas, lanzando luces de bengala para avisar a los morteros su movimiento, avanzaron hasta una zanja a pocos metros de las trincheras enemigas, tan cerca estaban rebeldes y soldados de la Dictadura que podían verse las caras a la luz de las detonaciones. Allí descargaron sus armas automáticas sobre la guarnición enemiga que se vio al borde del colapso. Las tropas de la Dictadura lucharon desesperadamente para evitar que cayera en manos rebeldes el campamento. Este disponía para su defensa, de ametralladoras 50, morteros y cañones. La luna era clara y la aviación vino en su apoyo. Desde Estrada Palma los tanques Sherman de la Dictadura, acampados en el Central, disparaban sus gruesos cañones 75 más acá del Cerro. Pero no se movió una sola tropa de refuerzo para auxiliar al batallón cercado.

En vista de que el enemigo permaneció paralizado toda la noche, sin hacer movimiento alguno de tropas, al amanecer nuestras fuerzas regresaron a las montañas. Cinco combatientes nuestros murieron heroicamente cuando el Comandante Eduardo Sardiñas avanzó hasta las mismas trincheras enemigas.

El sábado un helicóptero grande de la Dictadura bajó seis veces a recoger heridos. Según informes que llegan por diversas vías, el enemigo sufrió 67 bajas entre muertos y heridos. En estos casos los datos son difíciles de precisar.

Los muertos rebeldes fueron:

Teniente: Raúl Verdecia
Teniente: Arturo Vázquez
Soldado: Juan Sardiñas
Soldado: René Ibarra
Soldado: Miguel López

Estos murieron frente a las trincheras enemigas. Sus armas, y los cadáveres de tres, fueron recogidos bajo el fuego de las ametralladoras enemigas antes del amanecer.

Merecen especial mención por su bravura y la de los hombres a su mando, el Comandante Eduardo Sardiñas y los dos pelotones que realizaron el asalto a las trincheras.

El Comandante Eduardo Sardiñas y la tropa a su mando que hoy forman la Columna Nº 12, Simón Bolívar, fue el oficial y los soldados que más combatieron en la Sierra Maestra, a raíz de la última ofensiva de la Dictadura. Eran solo un pelotón cuando se inició la primera batalla victoriosa en Santo Domingo. Con menos de veinte hombres, destruyó la vanguardia enemiga apoderándose de sus armas automáticas, con las cuales prosiguieron el combate. Después de aquella acción participaron en todas las batallas que se libraron con posterioridad. En Meriño, en el Jigüe, en la segunda batalla de Santo Domingo, en Providencia, en Cuatro Caminos y en la de las Mercedes. En Santo Domingo ocuparon más de 50 armas. En Meriño ocuparon las arrias completas del enemigo. En Purialón durante la batalla del Jigüe, junto con las fuerzas de los comandantes [Andrés] Cuevas y [Ramón] Paz, muertos gloriosamente, destruyeron la compañía G-4 del batallón 18 y la compañía L que era una de las mejores unidades de la Tiranía. En Santo Domingo, durante la segunda batalla de ese sitio, junto con las fuerzas del Comandante Guillermo García, de la Columna 3 derrotaron al Teniente Coronel Sánchez Mosquera y lo pusieron, a él personalmente, al borde de la muerte con una herida gravísima en la cabeza.

En el último combate, en el Cerro, consagraron su valor y su prestigio como una de las unidades más aguerridas y eficaces de nuestro ejército.

[En] El combate del Cerro también se distinguió por su valor y su eficacia el capitán Pedro Miret, jefe de la batería de morteros 81, que fué causante de la gran cantidad de bajas ocasionadas al enemigo.

El pelotón de mujeres rebeldes, Mariana Grajales, entró en acción por primera vez en este combate, soportando firmemente, sin moverse de su posición el cañoneo de los tanques Sherman.

Este fué uno de los combates donde hubo más precisión, más coordinación entre las distintas armas y unidades.

Cada día se evidencia más la superioridad táctica y estratégica de los rebeldes sobre las decadentes y desmoralizadas fuerzas de la Tiranía, que no obstante contar con aviones, tanques pesados y todos los recursos modernos de guerra, empleándolo todo, incluso gases asfixiantes, cada vez pierden más territorio, más hombres y más armas. Solo los ciegos podrán dejar de ver que la revolución crece y se hace fuerte en progresión geométrica. ¡Ilusos los que se imaginan que hay para la tiranía salvación posible! Aunque le entregaran el poder a la oposición, falsa y vendida que hace su campaña oportunista con el dinero que les da el dictador. La farsa repugnante y vergonzosa que se prepara para el tres de noviembre, solo servirá para agravar su desesperada y terrible situación. Poco tiempo les quedará a sus pobres soldados para recoger cédulas y rellenar urnas, porque apenas les alcanza ya para respirar.

Una guerra a fondo y terrible en todas partes y [a] todas horas les espera [mapa p. 576]. La derrota de dos batallones y la prisión de un teniente coronel en el lapsus de 48 [horas] debieron decir algo a los que no fue suficiente para abrirles los ojos a la realidad: Los 14 batallones derrotados, los cuatrocientos prisioneros, las ochocientas bajas y las 507 armas ocupadas en solo 36 días en la Sierra Maestra.

30

Sobre la denominación dada a las diversas columnas rebeldes, afirmé:

Hasta ahora hemos utilizado fundamentalmente nombres de compañeros muertos, luego de revolucionarios y patriotas de la época republicana y de la Independencia. Hay que pensar también en patriotas y libertadores de otros pueblos de América.

Las columnas rebeldes originadas en la Sierra Maestra ostentaron los siguientes nombres: José Martí, Antonio Maceo e Ignacio Agramonte, patriotas de las guerras de independencia; Antonio Guiteras, revolucionario de la época republicana; Frank País, Ciro Redondo, René Ramos Latour, Cándido González, Juan Manuel Márquez y José Antonio Echeverría, caídos en la Sierra, en la clandestinidad o en la lucha contra la tiranía de Batista.

Dos columnas rebeldes, denominadas poco después de esa fecha, llevaron los nombres de Simón Bolívar y Benito Juárez.

Ordené al pelotón que había enviado hacia la zona norte de la provincia de Oriente, penetrar en la Sierra de Gibara y comenzar a actuar en aquellas regiones, territorio que correspondía a la Columna 14. Esta llegaría a contar con no menos de 100 hombres armados.

En los primeros días de octubre habían salido de la Sierra Maestra hacia el norte de Oriente, a fin de consolidar el Cuarto Frente, fuerzas rebeldes correspondientes a la Columna 14, así como a las Columnas 12 y 32, bajo el mando, respectivamente, del capitán Orlando Lara y los comandantes Lalo Sardiñas y Delio Gómez Ochoa.

Designé como mi sustituto, al frente de las tropas de Raúl Castro Mercader, Reinaldo Mora y Pepito Rojas, pertenecientes a la Columna 1, del Primer Frente, al comandante Delio Gómez Ochoa.

Gómez Ochoa acababa de regresar de La Habana, donde había estado unos cuatro meses —desde mediados de mayo de 1958—, como delegado nacional de Acción, y en la apertura del frente de Pinar del Río.

Octubre de 1958

La carta que dirigí al comandante Almeida, donde le participaba los planes estratégicos con relación a la provincia oriental y a la ciudad de Santiago de Cuba, es muy extensa, por lo cual solo incluyo un fragmento esencial:

Sierra Maestra [documento p. 507]
Oct. 8, 58
8 a.m.
Querido Almeida:
He luchado por adelantar lo más posible los preparativos para la operación Santiago a fin de hacerla coincidir con la farsa electoral, con el propósito de obligar a las fuerzas enemigas a una batalla de gran envergadura por esos días, que junto con otras medidas que vamos a tomar hicieran imposible su celebración. Pensaba igualmente trasladarme a ese territorio con el mayor número de efectivos posibles este mismo mes, pero analizándolo

bien todo comprendí que era imposible por varias razones: a) El abastecimiento de armas y parque no ha adquirido todavía su máximo ritmo. b) La multitud de asuntos y tareas de todo orden que hay que encarar este mes quedarían sin resolver o resueltas a medias si me aparto de aquí y emprendo una marcha larga.

Persistente como sabes que soy en mis propósitos me ha costado grandemente renunciar a la idea de partir. Al mismo tiempo, para dar empleo rápido a todas las fuerzas con vistas a las elecciones he iniciado una serie de movimientos hacia distintos territorios de la Provincia, pero procurando que estos movimientos al mismo tiempo que llenen objetivos específicos con vistas al 3 de Noviembre, sirvan de base a la estrategia a desarrollar en las semanas venideras al transcurso de esa fecha. Es decir, que las tropas que ahora mando a los territorios de Victoria de las Tunas, Puerto Padre, Holguín y Gibara, están llamadas a cumplir importantes objetivos en los meses finales del año. El plan de tomar primero Santiago de Cuba lo estoy sustituyendo por el plan de tomar la Provincia. La toma de Santiago y otras ciudades resultará así mucho más fácil y sobre todo podrán ser sostenidas. Primero nos apoderaremos del campo. Dentro de 12 días, aproximadamente, todos los municipios estarán invadidos. Después, nos apoderaremos, y si es posible, destruiremos todas las vías de comunicación por tierra (carreteras y ferrocarriles). Si paralelamente, progresan las operaciones en las Villas y

Camagüey, la tiranía puede sufrir en la Provincia un desastre completo como el que sufrió en la Sierra Maestra. Esta estrategia resulta para nosotros mucho más segura que cualquier otra, y entre tanto, lejos de concentrar el grueso de nuestras fuerzas en una dirección, lo que lleva tiempo, requiere gran acumulación de víveres e implica riesgos de consideración, las distribuimos de forma que puedan mantener al enemigo bajo hostigamiento constante en todas partes. Al frente tuyo que es el frente de Santiago de Cuba, quedan asignadas por ahora, las columnas 3, 9 y 10. Tienes que hacer de esas tropas una potente y disciplinada fuerza que vaya dominando progresivamente y sobre todo estudiando minuciosamente la zona para cuando llegue la hora de atrincherarse en los puntos estratégicos. <u>Todas las ciudades importantes van a ser aisladas simultáneamente</u>. Y eso hay que hacerlo en el momento en que seamos lo suficientemente fuertes para resistir y el enemigo lo bastante débil, desmoralizado y acosado para que no pueda librarse de los cercos. Siguiendo las tácticas empleadas en la Sierra Maestra nuestra ofensiva los obligará no solo a defenderse si no a tener que tomar trincheras si quieren salvarse. (Todo lo anterior es rigurosamente secreto, de tu exclusivo conocimiento).

Ahora bien: esta es la estrategia que vamos a seguir con la Provincia. Pero en el medio tenemos las elecciones que hay que impedir a toda costa. [...]

FIDEL CASTRO RUZ

VIERNES
10

En cada oportunidad posible, yo insistía en apelar al sentido del honor de los militares de Academia que integraban el Ejército, así como en criticar la inercia de quienes, dentro de ese cuerpo militar, no comulgaban con el régimen establecido por la dictadura, pero, al mismo tiempo, no movían un dedo para cambiar tal estado de cosas.

Sierra Maestra, 10 de Octubre de 1958
Estimado F.:
Le escribo estas líneas para expresarle mi pena por la muerte de su padre y al mismo tiempo darle las gracias por su respuesta a mi mensaje.

Ud. debe exhortar a sus amigos a que se decidan. Es inexplicable que los militares cubanos no comprendan la magnitud y el alcance de los acontecimientos que están teniendo lugar. Que como hombres que han seguido la carrera de las armas sean tan indecisos y vacilantes. Que no tengan inventiva ni imaginación para idear formas de lucha revolucionaria para combatir la dictadura. Si el triunfo no está asegurado de antemano no dan un paso. Si no tienen fuerzas para asegurar el triunfo se cruzan de brazos. Si intentan extender los contactos más tarde o más temprano los pescan. Mientras tanto no hacen absolutamente nada por ayudar a la lucha como si pensaran que el mero privilegio de pertenecer a las Fuerzas Armadas, les va a permitir recoger, a última hora, los frutos maduros.

No destruyen un solo avión de los que bombardean y atacan poblados indefensos; no ejecutan uno solo de los tantos jefes asesinos que los tiranizan a ellos tanto como a los civiles; no hacen estallar un arsenal de bombas o de parque; no hacen en fin el menor esfuerzo en ningún sentido. Si solo una parte de los descontentos se decidieran a actuar de alguna forma para colaborar con la revolución, sería suficiente. Ya tenemos cinco frentes de combate en la Provincia de Oriente, un frente en Camagüey, uno en Las Villas y otro en Pinar del Río, donde cualquier militar puede trasladarse en caso de dificultad insuperable o de fracaso, en vez de irse para el extranjero y vivir en espera de que la tiranía caiga para reintegrarse en sus cargos, como si no se estuviera librando una guerra en la propia patria donde debieran estar prestando sus servicios a la revolución como técnicos y como hombres de carrera.

Hemos preparado cerca de la Sierra Maestra varios campos de aviación, así como en el frente Norte, donde puede aterrizar cualquier avión civil o militar con los que deseen incorporarse a la lucha.

FIDEL CASTRO RUZ

Los militares pueden colaborar de mil formas a esta lucha, que no es contra las Fuerzas Armadas, sino contra la dictadura y el grupo de jefes asesinos que desde los mandos militares sostienen su régimen.

Las Fuerzas Armadas no tienen más culpa que la pasividad con que han aceptado los horrores y los actos de barbarie de los criminales que tienen dentro de sus filas, que por vestir el uniforme de los institutos armados les han ganado a éstos el descrédito y el odio del pueblo, en cierto sentido con razón, porque los militares de un modo o de otro están sosteniendo con sus armas un régimen que viola y asesina mujeres, masacra presos en las propias prisiones o los desaparece cuando son puestos en libertad por los tribunales, asesina a los prisioneros aún después que nosotros hemos puesto en libertad más de seiscientos militares en lo que va de lucha. Regiones enteras han sido diezmadas por Sánchez Mosquera, Meroc [Merob] Sosa, Grau, Morejón, Ugalde Carrillo, etc. En un solo pueblecito fueron asesinados más de doscientos cincuenta campesinos; en un sólo día, en el Oro de Guisa, 53 infelices fueron ultimados. A una madre le mataron de golpe los siete hijos y el esposo. Actos como los que nunca perpetraron los españoles en las peores épocas de represión. Y los huesos de estas víctimas indefensas algún día serán desenterrados por la Historia.

Por último toleran una milicia de gangsters, no aforados, verdaderos intrusos que ejercen funciones de Fuerza

Pública, que al mando de Masferrer se dedican a sembrar el terror y a matar a las puertas de los cuarteles con la complicidad de los mandos y la impotencia de muchos oficiales que están en desacuerdo, pero que cuando les dan la orden de combatir para defender este estado odioso e insoportable de cosas, salen a combatir. ¡No se rebelan! Los vejan, los humillan, los obligan a pelear para defender el crimen, desconfían de ellos y terminan licenciándolos o deteniéndolos. ¡Pero, ninguno se rebela! Les ponen a los peores jefes, a los más odiados y desprestigiados, en los mandos del Ejército porque Batista no puede confiar más que en los incondicionales, en los más asesinos, en los más comprometidos. Los Tabernilla, los Pilar García, los Ventura, los Chaviano, los Ugalde Carrillo, son una vergüenza y un deshonor para todos los militares. ¡Pero ninguno se rebela! ¡Qué impotencia, qué cobardía! ¿Cómo podrán justificar eso en el futuro ante la Nación y ante la Historia? ¿Con qué derecho podrán reclamar luego la honrosa misión de mantener el orden, hacer respetar la Ley y garantizar la vida y demás derechos del ciudadano? ¿No comprenden que cada ciudadano asesinado, cada crimen que la posteridad conozca será una vergüenza infinita para todos los hombres que hoy visten el uniforme de las fuerzas armadas?

Mucho menos criminal y odiosa que esta tiranía fue la de Machado y los oficiales que, sordos y ciegos a la tragedia, se cruzaron de brazos, no tuvieron luego autoridad ni moral para hacerse respetar de los propios soldados, y fueron arrojados con desprecio de sus mandos. Y es lástima, porque hay mucha gente buena en los Institutos Armados, pero enfermos de abulia, de inercia, de ceguera, de sumisión, de impotencia.

¡Y eso Ud. lo sabe mejor que yo! ¿Por qué no les abre un poco los ojos?

Lo saluda su sincero amigo,

Dr. Fidel Castro Ruz

Le dedico, por aquellos días, especial atención a la Ley 2, contra la farsa electoral de 1958, que fue suscrita por el Dr. Humberto Sorí Marín y por mí el 10 de octubre de 1958. En sus artículos se estableció:

Artículo 3: Cualquier agente político que se dedique al corrompido sistema de recoger cédulas, será sometido a Consejo Sumarísimo de Guerra y fusilado en el acto.

Artículo 4: El candidato a cualquier cargo electivo que sea capturado en la zona de operaciones del Territorio Libre, será condenado a pena, que puede fluctuar de acuerdo con el mayor o menor grado de responsabilidad, entre 10 años y la pena de muerte.

Artículo 5: En las zonas urbanas, la pena de muerte podrá ser ejecutada contra los culpables, tanto por las tropas rebeldes como por las Milicias que operan en pueblos y ciudades.

Ese mismo día fue suscrita, por los mismos firmantes, la Ley 3, sobre el derecho de los campesinos a la tierra. En los tres últimos Por Cuanto de esa ley queda definido:

POR CUANTO: El asentamiento de la tierra de los pequeños agricultores que la trabajan es el primer paso de la Reforma Agraria y un derecho que pueda ya y debe garantizarse al campesinado cubano, por los que han asumido la responsabilidad histórica de liberar a la Patria de la tiranía política y de la injusticia social.

POR CUANTO: La Revolución es fuente de derecho.

POR TANTO: En uso de las facultades de que está investido este mando del Ejército Rebelde como Poder constituido del Pueblo levantado en armas contra la Tiranía, se dicta la siguiente [Ley 3].

La Ley 3, sobre el derecho de los campesinos a la tierra, contiene tres capítulos, 38 artículos, tres disposiciones finales y una disposición transitoria. Esta última expresa:

En la Sierra Maestra, en el Segundo Frente Oriental Frank País y en todos los frentes dominados firmemente por las fuerzas rebeldes, esta Ley será de aplicación inmediata, a cuyos efectos se dictará un Reglamento especial, a fin de que los posesionarios de tierras del Estado puedan recibir sus títulos e inscribir los mismos en los Registros de Propiedad Rústica que a este fin se habilitarán y los de tierras particulares radicados en territorio Libre, inscribir su posesión y solicitar los beneficios de esta Ley, que quedarán pendientes del trámite de indemnización previa por el Estado en la forma y oportunidad que señalan los preceptos de la misma.

Dada en la Sierra Maestra el día 10 de Octubre de 1958, a los noventa años del Grito de Yara y como homenaje a los patricios que en aquella ocasión gloriosa se despojaron de sus tierras, de sus esclavos y de todos sus bienes para conquistar a Cuba la Libertad que sus descendientes tenemos el Deber de afianzar en esta hora.

Dr. Fidel Castro Ruz, Comandante Jefe

Doctor Humberto Sorí Marín, auditor general

Humberto Sorí Marín, graduado como abogado, fue enviado a la Sierra Maestra por el Movimiento Revolucionario 26 de Julio. Era Auditor General cuando suscribió estas leyes.

Traicionó más tarde a la Revolución Cubana en sus momentos más difíciles. Los días previos a la invasión mercenaria de Girón, fraguada por Estados Unidos, fue capturado en las proximidades de las costas con un importante alijo de armas suministradas por la CIA.

En esa acción resultó herido. Tan pronto lo supe fui a visitarlo al hospital y me dijo que era inocente de aquellas acusaciones, que había desembarcado solo para entrevistarse conmigo y confesarme el error. Sorprendido por aquellas palabras pedí comunicarme con la Seguridad del Estado y estos me explicaron cómo se produjeron los hechos.

Si hubiese sido sincero, con seguridad le habríamos conmutado la pena capital por otra sanción. Vino la invasión a Girón y fue ejecutada la sentencia.

Su hermano gemelo, de enorme parecido, era médico, miembro también del 26 de Julio. Hasta donde yo recuerdo mantuvo una conducta correcta. Más de una vez me encontré con él y no guardaba rencor alguno.

VIERNES
17

El espíritu humanitario, la vocación justiciera y la franqueza de la Revolución Cubana no son hechos recientes, sino una esencia. El Ejército Rebelde atendió y curó a los prisioneros invariablemente. Puede decirse también que nuestra arma principal fue siempre la verdad. El parte de Radio Rebelde del 17 de octubre de 1958, trasmitido tras un revés táctico, prueba el apego a esos principios durante la guerra.

FIDEL CASTRO RUZ

RADIO REBELDE

Octubre 17 de 1958

LA SITUACIÓN MILITAR

Hemos recibido hoy de la Comandancia General el siguiente parte de guerra:

La columna N° 11, al mando del capitán Jaime Vega, sufrió un serio revés en su zona de operaciones en la provincia de Camagüey.

Sobre este hecho ocurrido hace más de dos semanas no habíamos ofrecido información alguna en espera de las investigaciones y los datos exactos que fueron ordenados al respecto. Un revés táctico puede ocurrir a cualquier unidad en una guerra, porque el curso de la misma no tiene que ser necesariamente una cadena ininterrumpida de victorias contra un enemigo que ha contado siempre con ventajas de armamentos y recursos bélicos que ha llevado sin embargo la peor parte en esta contienda.

Consideramos un deber del mando de nuestro ejército informar de cualquier vicisitud que pueda ocurrir a cualquiera de nuestras fuerzas en operaciones, por cuanto entendemos como norma moral y militar de nuestro movimiento que no es correcto ocultar los reveses al pueblo ni a los combatientes.

Los reveses hay que publicarlos también, porque de ellos se derivan lecciones útiles; para que los errores que cometa una unidad no los cometan otras, para que el descuido en que pueda incurrir un oficial revolucionario no se repita en otros oficiales. Porque en la guerra las deficiencias no se superan ocultándolas y engañando a los soldados, sino divulgándolas, alertando siempre a todos los mandos, exigiendo nuevos y redoblados cuidados en el planeamiento y ejecución de los movimientos y acciones.

Pero en este caso, además, la acción fue caracterizada por hechos posteriores que el pueblo debe conocer cabalmente, que atañen muy seriamente al destino de las fuerzas armadas de la República y que de continuarse repitiendo pueden tener consecuencias muy graves para el futuro de esos institutos.

Nosotros hemos proclamado muchas veces que no estamos en guerra contra las fuerzas armadas sino contra la tiranía. Pero la actuación y la corresponsabilización de los oficiales, clases y soldados del ejército principalmente, con ciertos actos de inaudita barbarie puede llegar a un grado tal, que ningún militar hoy en activo tenga justificación para sentirse ajeno de culpa con los hechos que están ocurriendo, desde que la ambición desmedida de un dictadorzuelo sin escrúpulos y la traición de unos cuantos oficiales el diez de marzo de mil novecientos cincuenta y dos, condujo al ejército [a al] rol antidemocrático, inconstitucional e indigno que está desempeñando.

Los hechos a que me refiero ocurrieron así: El Capitán Jaime Vega, descuidando las medidas tácticas de seguridad contenidas en las instrucciones precisas recibidas y que deben tomarse siempre en territorios dominados por el enemigo, avanzaba [con sus fuerzas] en camiones la noche del 27 al 28 de Septiembre, por un terraplén que conduce del Central Francisco al Central Macareño, al sur de la provincia de Camagüey.

La compañía 97 de las fuerzas de la Dictadura, emboscada en el terraplén abrió fuego por sorpresa sobre la columna a las dos de la madrugada del día 28, apoyada con barraje de ametralladoras pesadas. Las descargas cerradas del enemigo contra los vehículos ocasionaron a la Columna, 18 muertos, cayendo prisioneros once de los heridos que no pudieron ser recuperados en medio de la noche bajo el fuego de las ametralladoras enemigas emplazadas en posiciones ventajosas. Los prisioneros heridos rebeldes fueron llevados al hospital de Macareño, siendo atendidos por el médico de ese lugar y dos médicos que mandó a buscar a Santa Cruz del Sur el Teniente Suárez, Jefe de la Compañía 97. Al día siguiente llegó en un avión el coronel Leopoldo Pérez Coujil y poco después arribaron en un automóvil el teniente coronel Suárez Souquet, el Comandante Domingo Piñeiro y el Sargento Lorenzo Otaño de su guardia personal.

El coronel Pérez Coujil le obsequió a la compañía [con] $ 1,000.00 en efectivo que se distribuyeron entre los soldados.

Después, lo primero que hizo fue golpear en el rostro a uno de los prisioneros heridos. Una vez que los hubo interrogado dio instrucciones al Teniente Coronel Souquet de que había que matar a todos los heridos. Este último, designó al comandante Piñeiro para que, simulando un combate, al trasladar a los heridos para Santa Cruz del Sur, los ultimara en el camino.

Prepararon camiones con colchones donde los colocaron y partieron con ellos. Después de caminar algunos kilómetros empezaron ellos mismos a tirar mientras el comandante Piñeiro gritaba: "Nos están atacando los rebeldes", en cuya oportunidad el sargento Otaño lanzó dos granadas de mano en los camiones donde iban los heridos, los que a su vez creyendo que realmente eran sus compañeros decían: "Compañeros, somos nosotros que estamos heridos, no disparen". El sargento Otaño subió a los camiones y con un fusil ametrallador fue ultimando a los que estaban agonizando; algunos habían perdido los brazos por efecto de las granadas, otros la cabeza, y en el interior del camión no quedó más que un amasijo de carne y sangre humana. Al sargento Otaño, desde entonces, los propios soldados lo apodan "el carnicero". Después colocaron los restos en un camión y los llevaron para Santa Cruz del Sur donde abrieron una fosa y los enterraron.

La narración de estos hechos por sí sola es suficiente para indignar al más insensible. Pero sobre ningún ciudadano puede producir los mismos efectos que sobre los médicos rebeldes que curaron a más de cien soldados prisioneros heridos en los días de la ofensiva contra

FIDEL CASTRO RUZ

la Sierra Maestra, sobre nuestros combatientes que los transportaron en hombros y camillas, desde los campos de batalla a los hospitales a muchas millas de distancia. Tal vez entre esos heridos rebeldes asesinados se encontrasen algunos de los compañeros que durante la batalla del Jigüe transportaron enemigos heridos desde la línea de fuego a los sitios donde recibieron la primera atención en horas de la noche, escarpando las farallas casi inaccesibles. Esos heridos asesinados en Camagüey vieron desfilar ante sus ojos en la Sierra Maestra los 442 soldados de la tiranía entregados a la Cruz Roja Internacional y Cubana y compartieron con ellos sus medicinas y alimentos.

La falta de reciprocidad no puede ser más repugnante y cobarde, no es éste un caso aislado por parte de un oficial o una tropa determinada, es una costumbre generalizada en todo el ejército hasta un grado que produce asco.

Cuando el ataque al Moncada, asesinaron a los prisioneros; cuando el Goicuría, asesinaron a los prisioneros; cuando el desembarco del *Granma*, asesinaron a los prisioneros; cuando el asalto a Palacio, asesinaron a los prisioneros; cuando el desembarco de Calixto Sánchez, asesinaron a los prisioneros; cuando la sublevación de Cienfuegos, asesinaron a los prisioneros. Pero todos aquellos casos el ejército podía tener todavía alguna esperanza de conservar el poder, era fuerte, no había sufrido derrotas sustanciales, podía pensar que sus crímenes iban a permanecer impunes, ante la impotencia de un pueblo desarmado. Lo sucedido en Camagüey, sin embargo es doblemente indignante y absurdo, primero porque todavía está fresca en la memoria de la ciudadanía los cientos de sus soldados que fueron devueltos a la Cruz Roja por los rebeldes, sanos y salvos, y segundo, porque los soldados de la tiranía están perdiendo la guerra, han sido vencidos en numerosas batallas, pierden cada día más terreno, retroceden en todas partes.

Están perdiendo la guerra, y sin embargo, asesinan a los pocos heridos prisioneros que caen en sus manos del ejército que está venciendo. Por ese mismo territorio de Camagüey, marcharon victoriosas e incontenibles las columnas N° 2 y N° 8 de los Comandantes Camilo Cienfuegos y Ernesto Guevara, sin que pudieran detener su paso las numerosas fuerzas que lanzó contra ellos la dictadura. La vanguardia invasora ha penetrado ya más de cincuenta kilómetros en el territorio de Las Villas.

¿Qué sentido político o militar puede tener ese alevoso asesinato de los rebeldes heridos, sino lanzar sobre las fuerzas armadas, harto desprestigiadas ya, una mancha de sangre que muchas veces recordará la Historia como una vergüenza infinita para cualquier soldado que hoy viste el uniforme infame y deshonrado del que no puede volver a llamarse jamás "Ejército de la República". Este hecho será denunciado ante la Cruz Roja Internacional y demandaremos el envío de delegados de la misma para investigar lo sucedido, y será dirigida también una carta abierta a las fuerzas armadas, haciéndoles ver la responsabilidad que están echando sobre sus hombros. En poder nuestro están, además, numerosos soldados prisioneros, un Teniente Coronel, para mayor paradoja herido y siendo atendido en un hospital nuestro, un comandante y dos capitanes.

Constituye una cobardía infinita y una ausencia total de compañerismo, la conducta del coronel Leopoldo Pérez Coujil, el Teniente Coronel Suárez Souquet, el Comandante Triana y demás miserables asesinos, olvidarse de esos compañeros suyos que están aquí, prisioneros de nosotros, sin otras garantías para sus vidas que la calma y la serenidad que hay que tener frente a estos hechos vandálicos, el sentido humano y justiciero de la guerra que estamos librando, el ideal de lucha que nos inspira y el concepto verdadero que tenemos del Honor Militar. No crean ninguno de los responsables de tales actos que tendrán escapatoria. No los salvará siquiera un viraje del ejército a última hora, porque una de las condiciones que hemos puesto y mantendremos firmemente ante cualquier golpe de Estado es la entrega inmediata de los criminales de guerra y de todos los militares y políticos que se hayan enriquecido con la sangre y el dolor del Pueblo, desde Batista hasta el último torturador.

De lo contrario tendrán que seguir afrontando la guerra hasta su total destrucción, porque la Revolución no podrán obstruccionarla lo más mínimo ni la asquerosa farsa que se prepara para el próximo 3 de Noviembre, ni el golpe de Estado que no venga precedido por las condiciones que establece el Movimiento "26 de Julio" y mediante acuerdo previo.

Los que han sembrado vientos recogerán tempestades. Nadie duda ya que las decadentes y desmoralizadas fuerzas de la tiranía no podrán contener el empuje victorioso del pueblo.

Para eso tendrían que vencer primero a cada una de las columnas que ya están operando sólidamente en cuatro provincias y después tomar en la Sierra Maestra hasta la última trinchera en la cúspide del Pico Turquino defendida por el último soldado rebelde, y el ejército de Batista ha demostrado ya suficientemente que es incapaz de hacerlo.

A la Comandancia General ha llegado un informe extenso de la Columna Invasora Nº 2 Antonio Maceo, que después de atravesar victoriosamente la provincia de Camagüey ha penetrado en el territorio de Las Villas. Dicho informe, que contiene la narración detallada de una extraordinaria proeza militar, será leída, por Radio Rebelde y el pueblo tendrá oportunidad de conocer uno de los episodios más emocionantes con los que se está escribiendo la historia viva de la Patria.

Fidel Castro

Comandante Jefe

SÁBADO

18

En la distribución minuciosa de armas y municiones persistí en dotar a las fuerzas guerrilleras de acuerdo con nuestros planes estratégicos, pero también con la disciplina de los combatientes.

Sierra Maestra

Oct. 18 de 1958

Lara:

No puedo armar a estos muchachos por varias razones:

1º Porque las armas hay que distribuirlas entre las distintas zonas de operaciones de acuerdo con las necesidades y los planes.

2º Porque tengo que tener en cuenta los 300 muchachos que están en la escuela esperando su oportunidad.

3º Porque no está clara la actuación de esos muchachos al abandonar la tropa que iba para Camagüey y quedarse aquí, yo no voy a premiar ahora ese proceder.

[entregándoles Entregaré] armas con preferencia a los que están en la escuela, muchos de ellos después de prestar muchos meses de servicio en las carreteras y otros lugares.

La zona de operaciones que te asigné cuenta ya con 125 armas buenas en los pelotones de [Oscar] Orozco, Cristino [Naranjo] y [Eddy] Suñol. Tú tienes a la gente de Orozco bien armada que están al regresar de un momento a otro para que te acompañen personalmente cuando te traslades al llano. Estos muchachos tienes que irlos armando con lo que ese pelotón pueda ir ocupando. Recuerda que en los cálculos contábamos que aquellos 34 hombres bien armados debían tratar por todos los medios de aumentar sus efectivos.

Yo no puedo ahora ir allá porque estoy ocupado enteramente de las transmisiones de Radio-Rebelde en estos días que preceden las elecciones, además de todos los asuntos que ya me ocupaban. Había pensado matar dos pájaros de un tiro con lo del congreso obrero bajando un día a Providencia, pero el acto fue suspendido y me vinieron a informar el día antes sin tiempo de avisarte.

Le diré al médico que vaya a verte. Si te quitan el yeso, podrías venir para tratar de los planes relacionados con las elecciones. Si el médico cree que todavía no estás en condiciones de actuar, tienes entonces que esperar dos o tres semanas más, en cuyo caso mandaré instrucciones a Cristino y a Suñol para que junto con Orozco cumplan su cometido.

FIDEL CASTRO RUZ

Ya yo hablé con Cristino de la nueva organización que le vamos a dar al mando abajo y le ofrecí un pequeño refuerzo para el pelotón de él que es el que cuenta con menos efectivos. Ese pequeño aporte que le ofrecí cuando vino de 10 fusiles, tengo que cumplirlo y es el máximo que puedo ya dedicar a la zona de la columna por ahora y que es sin embargo más de lo que creía haber podido enviar para esta fecha.

Hasta tanto el médico no te dé de alta y estés en condiciones razonables de poder moverte en el llano, Cristino seguirá desempeñando las funciones que tenía; él no puso objeción alguna al mando que vas a desempeñar y es un muchacho disciplinado y bueno.

No tengo aquí ninguna Cristóbal para cumplir lo ofrecido, pero te mando un M-1; con lo que puedes hacer dos cosas: cambiárselo a cualquiera del pelotón de Orozco que tenga una Cristóbal o mandármelo para convertirlo en M-2, como tú prefieras; ya en el taller se convirtió uno de [Roberto] Fajardo y quedó perfecto.

Lo que no hay es peines. Balas sí porque llegan hoy aquí y tal vez peines; pero esto último no es difícil de resolver pues uno de los muchachos de Orozco tiene seis o siete.

Pienso hablar con [Julio] Martínez Páez ahora.

Saludos

Fidel

Este mismo día 18 de octubre publicamos dos informaciones relacionadas con el Ejército de la dictadura, la primera sobre la cada vez más deteriorada moral de sus tropas y el afán de abandonar sus filas por parte de hombres de honor que preferían pasarse al lado de los rebeldes. La segunda noticia abordaba el desesperado e iluso propósito de la tiranía de compensar sus derrotas con la adquisición de aviones ingleses, la agresión imperial del Reino Unido al venderlos y la denuncia de nuestro Ejército Rebelde de la acción de comerciar con la tragedia de Cuba, ante la cual no quedaríamos impasibles ni nos cruzaríamos de brazos. Así fue que, el día 19, decretamos la Ley No. 4 contra la agresión inglesa al pueblo de Cuba.

RADIO REBELDE:

Octubre 18 de 1958

Como una compensación moral en el ánimo conturbado por los detalles del bárbaro y cobarde asesinato de prisioneros heridos rebeldes al sur de Camagüey, por las fuerzas del sanguinario Coronel Leopoldo Pérez Coujil, la Comandancia General del Ejército Rebelde ha recibido una emocionante carta de un soldado de Camagüey, que en hermoso gesto patriótico abandonó las fuerzas de la Tiranía y se pasó con su arma y su experiencia militar a las filas rebeldes.

La matanza de heridos prisioneros, ocurrió el 28 de septiembre, pues bien, tres días después, el primero de Octubre, este humilde soldado abandonó las fuerzas del Ejército de la Dictadura para combatir en defensa de su Pueblo. Abandonó un ejército donde se paga un sueldo, para formar filas en un ejército donde nadie cobra por combatir; abandonó un ejército donde todo se lo dan, para combatir junto a un ejército donde el soldado lo da todo por un ideal; trajo su arma, porque esa arma que él llevaba es un arma del Pueblo, la pagó el Pueblo con el sudor de su frente para defender la República, para disfrutar sus Leyes, para defender sus Libertades, no para oprimirlo, pisotear su derecho, asesinar sus hijos y defender la infame Tiranía.

Ya van sumando muchos los soldados de la Dictadura que se están pasando con sus armas al ejército Rebelde para combatir junto a nosotros. Así, día a día, no irán quedando junto al Tirano más que los esbirros, los pusilánimes y los cobardes. Este soldado, de Camagüey, que ingresó en nuestras filas tres días después de la masacre de los prisioneros heridos, ha escrito sus sentimientos patrióticos y revolucionarios en una carta conceptuosa y que revela una gran dignidad humana y una conciencia muy clara de su Deber como Soldado.

Viene a combatir junto a nosotros, ofrece sus conocimientos y su experiencia; no se expresa con rencor de sus antiguos compañeros de armas, pero no vacila en su firme determinación, pues es bien claro para él que el Soldado debe estar con el Pueblo y no contra el Pueblo. Y no cabe alternativa posible.

Como este soldado, se expresan todos los militares que han ingresado en nuestro Ejército.

Hay Hombres con suficiente personalidad y entereza para no dejarse engañar ni arrastrar como borregos a la causa del Mal.

Para un soldado del Ejército no es ningún secreto la inmoralidad y corrupción que corroe los institutos armados. Conoce los crímenes que se cometen en los cuarteles, los negocios de los jefes, los márgenes escandalosos que perciben por la explotación del juego y la prostitución; sabe toda la desvergüenza y el impudor que entraña asesinar a tantos compatriotas por defender la odiosa Dictadura.

Para eso no vale la pena dar la vida; para eso no vale la pena dejar huérfanos a sus hijos y desamparadas sus esposas y sumidos en eterno luto a sus padres y hermanos.

Esto lo están empezando a comprender miles de soldados que ingresaron al Ejército cuando no había guerra fratricida y los militares no estaban al servicio de la opresión y el crimen.

Dice así la carta del soldado Carlos Urquiza Cabrera, perteneciente al Escuadrón 26 de la Guardia Rural, Regimiento 2 Agramonte, Guáimaro, Camagüey:

Al Comandante Jefe Dr. Fidel Castro Ruz,
Cuartel General de las Fuerzas Revolucionarias,
Sierra Maestra, CUBA.

SEÑOR

Tengo el honor de dirigir a Ud. las presentes líneas, para, entre otros, hacer llegar hasta Ud. mi más cálido y afectuoso saludo, brindándole mi más decidida cooperación en el Movimiento "26 de Julio", para libertar a Cuba, nuestra Patria querida, del yugo opresor.

Al mismo tiempo aprovecho la oportunidad para hacerle presente que soy un hombre que me encontraba en el Ejército hasta el día primero del actual en que decidí unirme a las fuerzas que Ud. se digna en comandar; desde mucho antes hubiera podido [~~hacer~~ hacerlo], pero por razones de haber venido padeciendo mis hijos y esposa de enfermedades, no lo había podido realizar, pero pienso que nunca es tarde para ofrecer a Ud. mi sacrificio personal en beneficio del Pueblo y de la Democracia.

Comandante en Jefe, quiero sepa [que] yo ingresé al ejército el día 14 de Febrero de 1948, esto es, cuando en Cuba existía un ejército disciplinado y leal al gobierno debidamente constituido y elegido por la mayoría del Pueblo de Cuba, cosa ésta que hoy no existe.

Hoy me encuentro bajo las órdenes del Teniente Concepción Rivero, bajo cuyo mando estoy sirviendo; pero sobre mi persona puede obtener referencias por mediación del Teniente Machado, que opera en la zona de Cauto el Paso, ya que con él mismo fueron dos sobrinos míos que a esta fecha deben de estar en esa. Nómbranse éstos: Gerardo Urquiza Guerrero y Gerardo Echenique Urquiza. Además, sepa que soy primo hermano del Capitán Ciro Frías Cabrera, muy identificado con Ud., del cual, según tengo entendido, murió en un combate en el mes de Marzo pasado, así como del hermano de éste, que fué vilmente asesinado al principio de la contienda en el Macho, donde tenía Ciro una tienda de víveres, por el solo hecho de ser hermano de Ciro. También le diré que el día que me fuí traje conmigo a un sobrino mío, hermano del antes mencionado Gerardo Echenique, nombrado éste Fernando Echenique Urquiza, dispuesto a defender la causa del Movimiento "26 de Julio".

De mí puedo decirle que soy experto tirador de fusil y certero en ametralladora y distinguido en revólver, aparte de conocer todas las armas automáticas.

No puedo relatarle tantos miembros de mi familia porque sería interminable la lista de hermanos, sobrinos, primos y parientes que se encuentran precisamente junto a Ud. en ese lugar, sirviendo una causa noble y justa como verdaderos cubanos.

Solo me resta decirle que me tiene a sus órdenes y espero de Ud. única y exclusivamente su reconocimiento oficial como un miembro más en sus filas del Movimiento Revolucionario "26 de Julio".

De Ud. respetuosamente,

POR UNA CUBA LIBRE

Carlos Urquiza Cabrera (Mérito Militar)

NUESTRA RESPUESTA AL SOLDADO URQUIZA CABRERA

La Revolución lo recibe con los brazos abiertos. El soldado que abandona las comodidades del cuartel y el sueldo que le paga la Tiranía para venir a soportar la vida dura y sacrificada del Rebelde, merece el reconocimiento especial de su Patria. Aquí experimentará Ud. la satisfacción infinita de defender una causa justa; aquí tendrá Ud. por compañeros a Hombres que no manchan su Honor con el robo ni el crimen; aquí tendrá Ud. el reconocimiento y el cariño de su Pueblo. Mañana lo respetarán sus conciudadanos; mañana, cuando vuelva al seno de su Hogar, sus hijos se sentirán orgullosos; mañana, cuando la patria sea libre, se contará entre los que ayudaron a forjar su hermoso porvenir y si cae, el pueblo nunca lo olvidará, porque los Valientes que mueren defendiendo la Justicia, viven siempre en el corazón de sus compatriotas y en la Historia inmortal de su tierra.

RADIO REBELDE

Octubre 18 de 1958

Otra noticia de sumo interés para el pueblo de Cuba: parece confirmada la venta de 17 aviones ingleses a la tiranía de Batista. Cuando hasta los propios Estados Unidos, tradicionales abastecedores de armas al ejército de Cuba han decretado el embargo de todo suministro bélico a la dictadura de Batista, Inglaterra viene a comerciar con nuestra tragedia. Sordo al dolor de nuestro pueblo, el gobierno inglés se ha decidido a dar este paso criminal.

No escuchó la voz de la emigración cubana que unánimemente solicitó se cancelase esa operación de suministros bélicos a la Dictadura. No escuchó las razones elevadas y serenas trasmitidas por Radio Rebelde. No escuchó la opinión de América Latina, contraria a ese repugnante comercio con la sangre y el dolor de un pueblo.

¡Inglaterra no es lo suficientemente poderosa para intimidar a los cubanos que luchan por la libertad! ¡Inglaterra no es lo suficientemente poderosa para realizar impunemente esta intervención en la lucha interna de Cuba! ¡Inglaterra no es lo suficientemente poderosa, como para despreciar el sentimiento de un Pueblo heroico destinado a ser masacrado con los aviones que le vende a Batista! ¡Inglaterra traiciona el recuerdo de los bombardeos de Coventry y de Londres, pero olvida la lección que dió su propio pueblo, que no existe poder suficiente en el mundo para doblegar el patriotismo y la dignidad humana. Nosotros tendremos también nuestra [cuota de] "lágrimas, sudor y sangre", pero venceremos en esta guerra aunque Inglaterra le envíe a Batista todos los aviones que sea capaz de fabricar.

Y de este acto de agresión nos defenderemos dignamente. Esos aviones les van a hacer más daño a los ingleses que a los rebeldes. Esos aviones podrán derribar muchas casas campesinas y matar a muchos compatriotas, pero no quedará indemne ni una sola propiedad inglesa. Los ingleses están lejos, pero las propiedades de los ingleses están cerca. En Londres no se sentirán los bombardeos, pero en Cuba, los ingleses van a sentir los efectos de la acción revolucionaria. Mañana, la Comandancia General del Ejército Rebelde dictará una Ley revolucionaria, declarando el embargo de todos los bienes de ciudadanos y compañías inglesas del Territorio Libre; la confiscación de todas sus propiedades en el Territorio Nacional quedará cumplimentada tan pronto termine la contienda y el sabotaje sistemático de las industrias y el comercio inglés establecido en el territorio nacional mientras dure la guerra, que tendrá vigencia desde el momento mismo en que llegue a Cuba el primero de los 17 aviones vendidos a Batista. Como quien vende aviones para asesinar cubanos está en guerra contra Cuba, que no venga el Gobierno Inglés a quejarse después de las consecuencias de sus actos, porque los pueblos poderosos están en el Deber de respetar a los pueblos pequeños, no inmiscuirse en sus cuestiones, no comerciar con su sangre, no pisotear sus sentimientos, no destruir su Libertad. ¿No le bastan a Inglaterra sus conflictos en Chipre, en Egipto, en el cercano Oriente, en la Guayana Inglesa, en las Honduras Británicas, y en todas partes del mundo donde intenta mantener su decadente colonialismo, para venir a provocar también conflictos en Cuba? Pues bien, sepa Inglaterra que los rebeldes cubanos están dispuestos a responder la provocación y la agresión, ahora, luego y siempre que haya que defender la soberanía, el derecho y la dignidad de nuestra Patria. Los tiempos del colonialismo y las intervenciones impunes en el destino de las naciones pequeñas, van quedando atrás. Cuba no está sola; por ella vela también el sentimiento de todos los pueblos hermanos de América Latina y la solidaridad de la opinión pública del Mundo.

Cuba no puede ser convertida, como España, en campo de experimentación de guerra para aparatos ingleses; o de cualquier otro país; o al menos no lo será sin que los ingleses tengan que pagar bien caras las consecuencias.

FIDEL CASTRO RUZ

Radio [Rebelde], Sierra Maestra,
19 de Octubre de 1958.
LEY Nº 4
Contra la agresión Inglesa al Pueblo de Cuba, dictada
por la Comandancia General del Ejército Rebelde.
Ejército Rebelde 26 de Julio, Jefatura.
POR CUANTO: El incontenible desarrollo de la Revolución Cubana, ha lanzado a la tiranía a una desenfre-
nada carrera de compra de armamentos que en definitiva
es impotente para impedir la victoria, compromete más
aún de lo que está el crédito de la República, y somete a
la población del País a mayores atropellos en su creciente
política de asesinatos.

POR CUANTO: La venta a la Tiranía de aviones y
equipos bélicos y de otra clase, constituye una ayuda ma-
nifiesta a quienes usurpando los mandos públicos mantienen a la población cubana sometida al más inhumano
régimen de fuerza, desconociéndose por el Gobierno extranjero que se presta a semejante colaboración, los más
elementales principios y derechos de los pueblos y de la
persona humana.

POR CUANTO: El Gobierno de Inglaterra, ha desoído cuantas apelaciones se le han formulado por el pueblo de Cuba, y ha accedido a la venta de aviones de guerra al Gobierno de la Tiranía, con los cuales ésta intenta persistir en su macabra tarea de ametrallar pueblos y ciudades abiertas, hogares de campesinos indefensos, aparte del plan de cobardes represalias contra las invencibles columnas del Ejército Rebelde, en combate leal frente al enemigo.

POR CUANTO: La Nación cubana, está obligada a defenderse por igual de los enemigos internos como de los externos y a tomar contra unos y otros las medidas adecuadas contra tales agresiones.

POR CUANTO: Frente a la ayuda militar extranjera a la Tiranía, la Revolución Cubana denuncia la situación beligerante en que se ha colocado el Gobierno de Inglaterra, al tomar partido contra el pueblo cubano, en la guerra que está librando para reconquistar sus libertades.

POR CUANTO: Consecuentemente con la actitud beligerante, de hecho adoptada por el Gobierno Inglés, los bienes de ciudadanos Ingleses deben responder del daño material, moral y en vidas humanas que esos aviones ocasionen a Cuba.

POR CUANTO: Inglaterra no es lo suficientemente poderosa para intimidar a los cubanos que luchan por la Libertad.

FIDEL CASTRO RUZ

POR CUANTO: Inglaterra no es lo suficientemente poderosa para realizar impunemente esa intervención en la lucha interna de Cuba.

POR CUANTO: Inglaterra no es lo suficientemente poderosa para despreciar el sentimiento de un pueblo heroico destinado a ser masacrado con los aviones que le venda a Batista.

POR TANTO: En uso de las facultades de que este mando está investido y como Poder constituido en representación del Pueblo de Cuba, alzado en armas contra la Tiranía, se dicta la siguiente Ley número 4, contra la agresión inglesa al Pueblo de Cuba.

ARTÍCULO 1: A partir del momento en que sean recibidos por el Gobierno de la Tiranía, los aviones ingleses de guerra y equipos bélicos de otras clases, procedentes de Inglaterra, y con autorización de su Gobierno, tendrán vigencia los artículos de esta Ley y los preceptos de la misma serán aplicables solamente a los bienes y funcionarios Ingleses, no así, a los del Dominio del Canadá, o demás naciones que integran el Reino Unido.

ARTÍCULO 2: Se declaran propiedad del ejército Rebelde, todos los bienes de Compañías y ciudadanos Ingleses radicados en el Territorio Libre, cuyo valor será dedicado a la adquisición de armas para combatir la Dictadura.

ARTÍCULO 3: Todos los bienes de Compañías y ciudadanos ingleses radicados en el resto del territorio Nacional se declaran igualmente propiedad del Pueblo de Cuba, para responder a los perjuicios morales, materiales y en pérdidas de vidas que se deriven del suministro de aviones de guerra al dictador Batista.

ARTÍCULO 4: Cualquier funcionario Diplomático, Consular o súbdito Inglés que a los diez días de llegados esos aviones no hayan abandonado el territorio Nacional podrán ser detenidos e internados en el Territorio Libre, como agentes de un Gobierno agresor.

Dada en la Sierra Maestra, a los 19 días del mes de Octubre de 1958.

Dr. Fidel Castro Ruz, Comandante en Jefe

Dr. Humberto Sorí Marín, Auditor General

A mediados de Octubre continuaba la faena de distribuir lo más equitativamente posible armas y balas. Para mí tenía importancia hasta el último fusil. En carta a Eddy Suñol le anuncié que Raúl, desde el Segundo Frente, enviaría una tropa al mando de Carlos Iglesias, Nicaragua, para operar en Banes.

Sierra Maestra

Oct. 19, 58

Suñol:

Te mando seiscientas balas M-1. Espero que tú hayas podido gestionar algunas más por allá.

A Víctor [Mora] le encargué que te enviara otro máuser que él tenía por Canabacoa, y si aparece alguno más te lo envío. Ya sabes que puedes contar con doscientas balas adicionales por cada uno de esos fusiles, pues recibí más.

Raúl mandará una tropa al mando de Nicaragua [Carlos Iglesias], desde el segundo frente, que abrirá una zona de operaciones en el territorio de Banes. Mientras tanto tú te ocupas también de ese municipio en lo que puedas.

Te deseo grandes éxitos.

Saludos a las muchachas y a todos los demás compañeros.

Fidel

Siguiendo órdenes de la Comandancia, durante todo este mes las fuerzas del Tercer Frente asediaron la Carretera Central y las proximidades de Santiago de Cuba.

RADIO REBELDE

OCTUBRE 19/1958

RESUMEN DE ACCIONES REPORTADAS POR LAS COLUMNAS REBELDES:

Se han recibido por radio, en esta Comandancia General, los partes que transcribimos a continuación:

Octubre 9. – FRENTE número 3, SANTIAGO DE CUBA:

Una patrulla rebelde interceptó en la carretera central, un camión que transportaba un equipo de control remoto de Televisión, de la Empresa Tele Mundo, que había venido a televisar un Radio Mitin Gobiernista, en Santiago de Cuba.

Octubre 12.- Fuerzas de la compañía C, Roberto La-
melas, pertenecientes a las columnas 9 y 10, atacaron
simultáneamente a las siete antemeridiano, el cuartel, la
estación de policía y otros puntos del Poblado del Caney.
Mientras otras Patrullas rebeldes se emboscaban en espera de los refuerzos enemigos. Nuestras fuerzas atacaban
los objetivos militares, quemaban la Junta Electoral y hacían diversos sabotajes en las comunicaciones y la patrulla rebelde emboscada sorprendía un camión de soldados
causándoles numerosas bajas.

En esta victoriosa acción fueron ocupadas nueve
armas, una ametralladora Dominicana, San Cristóbal,
dos Springfield, 2 M-2, de fabricación Trujillista, dos
revólveres y dos pistolas 45, con parque para todas estas armas. Se le causaron al enemigo 8 muertos y varios
heridos, y se le hicieron 5 prisioneros, cuyos nombres y unidades a que pertenecían, daremos a conocer
próximamente.

Uno de los militares prisioneros fue juzgado en Consejo de Guerra, y hallado culpable de numerosos crímenes cometidos cuando el ataque al Cuartel Moncada, el
26 de Julio de 1953, y de otros asesinatos cometidos recientemente en Santiago de Cuba, por lo que fue condenado a la última pena.

En el combate de el Caney pereció también un civil y
fue herido grave un rebelde.

Octubre 13.- Numerosos carros, Jeeps y otros vehículos fueron quemados en distintos lugares de la carretera Central.

Octubre 14. - Una fuerza de la Dictadura trató de cortar los árboles que rodean la carretera Central, siendo atacada con granadas de mano por unidades rebeldes, que hirieron 4 casquitos, huyendo el resto.

Ese mismo día otra fuerza rebelde al mando del Teniente Fonseca, quemó 6 carros, 4 autos y 2 camiones cargados de cemento. Fuerzas del Ejército, que venían en autos de alquiler, tratando de sorprender a nuestros hombres fueron tiroteadas por la misma unidad rebelde que le hizo una baja, según los campesinos de la zona, un oficial de la dictadura.

También fue apresada una rastra de la compañía Interamericana de Transporte, propiedad de uno de los hijos de Batista, que transportaba gran cantidad de ropa y mercancía al Cuartel Moncada, y que ahora se utilizarán por las fuerzas de la revolución.

En estas incursiones a la carretera Central, fueron apresados 4 Masferreristas.

PARTE MILITAR DE LA COLUMNA 3 SANTIAGO DE CUBA:

Las patrullas rebeldes 2 y 5, dirigidas por los Tenientes [Omar] Ginarte y Santos Mora, hicieron una acción combinada, entre los poblados de Santa Rita y Charco

Redondo, sorprendiendo una fuerza del ejército. El fuego de nuestros hombres arrasó una camioneta y dos Jeep, en la que viajaban 20 soldados.

Fueron muertos 14 soldados enemigos. Se le ocuparon: 5 Springfield, 549 balas calibre 30-06 [30.06], con 5 cananas. Y 5 Springfields más inutilizados por el impacto de las explosiones y las balas. 3 soldados de la tiranía fueron hechos prisioneros: Ramón Álvarez Caballero, natural de Baire, Oriente; Agustín González Quiñones, de Consolación del Sur, Pinar del Río y Tomás Hidalgo Ayala, de Mariel, también de aquella provincia. Murió en la acción un valeroso soldado rebelde: Ramón Viamontes.

Día 14.- Las patrullas rebeldes al mando del capitán Calixto García, de la Columna número 3, Santiago de Cuba reportan que el teniente Lázaro [Fortuna Soltura], al frente de una unidad rebelde, quemó un ómnibus en la carretera central, entre Guisa y Bayamo.

También fue interceptado un camión de leche de la compañía Nestlé, de Bayamo.

Octubre 15.- Fueron quemados y destruidos por esta misma fuerza rebelde, 2 carros tanques de petróleo, que transportaban miles de galones de ese combustible, sosteniéndose una escaramuza sin importancia, con fuerzas del ejército.

Octubre 15.- En horas de la noche fue tiroteado el cuartel de Santa Rita, mientras se realizaban numerosos sabotajes en todo el tendido eléctrico y se destruían varios transformadores, quedando sin fluido eléctrico Santa Rita y Guisa.

OTRO PARTE DE LA COLUMNA NÚMERO 9 ANTONIO GUITERAS:

El día 11 de Octubre, fuerzas de esta Columna, ocuparon la carretera Santiago-Guantánamo, en el tramo comprendido entre Cristo y dos Bocas, manteniendo el tránsito bajo el control rebelde durante 9 horas, desde el amanecer hasta las 3 de la tarde, en que se retiraron sin ser molestadas por el Ejército, que desde el Cuartel del Cristo contemplaba la escena. En esta operación murieron dos soldados que no obedecieron la orden de Alto.

El día 12 por la noche, otra fuerza de la columna número 9, tomó el pueblo del Cristo, sin disparar un tiro, dando un mitin revolucionario en el parque, con la asistencia de todo el pueblo. Todo esto ocurrió a tres cuadras del Cuartel del Ejército. Al día siguiente el sargento jefe del puesto fue al cuartel Moncada y pidió su traslado por no haber podido evitar que los rebeldes le dieran un mitin a ojos y oídos de sus soldados.

Al otro día, el 13 de Octubre, otra unidad de la Columna número 9, atacó el mismo cuartel del Cristo, mientras que dos fuerzas rebeldes más esperaban emboscadas los refuerzos enemigos de la Maya y Santiago de Cuba. Mientras el Cuartel era atacado, las emboscadas situadas en la carretera, minada con cargas de más de 100 libras, esperaban los tanques y la artillería enemiga.

Pero el Ejército dejó sola a la guarnición del Cristo, cuyo cuartel fue tomado. Se le ocuparon al enemigo un fusil Springfield, se le causó dos bajas, y tres soldados lograron escapar.

El día 14 de Octubre, otra unidad de la columna 9, ocupó nuevamente la Carretera Santiago-Guantánamo, entre Alto Songo y El Cristo, manteniendo el tránsito bajo control rebelde durante 6 horas a la vista del cuartel de Alto Songo. Un Masferrerista que no obedeció la orden de registro, fue muerto ocupándosele un revólver.

La noche anterior, como represalia por la toma del Cuartel del Cristo, una Avioneta de la Dictadura volando a oscuras, ametralló el poblado del Cristo, hiriendo a dos personas.

Nuevamente el día 15, las fuerzas rebeldes volvieron a ocupar esta misma carretera, desde la mañana hasta las cuatro de la tarde, manteniendo un registro de carros y pasajeros sospechosos.

Esta Carretera desde Alto Songo a Dos Bocas, ha sido declarada por el Comandante de esta columna, Zona Rebelde.

FIDEL CASTRO RUZ

Noviembre de 1958

Sobre la creación del Cuarto Frente bajo el mando del co-
mandante Delio Gómez Ochoa, escribí a Lalo Sardiñas a
comienzos de noviembre, además de participarle nue-
vas misiones y alertarlo sobre la posibilidad de que un
golpe de Estado tuviera lugar en La Habana. Le adver-
tí que el derrumbamiento de la tiranía comenzaría por
Oriente, y que, en ese caso, lo que debía hacer era cerrar
la salida de la provincia.

Sierra Maestra

Nov. 1, 58

Querido Lalo [Eduardo Sardiñas]:

Recibí el informe tuyo que ayer mismo se leyó por
Radio-Rebelde, quitándole solo algunos detalles de
lugares que omití. Lo encontré todo muy interesante,
así como la carta de [Manuel, *Piti*] Fajardo y las de los
militares.

Los planes siguen exactamente como los trazamos aquí. Ya mandé a Néstor [Labrada] con 25 hombres más. También mandé una patrulla de muchachos de Puerto Padre que me parecen muy buenos, para que operaran bajo tus órdenes; llevan 13 armas.

Te comunico también que he decidido nombrar un jefe superior en todo el territorio donde operan las columnas 12 y 14, es decir: Victoria de las Tunas, Puerto Padre, Gibara, Holguín y parte de Bayamo. La falta de un mando superior en todo el territorio de esos municipios puede ser muy perjudicial. Siendo la zona tuya la más importante, en un momento dado podría ser necesario llevar refuerzos de la zona de Holguín y Gibara. Existiendo un jefe superior, este puede dar las órdenes inmediatas para el envío de dichos refuerzos. Para dicho cargo he designado a [Delio Gómez] Ochoa que ya salió con una columna. Yo le he dicho a Ochoa que el grueso de las tropas deben concentrarse en la zona tuya; así que todo sigue exactamente igual en cuanto al territorio tuyo y a la jurisdicción de tu columna; tu misión sigue siendo también la misma. Lo que me ha decidido precisamente a crear un mando superior es asegurar el éxito del objetivo estratégico que a tu columna corresponde; yo estoy seguro de que tu parte marchará perfectamente, pero no tengo la misma seguridad en cuanto a la parte que está detrás de ti, es decir en Holguín y Gibara, pues entre la gente de Cristino [Naranjo] y la de [Orlando] Lara no hay mucha simpatía, por otro lado la tropa de [Eddy] Suñol está creciendo notablemente y habrá que convertirla en una columna. Si esas fuerzas que están detrás de ti, no funcionan bien, los planes pueden fracasar. Para quitarme esas preocupaciones, decidí juntar los cuatro municipios en un solo frente, que se llamará N° 4, designando a Ochoa Comandante del mismo.

No te quise dar esa tarea a ti porque me parece imposible que puedas atender al mismo tiempo tu línea de batalla y además todos los problemas que plantean cuatro municipios que ocupan una gran extensión. Así, Ochoa se encargará preferentemente de la coordinación de las fuerzas y tú de la línea de combate que mira hacia Camagüey. Hacia esa línea seguiré mandando refuerzos cada vez que pueda pues la considero la más importante de toda la Provincia.

Otra cosa quiero señalarte de mucho interés. [En] cualquier momento puede ocurrir un golpe de Estado en La Habana o un derrumbamiento de la Tiranía. Si tú observas que está pasando algo de esto, cierra inmediatamente la salida de la Provincia para evitar que se vaya una sola tropa de las que están operando en Oriente. Pase lo que pase todos los fusiles y armas en general que hay en esta provincia son para nosotros. De aquí no dejamos salir absolutamente nada. Te explico esto, porque como la Dictadura está tan débil, [en] cualquier momento los mismos militares le pueden acabar de dar el golpe; pero si

FIDEL CASTRO RUZ

eso ocurre no se puede decir que la revolución haya triun-
fado todavía. Los militares siempre hacen eso cuando ven
que el régimen que han estado defendiendo se encuentra
perdido, pero tratan ellos de conservar sus prerrogativas
y no constituyen ninguna garantía para la revolución; la
garantía única de la misma somos nosotros, los hombres
que hemos surgido del pueblo y hemos convertido en el
verdadero Ejército de la Revolución a gente humilde del
pueblo que hoy son sus oficiales y soldados. Si Batista se
cae, por un golpe de Estado Militar, antes de que nosotros
hayamos acabado nuestra obra, no podemos dejar salir de
Oriente una sola arma, y tenemos que proceder a exigir
inmediatamente la entrega de las mismas a los rebeldes.

También es posible que el derrumbe comience por
Oriente si algunas unidades se pasan a nosotros; en ese
caso tan pronto recibas noticia confirmada que una compañía de la Dictadura se haya pasado a nuestras filas,
cierra la Provincia porque viene el derrumbe.

Si nada de eso ocurre, entonces nuestros planes con-
tinuarán desarrollándose en la forma que tú conoces.

Ochoa estará cerca de ti dentro de diez o doce días.
Cuando te entrevistes con él muéstrale esta carta.

A tu hermano lo van a operar estos días. Aquí nos
ocupamos de cualquier asunto de tu familia enseguida y a
los familiares de los demás muchachos, les hemos estado
mandando lo ofrecido. Hoy voy a chequear con el dentista, encargado de esa ayuda, los que faltan.

Mandé mil balas de M-1, para esa columna con una gente de Lara que bajó hace días.

Deseándoles muchos éxitos, les envío a todos un fuerte abrazo,

Fidel Castro Ruz [firma]

DOMINGO
02

Una jornada antes de que se verificara la farsa electoral del 3 de noviembre denuncié el cinismo de la dictadura y el apoyo que recibía de la embajada norteamericana en La Habana. Antepuse al propósito iluso de la tiranía de aparentar que el pueblo votaba, la amplitud e intensidad de las acciones del Ejército Rebelde a lo largo del país que contaban con el respaldo popular. Tenía la certeza de que Cuba no aceptaría jamás el resultado de una burla así.

RADIO REBELDE: Noviembre 2 de 1958.

Una extraordinaria actividad revolucionaria se está desarrollando a todo lo largo de la isla.

De todos los frentes de combate llegan multitud de informes y comunicados de acciones que se suceden ininterrumpidamente. Puede decirse que todo el ejército rebelde está en combate. Las líneas de comunicaciones han sido desarticuladas por completo. Las ciudades están aisladas unas de otras en la mitad de la isla. Tres provincias están totalmente paralizadas, las más grandes en extensión y dos de las tres más grandes en población. En aquellas ciudades que mañana no estén convertidas en campo de batalla, la farsa electoral será el espectáculo más escandaloso de la Historia de Cuba. Sería bueno que la dictadura permitiese a los periodistas extranjeros visitar las ciudades de las Villas, Camagüey y Oriente para que vieran la realidad de lo que está pasando.

No circula un tren, un ómnibus, un camión, un automóvil. No se ve un alma en cientos y cientos de [kmtos km] de carretera. Ni un solo campesino en las zonas rurales más extensas de Cuba participará de ese proceso infame. Oriente, Camagüey y las Villas no son como La Habana. En la Habana todavía reina la represión y el terror de la tiranía. Los familiares de los soldados, los burócratas serán obligados a hacer número frente a los colegios como tratan de hacer también con los trabajadores el traidor Eusebio Mujal y su pandilla. Todo un gigantesco aparato de terror y de control se ha puesto en funcionamiento para producir en La Habana las apariencias de unas elecciones. Sin embargo ya todas las cédulas están recogidas, ya todos los candidatos han sido designados de antemano, ya todas las boletas están llenas. Los que concibieron la Democracia como un hermoso sistema de gobierno del Pueblo y por el Pueblo, jamás pudieron imaginar semejantes elecciones, semejante cinismo por parte de los que precisamente han destruido a la democracia y encima de ello, son tan descarados que tratan a toda costa de hacer creer que el Pueblo vota. No tienen siquiera el valor de quitarse la máscara; son tan estúpidos que aunque no existe un solo ciudadano en este país que crea en esas elecciones ni albergue la menor duda sobre el carácter tiránico y sanguinario del gobierno que está sufriendo Cuba desde hace siete años, se han empeñado en escenificar la repugnante pantomima para [un] engaño ¡dios sabe de quién! porque no hay país en el Mundo, mucho menos de América Latina, que haya presenciado tantas veces espectáculos parecidos, que pueda darle seriedad alguna al grotesco y macabro episodio. Más valía y era todavía más honrado que hubiesen quemado en una gigantesca pira todas las cédulas de nuestros esclavizados ciudadanos, y hubiesen declarado ante el Mundo que son dictadores, que han estado gobernando y quieren seguir gobernando porque se creen amos omnímodos de un rebaño humano, que están ahí porque todavía no le han arrebatado el fusil al último de sus esbirros; eso con todo, sería menos cínico, menos hipócrita, menos miserable, que prostituir de tal modo la palabra elecciones, que pisotear tan desvergonzadamente el Honor y la Dignidad de Un Pueblo entero.

Por nuestra parte no vacilamos en afirmar que jamás Cuba aceptará el resultado de semejante burla, aunque Mr. Smith la santifique y la bendiga. ¡Estúpidos no solo los que han promovido ese espectáculo infamante sino también los que han albergado por un momento la peregrina idea de que van a cosechar con esas siembras de injerencismo, crimen, desvergüenza y traición, algún fruto de paz y solución a los problemas de Cuba! Mas, no nos quita el sueño a los que estamos en el camino recto, porque sabemos que pronto, muy pronto la Revolución barrerá de una vez y para siempre con tanta inmundicia.

RADIO REBELDE

¡ÚLTIMA HORA!

¡Parte de la comandancia general sobre la batalla de Santiago de Cuba!

¡Repetimos!...

Poderosas columnas del ejército rebelde tienen rodeada la ciudad de Santiago de Cuba.

Las fuerzas enemigas están sitiadas por tierra y tienen cortada la retirada.

El día 30 en horas del mediodía, una fuerza enemiga intentó salir por la carretera de Santiago al Cristo, siendo interceptadas y batidas totalmente, por fuerzas de la columna 9, "Antonio Guiteras", que manda el Comandante Hubert [Huber] Matos.

El combate comenzó a la una y treinta de la tarde, y duró casi dos horas. De los vehículos enemigos, solo pudo escapar un carro de combate. Tres microondas y un camión blindado, cayeron en poder de nuestras fuerzas.

Doce soldados enemigos, quedaron tendidos en el lugar de la acción. Otros seis cayeron prisioneros. Se ocuparon 24 armas largas: 3 fusiles ametralladoras y 21 fusiles, Garand, M-1 y springfields.

Tres gallardos combatientes del ejército rebelde, cayeron en la violenta acción, pero conquistaron para las armas revolucionarias, los laureles de la victoria.

El Estado Mayor enemigo, en un esfuerzo por ocultar a las propias tropas su desesperada situación, emitió un parte totalmente falso, anunciando 29 muertos rebeldes, por cuatro del ejército y 3 heridos.

Es inconcebible que la dictadura, haya tratado de tergiversar de tal forma, la derrota sufrida, a las puertas mismas de la ciudad de Stgo. de Cuba, donde todo el Pueblo necesariamente iba a conocer la Verdad, porque no es lo mismo una acción de guerra, que se escenifique en la órbita de una ciudad grande, y las que antaño tenían lugar, en los recónditos rincones de la Sierra Maestra.

Pero eso se explica por el hecho, de que para una tropa sitiada, como está la de la dictadura en Stgo. de Cuba, la derrota del Cristo, constituye un golpe moral tremendo.

Nuestra experiencia de lo ocurrido en las grandes batallas de la Sierra Maestra, nos permite asegurar, que grandes fuerzas de la dictadura están al borde del colapso.

Fidel Castro Ruz
Comandante-Jefe

Para Zoilo* [Ricardo Lorié, responsable bélico en el exilio]

Aviones Batista frecuente volar sobre pista primeras horas noche.

Horacio [Rodríguez, responsable de la pista de aviación rebelde en Cienaguilla] decir próximo viaje no encender pista hasta avión volar sobre ellas dos o tres veces desde Campechuela rumbo lomas.

Piloto debe hacer indicación dos rayas y dos puntos. Pedro Luis [Díaz Lanz] entender esto.

Alejandro

11:40 pm

Nov. 2/58

Para Zoilo

Pista estar lista recibir regalo pero no deber encender hasta avión se identificar primero.

Yo explicar motivo en mensaje anterior.

Si ustedes estimar muy necesario nosotros encender todo el tiempo.

Contestar rápido.

Alejandro

---

* *Este seudónimo fue usado más comúnmente por Marcelo Fernández, responsable de Organización del Movimiento 26 de Julio.*

Sierra Maestra
Nov. 2, 58
Estimado Carlos Rafael [Rodríguez]:
Hace días que no tengo noticias de por allá abajo.

Me gustó el trabajo que hiciste sobre el combate del Cerro, lo único que ha obstaculizado su publicación es que yo estoy encargado en estos días de la propaganda, y como aparezco representado elogiosamente (por lo que te doy las gracias) no me parece correcto incluirlo en los programas que estoy confeccionando. De todos modos, cuando pasen estos días de mucho parte de guerra, cambiándolo yo algo en ese aspecto, se puede presentar. A mí realmente me impresionó ver estas cosas convertidas en temas literarios y comprendí cuántos asuntos de interés humano pudieran ser recogidos en poesías y obras como esa.

No había contestado varias notas tuyas por lo constante e intensamente ocupado que estoy; pero no vayas a estimarlo como una falta de delicadeza. Si así fuera, tengo un millón de ellas en mi haber, pues recibo todos los días un sinnúmero de notas y comunicaciones no alcanzándome el tiempo más que para los asuntos más urgentes.

Supongo estarán enterados de las noticias generales por radio rebelde. De las Villas, aparte del informe de Camilo, no se ha recibido más nada sobre la situación en esa provincia. Cables internacionales y programas de radio de

FIDEL CASTRO RUZ

Miami son las únicas indicaciones. Ahora con las carreteras interrumpidas el tránsito de mensajeros se complica.

Saluda a Pardo [José Pardo Llada] de mi parte si está por ahí. No recibo tampoco noticias de él hace días.

Parece también que se prolonga la reunión de delegados aunque solo por dificultades prácticas.

Vamos a ver cuándo puedo darme una vuelta por abajo. Tengo ganas de salir de la Sierra Maestra y marcharme también para el llano.

Dile a Más [Martín] que si no se siente viejo se dé un viaje por acá.

Saludos a todos. ¡Y ahorren víveres, que con el bloqueo va a escasear todo! Recomiendo sembrar hortalizas.

Fidel

Lalo [Eduardo Roca] y Nené [Manuel León]:

Había pensado ir a verlos ahora, lo mismo que al médico, pero no puedo darme ese lujo a lo que parece por [nota inconclusa que aparece en un cuaderno de apuntes]

LUNES
03

Nuestra estación de radio continuaba reportando las acciones bélicas en los diversos frentes de guerra. Por estos días eran numerosas las que se libraban en territorio del Segundo Frente.

ACCIONES DE GUERRA: Muertos dos soldados de la Dictadura y uno herido. Ocupadas tres armas largas.

El día 30 de Octubre a las 6 a.m. fueron sorprendidos tres soldados de la dictadura en las cercanías del poblado de Jauco en Baracoa. Al entablarse el combate resultaron muertos dos soldados y el tercero herido. Los soldados enemigos muertos se nombran Horacio Arias y Renier Cruz y el herido Gerardo Figueredo, que fue remitido a Boca de Jauco para que fuese atendido de sus heridas. Se ocuparon tres fusiles Sprinfield y 305 tiros.

Firmado: José Sotomayor, Capitán Compañía E

Cortada la Carretera de Cueto a Mayarí.

El día 2 de Noviembre una patrulla rebelde al mando del suboficial Vicente Blanco, emboscada en un lugar de la carretera de Mayarí, capturó y destruyó el automóvil del alcalde de Mayarí; también atacó a un transporte de soldados de la dictadura quienes se dieron a la fuga, resultando dos heridos. La misma patrulla procedió a romper la carretera de Mayarí, en el lugar conocido por Santa Isabel de Nipe, abriendo una zanja de 10 piés de profundidad por 45 de ancho. Asimismo, rompió la carretera en el lugar conocido por el Rayo. Fuerzas de la dictadura que trataron de obligar a 15 ciudadanos a tapar dicha

zanja, al comprobar que no lo hacían como les ordena-
ban, abrieron fuego sobre ellos, matando a 3 infelices
ciudadanos e hiriendo a seis.

Firmado: Teniente Raúl Tamayo Díaz

Combate en San José de Santana

Informes remitidos desde el segundo Frente oriental,
"Frank País", comunican igualmente que en el lugar conocido por San José, en las cercanías del central Santana,
fué destruido un carro de combate enemigo ocasionándosele además a la dictadura de 15 a 17 muertos. El carro
de combate fué destruido con granadas de fusil. El enemigo, protegido por la aviación, pudo recoger sus muertos, pero nuestras fuerzas lograron recoger más de 300
balas calibre 30 en el lugar de la acción.

RADIO REBELDE
ÚLTIMA HORA:
Radio Rebelde acaba de recibir una serie de comunicados sobre combates victoriosos de las tropas rebeldes
en distintos puntos de la provincia de Oriente.

Se rindió el cuartel de Alto Songo. Ocupados 32
sprinfields, 3 M-1, 4 ametralladoras San Cristóbal, 25 revolvers, 6 pistolas, 7 000 balas 30-06 [30.06], 6 000 balas
M-1, dos camiones y dos jeep.

Repetimos...

Informes acabados de remitir por el comandante del Segundo Frente informan que el cuartel de la guardia rural de Alto Songo se rindió, después de cinco días de sitio, a las tropas de la columna Abel Santamaría del Comandante Luzón [Antonio Enrique Lussón] sin que las fuerzas de la dictadura pudiesen romper el anillo para acudir en su auxilio. Fueron hechos prisioneros gran número de soldados ocupándoseles 39 armas largas: 32 fusiles sprinfields, 3 M-1, 4 ametralladoras San Cristóbal, 25 revolvers, 6 pistolas, 7 000 balas 30-06 [30.06], 6 000 balas M-1, dos camiones y dos jeep.

La fuerza del segundo frente Frank País desplegando una extraordinaria actividad durante los días de la farsa electoral han capturado al enemigo más de 100 armas largas y enormes cantidades de parque. Pasan de 100 los prisioneros que han caído en poder de nuestras fuerzas. Radio Rebelde espera noticias detalladas del Segundo Frente Frank País para trasmitirlas a nuestros oyentes.

NUEVA VICTORIA REBELDE EN LA ZONA DE HOLGUÍN

Repetimos: Nueva y aplastante victoria rebelde en la zona de Holguín.

Veinte soldados de la dictadura muertos; tres heridos, seis prisioneros; ocupadas 27 armas largas y miles de balas.

Repetimos...

FIDEL CASTRO RUZ

Nueva y aplastante victoria rebelde en la zona de Holguín.

Veinte soldados de la dictadura muertos; tres heridos, seis prisioneros; ocupadas 27 armas largas y miles de balas.

Tropas rebeldes de la Compañía 3 de la columna 14 y fuerzas del pelotón de mujeres Mariana Grajales, escenificaron en el territorio de Holguín uno de los más fulminantes combates victoriosos de las fuerzas rebeldes. Solo dos soldados de la tropa enemiga lograron escapar, dejando antes sus armas. Las fuerzas rebeldes al mando del capitán Suñol interceptaron en la carretera de Holguín a Chaparra dos camiones de soldados enemigos, originándose un violento combate que culminó en la destrucción total de la unidad enemiga. Fueron ocupadas 27 armas largas: 24 sprinfields, una ametralladora calibre 45, dos ametralladoras San Cristóbal, dos pistolas calibre 45, 1 200 balas 30-06 [30.06], 54 balas calibre 45, 35 balas 45, 19 cananas, 95 balas M-1, 4 magacines de balas de ametralladora 45 y 7 magacines de San Cristóbal. Sobre el campo de batalla quedaron tendidos 20 cadáveres de soldados de la dictadura y fueron recogidos 3 heridos y 6 prisioneros. Solo dos lograron escapar. Tan enérgico fué el fuego de la fusilería rebelde y tan certero, que el enemigo apenas tuvo tiempo de hacer resistencia. Solo un soldado rebelde resultó herido. Esta acción hace ascender a más de cien el número de soldados de la tiranía muertos en los últimos días.

Debo añadir un hecho que ocurrió por primera vez en nuestra guerra. Como norma, cuando el jefe era herido o muerto, la unidad se retiraba de inmediato. Esta vez no ocurrió así. La fuerza que atacó fue fundamental-mente el pelotón Mariana Grajales, bajo el mando de la teniente Isabel Rielo. Suñol fue herido en los primeros momentos y lo tuvieron que retirar. El pelotón, inmuta-ble, prosiguió el combate.

Ese pelotón, como conté, había sido entrenado en la Comandancia de La Plata. El blanco era una moneda de 20 centavos. El fusil: M-1, con mira Lyman, semiauto-mático, ligero, con peine de 10 balas. Fue la única uni-dad en la Sierra Maestra entrenada con tiro real.

Los disparos fueron tan certeros que en un tiem-po más breve de lo calculado finalizó el combate. De 31 hombres que integraban la fuerza enemiga, que se movían en dos camiones, 20 murieron y tres quedaron heridos. Ninguno escapó. Solo un soldado rebelde resul-tó herido.

---

noviembre 3 - 58
RADIO REBELDE
Última Hora
¡Tomado el pueblo de Alto Songo por las fuerzas re-beldes! ¡A las nueve y cincuenta de la mañana del día dos, se rindió la guarnición que defendía el ayuntamiento! ¡A las cinco y cincuenta del propio día se rindió la Estación de

Policía! ¡El cuartel de la guardia rural continuaba sitiado y el pueblo en manos de nuestras fuerzas! ¡Combates en Santiago de Cuba, y otras ciudades de Oriente!

¡Repetimos!...

Informes remitidos por el comandante del Segundo Frente Frank País, comunican lo siguiente:

Unidades móviles de la columna 17, Abel Santamaría, al mando del Comandante Antonio Luzón [Antonio Enrique Lussón], penetraron en el pueblo de Alto Songo, a las nueve de la noche del día primero de Noviembre, atacando simultáneamente el cuartel de la guardia rural, la estación de la policía nacional y el ayuntamiento municipal, defendido por fuerzas enemigas. Al mismo tiempo que se realizaba el ataque a estas instalaciones militares, tropas rebeldes al mando de los tenientes Peña y Botello, atacaban el puesto militar conocido por la Araña. Este último punto cayó inmediatamente, resultando muertos dos soldados de la dictadura y uno herido, ocupándose 3 sprinfield y dos revolvers 45. A las 9:50 de la mañana del día dos, los defensores del ayuntamiento se rindieron a nuestras fuerzas. La estación de la policía resistió hasta las 5:50 del propio día, hora en que también se rindió a las tropas rebeldes, no sin que antes los defensores lanzaran botellas de gasolina a la casa de madera, desde la cual disparaban los rebeldes, ocasionando un incendio, lo que produjo la destrucción de dos manzanas de casas y de la propia estación de policía. Fueron hechos prisioneros el subteniente de la policía nacional Pablo Lafarcón Acosta, el cabo de la policía nacional Francisco Leyva Maceo; el policía nacional Teobaldo Ochoa, el cabo de la policía municipal Antonio Calá, y los policías municipales Benjumeno Concepción, Jorge Luis Julién, Juan Gilson, Bienvenido Limón, Andrés Arias, Isidoro Rodríguez, Jorge Parra Aguilera, soldado del ejército Julio Corzo, soldado del ejército Conrado Silva, soldado del ejército Osvaldo Pila, soldado del ejército Humberto Vinent, soldado del ejército Elpidio Ramos Sarmiento, soldado del ejército Rosario Iglesias Pérez, soldado del ejército Pablo García, soldado del ejército Darsi Daniten Pérez, y soldado del ejército Eladio Pérez Castillo. También fueron detenidos el doctor José Agustín Pargas, secretario de la Junta Municipal electoral y el jefe del vivac Eusebio Casamayor. Se ocuparon 31 armas largas; nueve carabinas San Cristóbal, siete carabinas M-1, doce fusiles sprinfield, y 3 automáticas Winchester. A las cuatro de la tarde del 3 de Noviembre, después de casi 48 horas de lucha, el pueblo de Alto Songo continuaba en poder de nuestras fuerzas y el cuartel de la guardia rural sitiado por completo. Junto con los prisioneros anteriormente señalados, fueron hechos prisioneros también numerosos confidentes, que estaban combatiendo junto a los militares. Las vidas de todos los militares prisioneros serán respetadas, conforme a las normas del ejército rebelde. Los confidentes capturados bajo las armas, serán sometidos a Consejo de Guerra Sumarísimo.

Firmado: Comandante Raúl Castro, Segundo Frente Frank País

La cuestión del ahorro de municiones seguía siendo una preocupación para mí; no cejaba en el empeño de fomentarla entre los combatientes.

Sierra Maestra
Nov. 3 de 1958
Teniente Luis Pérez
Columna 31
Estimado Luis:
Me parece que han comenzado ustedes con mucho ánimo las operaciones y es bueno que ya hayan hecho contacto con el enemigo en dos ocasiones. Me preocupa solo un poco que con tanta prontitud hayas solicitado el envío de balas. Pienso dos cosas posibles: que los

muchachos como nuevos al fin hayan gastado muchas balas en esas dos escaramuzas, o que tú pienses que tenemos un gran *stock* de balas en reserva y te parezca natural que se te provea regularmente de parque. Si los muchachos han gastado balas en exceso, el único modo de corregir esa tendencia es no mandándoles balas para que aprendan a ahorrarlas cuando vean que les quedan pocas. Si tienen la idea de que nunca les va a faltar porque se las vamos a mandar de aquí, no aprenderán a cuidar y ahorrar el parque. No hay peligro de que corran riesgos en el aprendizaje porque usando bien las armas con pocas balas se pueden defender perfectamente.

Por otra parte, tú tienes que tratar de resolver por tu cuenta lo más posible el asunto del parque. Nosotros aquí durante muchos meses, no recibimos otro parque que las balas que dejaban los guardias regadas. Una tropa pequeña como esa puede ser abastecida de parque perfectamente con un poco de colaboración de Manzanillo. Bastaría con que les mandaran a ustedes las que los guardias botan. Hay que tratar también de comprarle balas y armas a ellos mismos.

Yo las balas de reserva las voy distribuyendo con muchas restricciones consciente de que lo más grave que puede pasarnos es quedarnos sin parque.

Tampoco me gusta, te lo confieso que tan prontamente me hayas solicitado el envío de refuerzos en fusiles, aunque esta suele ser una tendencia muy común en todos los oficiales rebeldes. Las grandes limitaciones de recursos bélicos con que hemos luchado nos han obligado a hacer el máximo con el mínimo. Para empezar esa tropita está bien. Se debe reforzar a medida que las necesidades estratégicas lo exijan o lo permitan. Hay puntos mucho más importantes desde el punto de vista estratégico que requieren el envío de las armas. Mientras yo tenga que reforzar dichos puntos, no puedo mandar para ahí las armas. Es algo que debes comprender, aunque yo por mi parte sé que con más armas podrías hacer mucho más, como también habríamos ganado ya la guerra de haber contado antes con ellas.

Para conocer tu situación real de parque, en próxima comunicación infórmame cuántas balas le quedan a cada arma, después de las acciones de estos días incluyendo la de hoy. Toma siempre todas las medidas de precaución respecto a cualquier posibilidad de ataque enemigo contra ustedes. Si en el primer intento lo zurran bien, podrás sentirte mucho más seguro en la zona.

Te envío quinientos pesos.

Escríbeme a la vuelta de correo, y no tomes estas líneas más que como el deseo de orientarte, tratar de que te adaptes a nuestras realidades y sepas que en todos los órdenes tenemos que hacer un gran esfuerzo porque nos cuesta mucho adquirir las cosas. Estaré atento de tu situación.

Saludos a todos.

Fidel Castro Ruz [firma]

MARTES
04

Sierra Maestra
Nov. 4, 58
Horacio [Rodríguez]:
Llegó antes de anoche un mensaje de Zoilo [Ricardo Lorié] que dice así:

Mandado Alemán listo jueves a viernes. Llegada de 8 y ½ a 10. Mantener campo encendido todo el tiempo. Confirmar este mensaje. Campo Santa Lucía paracaída llegada seducción radio 90. Firma Piloto Sansón. Aventura. Zoilo y Osvaldo.

Este mensaje parece que Sansón lo mandó a Zoilo a México sin conocer lo que tú habías mandado a decir de la luz. Yo antes de anoche mismo respondí así:

Pista lista recibir regalo pero no deber encender hasta avión se identificar primero.
Yo explicar motivo en mensaje anterior.
Si ustedes estimar muy necesario nosotros encender todo el tiempo. Contestar rápido.
Alejandro

FIDEL CASTRO RUZ

163

Esperaba respuesta ayer, pero tuvimos tan mala suerte que la planta de radio se descompuso.

Por tanto me decido a comunicarte lo que hay.

Así que el jueves y el viernes próximos de 8 y ½ a 10 deben estar alerta.

Sobre si enciendes o no la luz es algo que tú debes resolver según tu criterio.

Yo tengo esperanza de recibir alguna nueva noticia hoy. Si es así, esta misma noche te la enviaría para que llegue a tiempo.

Tú de todas formas debes estar en espera el jueves y el viernes en caso de no recibir nueva comunicación.

Saludos,

Fidel

P. D. La parte del mensaje de Sansón que dice: "Campo Santa Lucía paracaída llegada seducción radio 90". No entiendo bien esa parte del mensaje, pero confío que tú la entiendas porque estás más familiarizado con la cuestión.

Sierra Maestra

Nov. 4, 58

Alcibiades [Sotomayor]:

Los mulos que te dejó Nandín [Fernando López Castillo] se los puedes entregar a Manuel Carbonell.

Los que se le van a comprar a Celestino debes guardarlos ahí con aparejos y todo. Y que no se pierda nada.

Fidel Castro Ruz [firma]

Almeida:

Creo que vale la pena prestarle atención a este asunto. El inventor es un químico eminente que además está dispuesto a entrenar un hombre nuestro, dando un viaje a esa zona que está cerca de donde él reside. Me parece que Pepe Luis [José Luis Carballo Bello], por su experiencia en trabajos similares pudiera ser la persona indicada. Para esto hace falta un hombre que decididamente quiera trabajar en el asunto. Pudiera rendir muy buenos frutos y con probar nada se pierde. Un satélite M-26 incendiario pudiera ser un arma muy efectiva. Puedes hacer algún experimento también con el otro material para ver sus efectos.

Fidel

S. Maestra, Nov. 6, 58, 4 p.m.

Sierra Maestra,

Nov. 6, 58

Horacio:

En este momento, Nov. 6 a las 10 de la noche, acabo de recibir este mensaje:

Solicitar tener lista campiña mareo desde mañana.

Avisar urgente si estar listo (estridencia).
Zoilo y Osvaldo

Otro mensaje más:
Encender campiña de nueve a diez tiempo jueves
a viernes.
Informar si radio faro trabajar.
Zoilo y Osvaldo

El radio estuvo descompuesto 3 días. Tal vez al no recibir respuesta, no vengan, pero de todas formas tú, mañana viernes, debes encender el campo de 9 a 10 como ellos piden.
Yo esta noche les voy a decir que todo está listo.
Fidel Castro Ruz [firma]
P. D. Pienso que el primer mensaje se refiere al campo que está cerca de la costa en la Plata.
Fidel

S. Maestra
Nov. 6, 58
Horacio:
Mi respuesta hoy fué esta:

Todo listo recibir fecha hora y forma ustedes indicar.
Poder venir mañana viernes si querer. No poder responder si radio faro trabajar.

Campiña mar también lista.

Alejandro

Sierra Maestra

Nov. 6, 58

Estimado C. [Concepción] Rivero:

Yo no puedo resolver sobre lo que usted plantea sin recibir informe sobre el particular del Comandante de esa columna.

En camino hacia esa zona va el C. Gómez Ochoa que tiene jurisdicción sobre los territorios de Tunas, Puerto Padre, Holguín y Gibara. Con él puede usted tratar el asunto, para que resuelva, oído el parecer del Comandante de la columna 12.

Siento mucho esos problemas.

Fidel Castro Ruz [firma]

RADIO REBELDE

NOVIEMBRE 6, 1958

Posteriormente se recibió el siguiente comunicado del Comandante Delio Gómez Ochoa.

Reporte recibido de la Columna No. 32 José Antonio Echeverría.

El día 3 de Noviembre a las 3 a.m. una escuadra al mando del Teniente Emilio [Rodríguez, *El morterista*], hizo funcionar una batería de morteros, calibre 81 milímetros que había sido colocada a 500 metros del puesto de mando del ejército de la dictadura radicado en Bayamo y más conocido por "La Granja". Por espacio de una hora sostuvimos el bombardeo sobre la posición enemiga, ocasionando enorme confusión, según informes que tuvimos, tuvieron gran cantidad de bajas, debido al número de tropas concentradas y también a la efectividad con que fue dirigido el fuego de morteros. El día 4 de Noviembre, a las 2 a.m., el Segundo Pelotón al mando del Capitán [Roberto] Fajardo, penetró en la ciudad de Bayamo, por la carretera de Jabaco, disparando sus fusiles automáticos, por las emboscadas enemigas allí situadas, retirándonos más tarde sin haber tenido contratiempo alguno.

Firmado: Comandante Ochoa

RADIO REBELDE:

Radio Rebelde vuelve a salir al aire hoy. Con gran pena para nosotros no fué posible transmitir durante los últimos cuatro días por motivos técnicos, pero aquí estamos otra vez y seguiremos estándolo porque ahora es cuando la Revolución redobla su esfuerzo en todos los órdenes.

Después de las infamantes elecciones del 3 de Noviembre, Radio Rebelde tiene ahora la palabra. Que se callen los politiqueros de una vez y para siempre. Ahí tienen los resultados de su tesis electoralista, entreguista y traidora. Ahora que nos dejen a los revolucionarios tomar la palabra y cumplir la promesa; de nadie más puede esperar Cuba su salvación.

VIERNES
07

Sierra Maestra
Nov. 7, 58
Curunó [Braulio Curuneaux]:
Sitúa el tanque en lugar seguro. Que la gente de Pedrito [Miret] se encargue de custodiarle y ven con tu escuadra para una misión. Trae la calibre 30.
Fidel Castro Ruz [firma]

Sierra Maestra,
Nov. 7, 58
Che:
Calixto [Morales] compareció aquí como se le indicó y fué analizada su actuación de acuerdo con los elementos de juicio que obraban en nuestro poder.

La imputación principal, de haber cometido un acto contra la seguridad de los dirigentes y colaboradores del Movimiento publicando un manifiesto con nombres y apellidos, quedó descartada al comprobarse que no hubo tal publicación de manifiesto y sí ocho copias de un escrito dirigido a varias personas y que ninguna de estas copias cayó en manos de la policía.

No hubo elementos suficientes para juzgar su actuación desde el punto de vista de la disciplina, porque aquellos momentos fueron muy complejos y los compañeros que pudieran informar más concretamente sobre este aspecto están ausentes y algunos muertos.

Mi criterio es absolutorio para Calixto.

Por otra parte él explica su deficiencia física en los días de las campañas duras de la Sierra por un problema en la espina dorsal que los médicos le están tratando y que él ni siquiera conocía.

Te lo envío a esa para que se ponga a tus órdenes y tú, de acuerdo con la situación ahí, decidas en qué te puede ser más útil.

Por esta vía no te envío más noticias. Estoy en espera de noticias tuyas. No tengo más que las referencias de Bequer [Conrado Bécquer] que te vió al pasar por las Villas.

No he recibido ningún informe desde el que me enviaste cuando el combate en la Federal.

Abrazos,

Fidel

El proceder humanitario y caballeroso fue práctica cotidiana de las fuerzas rebeldes. La conversación de mi hermano Raúl con el teniente coronel Cossío del Pino, de la Cruz Roja cubana, muestra fehacientemente esa conducta intachable del Ejército Rebelde y su pronta disposición para proteger a la población civil.

CONVERSACIÓN POR RADIO ENTRE EL COMANDANTE RAÚL CASTRO Y EL TENIENTE CORONEL [Oscar] COSSÍO DEL PINO, DE LA CRUZ ROJA [cubana], SOBRE LAS BASES DE UNA TREGUA PARA LA ENTREGA DE PRISIONEROS.

AÑO 1958.

TTE. CORONEL COSSÍO DEL PINO.- Quisiera conocer si el Dr. Fidel Castro se está sintonizando, para hablar después con él.

CMDTE. RAÚL CASTRO.- Quizás pueda venir por aquí. Ya yo le he mandado un recado urgente para allá.

TTE. CORONEL COSSÍO DEL PINO.- Pido que una nota que yo voy a darles sea copiada; yo voy a dictarles para que copien, para que mantengan el mensaje que yo tengo escrito copiado literalmente y comprobar después textualmente su escrito. Se refiere a los términos de tregua.

Dígame si están listos para copiar.

CMDTE. RAÚL CASTRO.- Listo para copiar. Adelante.

TTE. CORONEL COSSÍO DEL PINO.- Buenas tardes, señor Castro. Cumplimenté la misión de entrevistarme con el jefe de operaciones, hice todos los planteamientos en la forma en que hablamos hoy por la mañana. Entonces él me ha dado por escrito —que es lo que yo estoy rogando que ustedes copien— las bases de la tregua, que equivalen a las mismas concertadas por la mañana, pero quiero de todas maneras confirmar la exactitud de mi transmisión con la recepción de ustedes.

Dice así: Tregua consistirá: primero, suspensión de operaciones aéreas en el área norte de la línea San Luis, Dos Caminos de San Luis, Songo, y en el Camino Santiago, Puerto Boniato, Dos Caminos. Segundo: durante la tregua las tropas en dicha área mantendrán sus posiciones sin efectuar movimientos militares. Tercero: el período de tregua será desde las 0:1 del lunes 10 hasta las 6:00 horas del martes 11.

Como usted habrá visto, señor Castro, los términos fueron los convenidos hoy por la mañana; pero hubo una pequeña modificación en la hora de la tregua. El jefe de operaciones aceptó la tregua oficial que usted señalaba hasta las 12 de la noche; pero la prolongó y me explicó que lo hacía de seis horas más, o sea, hasta las 6 de la mañana, de manera que ustedes tuvieran tiempo de dispersar sin dificultades ningunas de tipo militar. De modo que la única variación fue una prolongación de 6 horas más que les dá el jefe de operaciones para que al recibo de la recepción y trasmisión de este personal ustedes tengan tiempo, seis horas extra, para dispersarse.

CMDTE. RAÚL CASTRO.- Mire, Tte. Coronel, aunque el momento no se presta para vanidad y actitudes orgullosas de ningún tipo, agradecemos al Jefe de Operaciones del Ejército adversario que haya cedido seis horas más, pero no para dispersarnos, porque si el asunto es para dispersarse, después que concluya la tregua que vengan ellos a ver entonces quiénes resultan dispersados.

Es decir, que nos perdonen este pequeño gesto de protesta, pero que tampoco ellos se valgan de la circunstancia para dejar de poner el tinte ese que ha caracterizado al Gobierno de la mentira. Es decir, que después de la tregua que vengan, y entonces veremos, en fin de cuentas, quiénes serán los dispersados.

Perdónenos usted, Tte. Coronel, y la Institución que usted representa por este hecho.

TTE. CORONEL COSSÍO DEL PINO.- La explicación que me dio el jefe de operaciones sobre la palabra dispersión, después de concluida la tregua, equivale a que él no conoce si con motivo de la recepción, de la entrega de ese personal, pudieran estar congregados en un lugar no habitual, y ya conocido fuera de su zona normal un número de personas representativas de ese Frente; y, por tanto, él concedía eso para la dispersión, es decir, volver a sus líneas las personas que por motivo de este acto de entrega y recepción pudieran haberse salido de sus líneas habituales o de sus posiciones. Esta fue la explicación que él me dio, y desde luego yo no encuentro otra; al usar yo la palabra dispersión era que pudieran congregarse en un lugar distinto para hacer la recepción y entrega.

Si esta explicación está correcta, entonces podemos pasar a otro asunto.

CMDTE. RAÚL CASTRO.- Muy bien la explicación de parte suya, y no era precisamente a usted, Tte. Coronel, a quien se la pedíamos; palabritas más o palabritas menos nada importa a nosotros, los hechos son los que importan, y en fin de cuentas los que determinarán el curso de esta guerra. Naturalmente que en vez de la palabra dispersión muy bien pudieron haber dicho resguardarse o replegarse, pero no dispersión, con la intención que indudablemente el jefe de operaciones del ejército enemigo debe haberla expresado.

Escuche: terminado el incidente, pasaremos a los puntos que se plantean aquí.

Dice:

uno: suspensión operaciones aéreas en el área norte de la línea San Luis-Dos Caminos de San Luis, y en el camino Santiago-Puerto Boniato, de Dos Caminos. Dos: durante la tregua las tropas terrestres mantendrán posiciones sin movimientos militares.

Está muy bien ese punto, aceptado por esta parte.

El período de la tregua, igualmente está muy bien. O sea, que de doce de la noche, o sea 0:1 del lunes hasta las seis de la mañana del martes; está muy bien igualmente.

Ahora sólo falta aclarar, en cuanto al punto uno, qué se entiende por la parte norte, o al norte de la línea San Luis-Dos Caminos de San Luis, etc.; qué se entiende por eso, y hasta dónde se puede comprender como territorio norte de esas líneas, porque precisamente mucho más al norte se están librando combates que no pensamos detener en ningún momento, porque no afecta en nada esta operación que queremos llevar a cabo.

Es decir, que sólo precisa que nos aclaren qué se interpreta de cómo se han de suspender las operaciones al norte de las líneas esas. Debe precisarse con más claridad qué puntos comprende, para que después no surjan malas interpretaciones, ni nada de eso. Es decir, que sobre este punto, el número uno, es sobre el único que se piden aclaraciones, para lo cual le pasamos el cambio a la Cruz Roja Cubana.

TTE. CORONEL COSSÍO DEL PINO.- Yo creo que es conveniente que se hagan esas aclaraciones, pues yo los términos no los conozco; supongo que abarcaban lo que se planteó de Bueycito, de Songo y San Luis, y además el camino de la ruta. Pero de todas maneras eso es motivo exclusivamente de aclaración que puede hacerse posteriormente si se aceptan en la totalidad las condiciones. Quiere decir, que yo tendría que consultar la aclaración para que se determine bien. Pero como yo no conozco de esos términos y esas cosas, pues entiendo pero no me responsabilizo, porque eso envuelve la solicitud formulada

FIDEL CASTRO RUZ

por ustedes; quiere decir, Municipio de Songo, Municipio de San Luis y la ruta que ha de seguir la Cruz Roja. Yo de todas maneras, cuando terminemos aquí, iré a aclarar y supongo que va a quedar debidamente aclarado, que es resolviendo a lo planteado por ustedes; y eso será motivo nada más de una pequeña rectificación o ratificación. Este asunto está correcto, podemos seguir tratando los otros asuntos.

CMDTE. RAÚL CASTRO.- Muy bien, Tte. Coronel. Es más, nosotros haríamos extensivo para no andar diciendo líneas abajo o líneas arriba, y mantenemos que incluso —aunque eso no es obstáculo de ninguna clase— serán paralizadas nuestras operaciones en Songo y San Luis y todo el camino que hay que recorrer desde Santiago hasta Dos Caminos de San Luis. Es decir, que eso no es obstáculo de ninguna clase. Sólo quería aclararle que si precisamente son dos posiciones enemigas que están atacando en estos momentos mucho más al norte tropas de este Segundo Frente, no se interprete que se continúan esas acciones aprovechándose de la tregua, ni nada de eso. Que si quieren, que bombardeen allá donde se está combatiendo, que no es precisamente ni en San Luis ni en Songo. Por lo demás —trátelo usted de todas maneras— puede quedarse así; pero nosotros paralizaremos las operaciones militares, cosa que se comprobará por las órdenes que inmediatamente después de terminada esta conversación con usted trasmitiremos a todos los mandos militares.

Serán paralizadas las operaciones militares las 18 horas que comprende la tregua, en el Municipio de Songo, Municipio de San Luis, y en todo el camino que comprende de Santiago a Dos Caminos de San Luis. Así que sobre eso podemos darlo como terminado, como concretado, en cuanto a la contesta de estas notas que trae usted.

Podemos pasar a otro tema.

TTE. CORONEL COSSÍO DEL PINO.- Ok, de todas maneras, por si fuera necesario, yo haré la aclaración. Es importante que yo se la comunique. Pero si está debidamente comprendida en lo que ustedes me han manifestado, todo el Municipio de Songo, San Luis y el Camino, evitamos estos trabajos de ratificaciones. De modo que eso está correcto.

Lo único que quiero rectificarle, que ha sido posiblemente un lapsus de usted, señor Castro, es el término de la tregua: no son 18 horas, sino son 30 horas. Compruebe eso y ratifíquemelo para estar de acuerdo perfectamente los dos.

CMDTE. RAÚL CASTRO.- Muy bien, creo que fue un lapsus mental mío lo de las horas. Efectivamente, desde la noche del domingo, las 12 de la noche, hasta las seis de la mañana del martes, efectivamente, veinticuatro y seis son treinta horas, rectificado el error en este aspecto; es decir, que son treinta horas de tregua. Le pasamos el cambio a ver qué continúa diciendo usted, Teniente Coronel.

TTE. CORONEL COSSÍO DEL PINO.- Aclarado ese particular, queríamos añadir que de acuerdo con nuestra contestación, por la mañana fue solicitado ya por la Compañía Cubana de Aviación la designación del funcionario de esa Compañía que irá acompañando a la Cruz Roja. No tengo contestación ahí, pero supongo que vendrá, y si no tenemos tiempo para anunciarlo, como el nombre no dice mucho en definitiva sino la jerarquía que él traiga, si no hay tiempo de todas maneras si me lo envían, irá acompañando a la Cruz Cubana, ya yo lo solicité.

Dígame si entendió bien esto.

CMDTE. RAÚL CASTRO.- Muy bien, Teniente Coronel, podríamos en eso, incluso, ser hasta más amplios. Si telefónicamente usted se puede comunicar con la Compañía de Aviación, y efectivamente el delegado de esa Compañía no puede llegar a tiempo, y ellos delegan en usted, pues la comisión de la Cruz Roja que venga, también podíamos obviar en ese aspecto, en este caso, la presencia del delegado de la Compañía de Aviación.

Es decir, si no puede llegar a tiempo se le puede dejar, a los oficiales que sirvan de enlace, un pase para que con posterioridad entre en nuestro territorio —territorio libre de Cuba—, o de lo contrario que deleguen en usted o en la Comisión de la Cruz Roja Cubana la misión que él traería encomendada.

Es decir que, o se deja un pase con los oficiales de enlace o delegan en usted, o que venga. Es decir, que en este aspecto puede obrar usted con entera libertad en el caso ese. Es decir, que le pasamos el cambio a ver qué opina.

TTE. CORONEL COSSÍO DEL PINO.- Señor Raúl Castro, muchas gracias por esa facilidad, aunque nadie sabe naturalmente a veces los inconvenientes que se presentan y cuando uno concreta terminantemente, si después falla algo, resulta un inconveniente. Yo le agradezco esa facilidad que usted me ofrece, de modo que en ese particular estoy de acuerdo, y voy a pasar al otro problema.

En días pasados nosotros tuvimos necesidad, a una petición que nos formulara el director del leprosorio San Luis de Jagua, de solicitar un permiso del Comandante local en esa zona; él dio el nombre, debe saber quién es, este oficial de ustedes estuvo muy atento con el director y le dio todas las facilidades para que la Cruz Roja Cubana pudiera convoyar un camión con comidas para el leprosorio; allí hay —usted debe saberlo también, pero se lo repito— 400 enfermos, y naturalmente además el personal administrativo, pero yo creo que están incluidos, es decir, 400 personas.

Nosotros, con ese pase que nos dio el comandante local de esa zona, pasamos esa comida, e iba convoyado por una ambulancia nuestra y el propio transporte del leprosorio, pero era comida para cinco o seis días y ya están solicitando con verdadera urgencia que volvamos a enviarles comida.

Como que el lunes va a ser un día de tregua general en todos estos frentes, que comprende también hasta donde llega el hospital San Luis de Jagua —yo no conozco topográficamente la situación de este—, pero de todas maneras parece que para ir a San Luis de Jagua hay que tomar por la carretera del Cristo, entonces lo que yo estoy solicitando para aprovechar en un solo acto —porque estas cosas tienen todas estas dificultades— debíamos aprovechar el propio lunes para llevar esas mercancías que van a ser adquiridas en un almacén de aquí de Santiago de Cuba, hasta el hospital de San Luis de Jagua. Si hay la posibilidad de una aceptación por parte del doctor, que sea ese propio lunes, usted me la contesta ahora y entonces ultimamos los detalles.

CMDTE. RAÚL CASTRO.- Muy bien, Teniente Coronel Cossío del Pino, efectivamente los cinco días que ocupamos el poblado de Songo, fue nuestra intención, apenas fue dominado militarmente el pueblo, encargarnos de todos esos asuntos; incluso, se había mandado una comisión administrativa para ver el problema del hospital de San Luis de Jagua, de los enfermos allí, que había efectivamente 400, pero desgraciadamente frente a los incidentes propios de la guerra, los continuos bombardeos y para evitar riesgos de la población, este mando ordenó la retirada de las tropas rebeldes de esa posición, y es por eso que no se atendió debidamente al hospital de San Luis de Jagua.

Por lo demás, no sólo el lunes día 10, ni tampoco sólo para el hospital San Luis de Jagua, para cualquier lugar, tanto para servir población civil que esté comprendida dentro del territorio libre de Cuba; o sea, dentro de este Segundo Frente Oriental Frank País, tanto como para servir población civil que viva dentro de los territorios dominados por el ejército adversario, tanto para atender soldados adversarios que se encuentren heridos, en todo momento y en cualquier circunstancia, la Cruz Roja Cubana encontrará de parte de nuestro ejército todas las facilidades que sean necesarias para que cumpla su altruista misión, ya sea sirviendo a un bando o a otro, ya sea sirviendo una población civil de un territorio o de otro.

Es decir, que específicamente si usted desea, el lunes se les dará esas facilidades, y los días y en cualquier circunstancia y en cualquier momento que usted lo desee. Para eso se cursarán órdenes hoy mismo a todos los mandos militares que comprenden este Segundo Frente Oriental Frank País, para que faciliten, viabilicen y no se obstaculice en lo más mínimo la labor de la Cruz Roja Cubana. Es decir, que le hago el cambio para ver qué opina usted.

TTE. CORONEL COSSÍO DEL PINO.- Escuchado perfectamente, y muy correcto señor Raúl Castro. En esas condiciones yo me pondré al habla inmediatamente con el director del hospital para que él vaya movilizando la parte de compra de esas mercancías y la forma de transportarla.

Mientras tanto la idea era, aprovechar la circunstancia de que en toda esa zona hay una paralización total y queríamos aprovechar, sin exigencias de ninguna clase, esa oportunidad. Yo voy a comunicarle al Jefe de operaciones y al de la base también, de la misma forma que lo digo a ustedes, que tenga conocimiento de que en un convoy, es decir, un ómnibus y una ambulancia, que van por la ruta señalada hasta Dos Caminos, va a salir otro con destino a San Luis. Irán uno o dos camiones, porque se va a procurar llevar alguna cantidad apreciable, supongo yo, no está en mis manos ni en mis cálculos —yo no sé qué instrucciones tienen allí de actuar—; pero quiero decir que hay la posibilidad de que puedan ser uno o dos, para no entrar en rectificaciones, pero para que ustedes sepan que un convoy va a acudir en auxilio de este tipo de hospital, y conozcan que hay dos convoyes de la Cruz Roja, que han hecho sus destinos. Me parece muy correcto. Yo hablaré con el Director del Hospital y me pondré en contacto con el jefe de operaciones a fin de que él también cumpla las instrucciones necesarias para llevarlos adelante.

Precisamente, yo acabo de recibir otra petición urgente del poblado del Cristo, del Colegio "Nuestra Señora de la Caridad", que es una escuela de niños pobres, que está ubicada allí en el Cristo. Me explicaron que las clases las paga la iglesia, y que están el Patronato, las señoras que viabilizan el funcionamiento de esa escuela, donde hay creo que 150 niños recibiendo enseñanza, aparte de algunos más que pudieran haber de la población; pero partiendo de la base de que hay 150 niños en esa escuela, que se llama "Nuestra Señora de la Caridad" y que está atendida por unas monjitas, ellas también lo han solicitado.

Yo no he tenido tiempo, señor Castro, de hablar previamente con el jefe de operaciones; pero en el caso nuestro la Cruz Roja habla primero con cualquiera de los dos. Es decir, yo le planteo a usted esto porque es con quien estoy hablando primero, y después entonces lo comunicaré al jefe de operaciones, indistintamente, nosotros estamos con uno o con otro, y en este caso yo les quiero comunicar que, posteriormente a nuestra conversación —y tendré que ir a ver al jefe de operaciones— ya con la conformidad de ustedes si fuera necesario que este convoy para San Luis de Jagua en vez de ser uno o dos camiones fueran más, en el sentido de que estas señoras que constituyen el Patronato, me han ofrecido que ellas están dispuestas a recoger, a viabilizar el envío de mercancías y de comestibles, para esa escuela. Y entonces como que sale un convoy que tiene que pasar por El Cristo aprovecharíamos el que llega hasta El Cristo uno queda allí y el otro sigue para San Luis de Jagua. Dígame si eso está correcto. Lo escucho.

CMDTE. RAÚL CASTRO.- Muy bien, Teniente Coronel Cossío del Pino. Ya con las palabras anteriores en que le expresábamos que la Cruz Roja Cubana encontraría todas las facilidades de nuestra parte para atender en cualquier lugar y bajo cualquier circunstancia tanto un bando como otro, tanto una población civil de una parte como de la otra, está de más nuestra aclaración. No obstante le ratificamos esos puntos concretos que usted citó, o sea, los dos convoy: el que va para el Colegio de monjitas en El Cristo, y el que va para el hospital de San Luis de Jagua, en Songo, encontrarán, indudablemente, todas nuestras facilidades; incluso se le aconseja que para ambos lugares lleven la mayor cantidad posible de comida, sobre todo para el de los enfermos por encontrarse en lugares muy próximos a nuestras líneas de combate, y pudiera dificultarse el suministro de víveres. Es decir, que en esos casos específicos, como en cualquier otro que usted tenga a bien llevar a cabo, no es necesario, incluso, consultarlo, aunque para más seguridad deben tratar siempre de hacerlo. No obstante se cursarán instrucciones a todas las Unidades Militares subordinadas a este Segundo Frente y a las que operan al margen de esta, las proximidades de Santiago de Cuba, para que dejen transitar libremente, y dándoles todas las facilidades, los convoy de la Cruz Roja.

Es decir, que deben llevar bien claros los distintivos de la Cruz Roja con banderas, con la bandera propia de su institución. Es decir, sobre eso está todo aclarado. Le pasamos el cambio por si sobre el tema tiene que añadir algo más.

TTE. CORONEL COSSÍO DEL PINO.- Perfectamente entendido, señor Castro, y nuestros convoy, tanto los camiones que llevan comestibles, como la ambulancia que va de la institución, llevarán los distintivos para que ustedes los conozcan inclusive a distancia. De manera que eso está correcto y yo voy a comunicarme con esta señora del patronato de la escuela, con el Director del hospital, y decirle que está viabilizado todo el problema para que ellos puedan hacer el envío de esas mercancías.

Sr. Castro: con respecto a las entregas o a la recepción del personal del que hemos venido hablando, yo quisiera conocer a qué hora, poco más o menos, debemos estar nosotros en San Luis, o en Dos Caminos de San Luis, para que allí nos reciba la persona que ustedes han de designar, para poder nosotros salir de aquí con el tiempo suficiente para estar allí cuando ya se facilite la operación de la recepción de ese personal. Yo quisiera que usted me informara a qué hora usted cree que puede estar ya en condiciones de ser recibido el personal para que coincida perfectamente sin demoras ni molestias la llegada nuestra allá y la recepción de ese personal. Si usted tiene una idea sobre eso yo le ruego que me aclare...

CMDTE. RAÚL CASTRO.- Muy bien, Teniente Coronel. Sobre la hora, estamos dispuestos a concurrir a la que usted estime conveniente. En Dos Caminos pueden seguir avanzando con los ómnibus, según me informan, hasta un punto denominado "Bella Lisa" ya dentro del territorio libre de Cuba, hasta ahí más o menos podrán llegar los ómnibus, hasta un punto denominado "Bella Lisa". No obstante, en Dos Caminos se le tendrá —a la hora que usted indique, a la hora que más les convenga a ustedes— un oficial de enlace, que en este caso será el Cmte. Antonio Enrique Lussón, jefe de la Columna 17, y jefe militar de la zona, el cual podrá avanzar con ustedes hacia donde lo permita el camino. Y de aquí para allá irá un oficial de enlace de esta comandancia central, que será el Capitán Manuel Piñeiro, que irá con los tripulantes y los pasajeros del avión. Así podrán encontrarse y hacer el acto de la entrega de esos ciudadanos; es decir, que sólo queda aquí aclarar la hora que más le convenga a usted para la entrega.

TTE. CORONEL COSSÍO DEL PINO.- A mí me parece que sería mejor en las horas de la mañana; si es posible eso, que ustedes tengan el personal preparado, para evitar las horas más calurosas en una espera para el personal y para los mismos que van a acompañar en ese acto de entrega. De manera que, si a usted le parece, el convoy de la Cruz Roja puede estar en Dos Caminos de San Luis, digamos, a las 9 de la mañana; si le parece correcta esa hora, la confirmamos.

CMDTE. RAÚL CASTRO.- Muy bien, muy bien nos parece esa hora. Es decir que a las 9 A.M. del lunes ustedes llegarán, se encontrarán allí con el Comandante Lussón, que será el oficial de enlace en esa zona, con el cual podrán avanzar hacia Bella Lisa con los ómnibus, donde esperará el Capitán Manuel Piñeiro, Delegado de esa comandancia central, con los pasajeros y tripulantes del avión. Es decir, que a esa hora —lunes a las 9:00 a.m.— pueden darse cita allí. Le pasamos el cambio por si tienen algo más que añadir.

TTE. CORONEL COSSÍO DEL PINO.- Señor Castro: acompañando el convoy de la Cruz Roja yo había solicitado, y él me ha brindado su cooperación como compañero, al Tte. Coronel Jorge Caballero, que ha llegado de La Habana en la mañana de hoy; él es Tte. Coronel de la Cruz Roja, adscrito a la Dirección General. Entonces, él ha actuado en las dos veces que hemos estado en la Sierra, y tiene no solamente experiencia y práctica, sino disposición.

Le digo esto, porque yo voy desde por la mañana temprano, tan pronto salga el convoy, a ver si el jefe de operaciones me deja situar en el sector de radio de ellos para poder estar al tanto de cómo va el convoy hasta que pase la línea del ejército, y después cómo va regresando, para yo en cualquier dificultad que pudiera haber, tener mayores facilidades para tratar de resolverla, aunque yo espero —con el favor de Dios— que nada ha de suceder. Pero le explico el motivo por el cual yo no voy a ir, sino que va a ir el Tte. Coronel Jorge Caballero, que es con el que debe entrevistarse para todo esto el señor Lussón.

Es decir, que yo no voy personalmente, porque me parece que puedo ser más útil en cualquier momento estando al tanto del desarrollo de cómo va y cómo regresa ese convoy. Yo creo que es más razonable, porque me será más fácil resolver cualquier motivo, no solamente una incidencia bélica, sino cualquiera otra cuestión. Es decir, yo prefiero estar aquí en contacto para conocer el trayecto de ida y vuelta. De modo que el Tte. Coronel Jorge Caballero sería el que lleva la representación de esta jefatura y de la Cruz Roja, para la entrega y recepción de ese personal.

De modo que si está correcto así yo le ruego me lo ratifique para continuar.

CMDTE. RAÚL CASTRO.- Muy bien, muy bien lo que dice usted. Es decir, que el Tte. Coronel Jorge Caballero será el que vendrá encabezando la comisión de la Cruz Roja Cubana, y entonces usted permanecerá en Santiago de Cuba siguiendo el curso del convoy.

Entonces, díganos si va a estar en alguna planta, porque incluso para hacer mejor las cosas —a idea nuestra— usted podía estar en una planta por allá y nosotros en esta planta por aquí, y al mismo tiempo estar en contacto, y así con más facilidad pudiera resolverse cualquier tipo de problema que surgiera. Es decir, que ese mismo día de la entrega, a partir del lunes a una hora que determinemos, o a las 9 de la mañana, o antes, estaremos en contacto ya, usted por esa planta o por la que estime conveniente, y nosotros por ésta, y mientras se van desarrollando los acontecimientos podemos estar al tanto de los mismos.

Así que sobre esa idea le pasamos el cambio, a ver qué opina.

TTE. CORONEL COSSÍO DEL PINO.- Yo le explicaba que yo le voy a solicitar al jefe de operaciones a ver si es posible que yo pueda estar en la sección de radio de ellos, en el propio regimiento, porque eso facilita las comunicaciones de los puestos militares. Entonces, si no hay inconveniente alguno, o si lo hubiera de cualquier forma, puede reportar aquí a esta planta, que esta va a estar al tanto hasta que retorne el convoy. Pero si surgiera alguna dificultad yo creo que me es más fácil y más rápido a mí resolverlo estando yo en el regimiento específicamente para esa función, ya que si hay algún reporte que hacer y lo trasmiten, yo trataré de comunicar; y si recibe esta planta aquí, por la que yo estoy traduciendo, me podrá comunicar cualquier acontecimiento. De manera que a mí me parece que a los efectos de una comunicación en los distintos puestos yo debo situarme allí, porque respecto a interrupciones de alguna índole en el territorio se estima que usted las resuelve, las que puedan surgir del lado de acá corresponde a las Fuerzas Armadas resolverlas; y conociéndolas yo del lado de acá, pues tengo más facilidades por la proximidad de que eso pueda resolverse. Si está así correcto, o bien si usted quiere que yo me sitúe aquí —a mí me es lo mismo—; yo lo decía por las facilidades que pudiera haber en la solución de cualquier problema.

CMDTE. RAÚL CASTRO.- Está muy bien lo que usted dice, Tte. Coronel; es decir, que usted estará en la planta del regimiento y nosotros aquí, así que cualquier cosa ya sabe dónde localizarnos. Le paso el cambio a ver si hay algo más sobre el particular.

TTE. CORONEL COSSÍO DEL PINO.- Yo quisiera darle entrada ahora a un asunto: la Compañía volvió a preguntarnos si la tripulación del día 21 de Octubre, de acuerdo con lo que hablamos esta mañana, que usted trataría de que estuvieran ahí por si había tiempo suficiente hasta el lunes, o estarán en condiciones también de encontrarse en ese acto, y entonces resolver la determinación personal que se haga, pero ellos quieren saber si van a tener la facilidad de si quieren ser evacuados. Si sobre este particular usted no puede contestar pasamos al otro asunto.

CMDTE. RAÚL CASTRO.- Tte. Coronel Cossío del Pino: el día 10 a las 9:00 de la mañana, en el lugar de la cita, se encontrarán las dos tripulaciones completas para que ellos libremente determinen en presencia de ustedes y del Delegado de la Compañía de Aviación si deciden regresar o quedarse aquí en el Territorio Libre de Cuba. Es decir, pueden contar como cosa segura que estarán presentes el día de la cita.

Es decir, que le pasamos el cambio para ver si hay algo más.

TTE. CORONEL COSSÍO DEL PINO.- Ok, recibido perfectamente. Muchas gracias.

Juan Carlos [Raúl Castro Ruz]

Yo proponer canje Carrasco Artiles-Borbonet [Nelson Carrasco Artiles - Enrique Borbonet].

Yo pensar exigir respuesta antes tú soltar prisioneros.

Si Dictadura rechazar nosotros no soltar nadie y yo hacer gran campaña.

Yo tener buen plan.

Fidel

SÁBADO
08

RADIO REBELDE: Noviembre 8 de 1958.

Instrucciones para todos los comandantes rebeldes en la provincia de Oriente, sobre el tránsito en esta provincia:

1.- El tránsito por ferrocarril debe continuar totalmente paralizado.

2.- El tránsito de ómnibus también debe quedar paralizado.

3.- Puede permitirse el tránsito de pasajeros por carretera, en automóviles y vehículos pequeños solamente los lunes, martes y miércoles.

4.- Puede permitirse igualmente el transporte de víveres y mercancías en general por carretera, los lunes, martes y miércoles.

5.- Puede permitirse el abastecimiento de leche a las ciudades, sin obstáculo alguno, todos los días de la semana.

6.- Debe brindársele facilidades a los cosecheros, y almacenistas de café, para transportar sus productos durante los tres días de la semana, señalados para el tránsito general.

7.- El abastecimiento de petróleo, gasolina y cualquier otro combustible debe impedirse por completo. Todos los carros-tanques que transporten combustible cualquier día de la semana, deberán ser requisados o destruidos.

Se advierte a todos los vehículos y transportes civiles, el peligro de moverse en las carreteras convoyados por tropas de la dictadura, ya que los carros que conduzcan soldados, pueden ser atacados en cualquier parte de su recorrido, vayan solo los vehículos militares o vayan convoyando vehículos civiles.

Se advierte igualmente a los ciudadanos, el peligro de viajar en carros donde vayan soldados de la dictadura, ya que nuestras fuerzas no pueden permitir que los mismos, transiten impunemente escudados en civiles, y en consecuencia, se podrá disparar contra todo hombre uniformado o portando armas largas que transite en cualquier vehículo.

Esperamos de la población el máximo de cooperación con las medidas dictadas.

Estas instrucciones regirán hasta nueva orden.

Fdo: Fidel Castro

Comandante Jefe

El comandante jefe de la columna 9 Antonio Guiteras ha remitido el siguiente radiograma: Dr. Fidel Castro Ruz, comandante jefe del ejército Rebelde.

Comandante: Pláceme informarle que estuve en el reparto Vista Alegre anoche a las once y treinta penetrando con una compañía de nuestra poderosa columna 9 Antonio Guiteras. Nuestros hombres han recorrido con verdadera satisfacción hermosas calles de la esbelta ciudad y del bonito reparto Santiaguero. Me acompañaron los capitanes José Antonio [Miguel Ángel Ruiz], Narciso Lara [Rosendo Lugo] y Cabrera [Francisco Cabrera González].

Numerosas familias expresaron admiración por el ejército rebelde. En nuestro afán de encontrarnos con los modernos carros micro-ondas que acostumbraban a recorrer la ciudad a todas horas llegamos al cuartel de San Juan, dimos vivas a la Revolución, y finalmente tuvimos que hacer algunos disparos al aire pues no apareció el enemigo.

FIDEL CASTRO RUZ

Estamos organizando la retirada a los acordes del Himno nacional que cantan nuestros compañeros de la columna No. 9 Antonio Guiteras. Los soldados de Batista no han disparado un solo tiro. Imaginamos que tal vez estén pensando que no vale la pena arriesgar la vida para defender tanta desvergüenza.

De Ud. atentamente,

Comandante Hubert [Huber] Matos, jefe de la columna 9 Antonio Guiteras

---

RADIO REBELDE: Noviembre 8 de 1958

La toma del pueblo de Alto Songo y la rendición de las diversas guarniciones que lo defendían después de cinco días de combate, constituye una de las más señaladas victorias del ejército rebelde.

Alto Songo no es un pueblo aislado en medio de montañas; es un próspero poblado que está situado a unos minutos de Santiago de Cuba por carretera o ferrocarril. No se tomó por sorpresa; se le asedió y atacó sistemáticamente durante cinco días, reduciendo sus defensas una por una. Fué una batalla en regla donde nuestras fuerzas salieron victoriosas.

La impotencia de la tiranía para socorrer a sus tropas sitiadas, y batidas por los rebeldes hasta obligarlas a rendirse, demuestra su debilidad ante el vigor creciente de la Revolución.

Alto Songo no estaba desguarnecido, lo defendían casi un centenar de soldados enemigos fuertemente atrincherados. Las tropas rebeldes que rodean a Santiago de Cuba impidieron por completo el envío de refuerzos. Al Moncada apenas le alcanzan sus fuerzas para defenderse a sí mismo. Mal podía tratar de salvar el cuartel de Alto Songo, menos podía hacerlo el puesto de mando de Bayamo que el día 3 de Noviembre, en el momento álgido de la batalla de Alto Songo, despertó a las tres de la mañana bajo el fuego de nuestros morteros 81, que causaron estragos, confusión y espanto en el corazón mismo de la jefatura de operaciones enemigas.

Songo tomado, la Granja de Bayamo atacada con fuego de morteros, el Aeropuerto de Manzanillo bajo un ataque similar, cien hombres de la columna 9 paseando por las calles de Vista Alegre, mientras fuerzas de la columna 14 hacían otro tanto en la ciudad de Holguín, donde a pocos kms. el día anterior la compañía 3 y el pelotón de Mujeres Rebeldes "Mariana Grajales" habían destruido una tropa enemiga ocasionándole 20 muertos, 3 heridos, 6 prisioneros y ocupándoles 27 armas largas. ¿Quién iba a pensarlo hace apenas un año, cuando los rebeldes estaban confinados a los más abruptos rincones de la Sierra Maestra? ¡Cómo avanza la Revolución, cómo se hace más fuerte e invencible el ejército rebelde!

Antes eran ellos los que lanzaban ofensivas y trataban de cercar a nuestras fuerzas. Mil veces dijeron que no quedaban más que grupos dispersos. El que fuere en otros tiempos confiado y todopoderoso ejército de la dictadura,

FIDEL CASTRO RUZ

se bate en retirada en todas partes, ahora son ellos los acosados y los cercados por las fuerzas rebeldes. Ahora son ellos los arrinconados, los que no pueden ya moverse apenas de un sitio a otro. En las carreteras los que registran más frecuentemente son las patrullas rebeldes. Los confidentes, los esbirros y los soldados con licencia, tienen que andar muy cuidadosos vestidos de civiles y escondiendo sus carnets en las suelas de los zapatos, para no venir a parar a las prisiones rebeldes o comparecer en Consejo de Guerra por sus fechorías y crímenes. ¡Cómo cambian las cosas! Y todavía son tan descarados que se atreven a celebrar unas "elecciones" en esas condiciones y rellenar cientos de miles de boletas en una provincia, donde no fué nadie a votar; pero así irán pagando, una por una, las consecuencias de sus errores interminables.

¡Pobres soldados del ejército de la República! ¡Cómo los han engañado, a qué crítica y desesperada situación los están llevando! Ahora cuando los rebeldes tienen tomadas todas las carreteras y no hay cuartel en toda la provincia que pueda sentirse <u>seguro</u> de no ser atacado en cualquier instante del día o de la noche, cuando no hay transporte militar que pueda caminar <u>un Km</u>. sin el peligro de ser volado por una mina de cien libras, estaría bueno que cada soldado se parara delante de sus jefes que hace apenas unas semanas, después de los desastrosos reveses que sufrió la tiranía en la Sierra Maestra, declararon <u>que ya no había rebeldes</u>, que habían acabado con todos o con casi todos y que no quedaban más que unos grupitos dispersos y en fuga. Para no dejar una sola vez de ser unos desvergonzados sin pudor alguno, cuando los comandantes Ernesto Guevara y Camilo Cienfuegos se abrían paso por las llanuras de Camagüey hacia las Villas, ese mismo Estado mayor le dijo a sus soldados que se trataba de grupos que iban huyendo de la Sierra Maestra. Así, soldados de la República te engañan miserablemente, te utilizan como carne de cañón y en el afán de ocultarte la verdad y abusar de tu lealtad llegan hasta el crimen de no advertirte los peligros que estás corriendo, como si les importara poco que tú, y cientos de tus compañeros, caigan abatidos, por sorpresa, si te diera por creer en los partes de Un Estado Mayor que te dice que ya no hay rebeldes cuando la guerra está tocando precisamente a las puertas de los cuarteles.

Soldado de la República: pregúntale a tus jefes qué pasó en Songo; pregúntale dónde están los soldados que inútilmente le defendieron durante cinco días sin recibir refuerzos; y pregúntate a ti mismo si cualquier día, esa puede ser también tu suerte.

Sierra Maestra
Nov. 8, 58
Curunó [Braulio Curuneaux]:
La trípode mejor no la traigas. Ven tú con tu escuadra. Trata de estar por aquí rápido.
Fidel Castro Ruz [firma]

RADIO REBELDE: Noviembre 8 de 1958

Editorial del *New York Times* sobre las elecciones.

El periódico *New York Times* en un editorial sobre la farsa electoral del 3 de Noviembre publicado en el día de ayer, ataca duramente la mascarada, diciendo entre otras cosas, que las elecciones en Cuba no han sido más que una ficción, y que la dictadura de Batista ha sobrepasado a todas las dictaduras latinoamericanas. Esas elecciones, dice el *New York Times* no pueden ser consideradas por el Pueblo Cubano ni por el norteamericano como unas elecciones verdaderamente democráticas.

Con frecuencia escribía crónicas, partes militares y comentarios para ser trasmitidos por Radio Rebelde. A veces no había tiempo y hacía notas y precisiones de mi puño y letra en las copias mecanografiadas.

nov-8- 2° Frente

¡Qué desvergonzado es el Estado Mayor del Ejército! Hace unos días hablamos de esto. Señalábamos la torpe política de engañar a sus propios soldados. Nada menos que en estos momentos en que las fuerzas de la dictadura están bajo el impacto de una tremenda acometida rebelde que continúa desarrollándose con toda intensidad, ascendiendo ya a 14 el número de cuarteles rendidos, un cable internacional publica lo siguiente:

LA CONTRAOFENSIVA ESTRATÉGICA

La Habana Noviembre 8, *United Press*.
El cuartel General de la dictadura en la provincia de Oriente anuncia hoy en un comunicado que 244 rebeldes han muerto por acciones casi continuas en el curso de las últimas 48 horas en el área comprendida en Santiago de Cuba, Alto Songo, El Cristo, etc. Informaba el ejército que esa lucha era consecuencia de una ofensiva iniciada el 4 de Noviembre contra los rebeldes.

¿Ofensiva contra los rebeldes y no habían sido capaces de enviar un solo soldado a socorrer a sus compañeros sitiados en más de una docena de cuarteles? ¿Qué dirán de esta noticia los cientos de soldados que han sido hechos prisioneros en los cuarteles rendidos? Pero sobre todo, ¿qué dirán de esta noticia los soldados de la guarnición de Santiago de Cuba que a estas horas deben [de] saber lo ocurrido a las guarniciones de Alto Songo, Baltony, Soledad, y otros cuarteles tomados mientras ellos permanecían impotentes? Los primeros que no creen en los partes del Estado Mayor son sus propios soldados. Esto es lo peor que puede ocurrirle a un ejército porque daña su moral de lucha y siembra el desconcierto. Pero lo más criminal de estos partes del Estado Mayor es que atenta contra la seguridad de sus propios hombres. ¿Cómo es posible decirles a los soldados que ya no hay rebeldes, que los han exterminado en el instante mismo en que los

FIDEL CASTRO RUZ

rebeldes interceptan las vías de comunicación y cercan los cuarteles?

La guerra exige un estado de alerta constante, para evitar sorpresas, descuidos y errores. ¿Cómo puede pedírsele a un soldado que esté alerta, si se le informa que el enemigo ha sido destruido? ¿Cómo puede evitarse que una tropa o un oficial incurra en los mismos errores que haya costado desastrosas consecuencias a otra, si el Estado Mayor oculta las derrotas a sus soldados y oficiales? Esto es sencillamente criminal. ¿Será tal vez porque como a cada soldado se le paga a fin de mes un miserable sueldo la dictadura piensa que puede disponer a su antojo de sus vidas? Desde el punto de vista rebelde lo que a nosotros conviene es que el Estado Mayor siga mintiendo y cometiendo errores. Militarmente eso nos beneficia. Pero cabe preguntarse: ¿Hasta cuándo soportarán los soldados ese juego criminal con sus vidas? ¿Pueden los soldados tener confianza en jefes que tratan de engañarlos constantemente?

En lo que toca al Pueblo, sí que no engañan a nadie. El Pueblo lee los partes del Estado Mayor al revés. Y con cuánta razón: aquí mismo tenemos el ejemplo: este parte publicado por el cable habla de 244 rebeldes muertos, tal dato coincide exactamente casi con las bajas sufridas por la dictadura los últimos diez días entre muertos y prisioneros.

Ya los soldados pueden acostarse a dormir. Ya no hay rebeldes. El Estado Mayor acabó con ellos.

DOMINGO

09

Mensaje radial enviado a Raúl el 9 de noviembre:

Mandé instrucciones a [Eddy] Suñol y [Delio Gómez] Ochoa.

Aprovechar desventaja enemigo pero no apurar demasiado.

Yo necesitar tiempo coordinar resto provincia.

Preparar plan cerco Mayarí y Guantánamo y esperar órdenes. No convenir precipitar.

Enemigo poder escapar provincia.

[...] primeros 15 días Noviembre.

Ser fácil desembarcar costa noche barco rápido.

Desear también saber si existir posibilidad contar expedición hijo Alemán aquí.

Sierra Maestra
Nov. 9, 58
Horacio:
Parece que debido precisamente a los tres días que estuvimos sin comunicación el viaje fué suspendido, pero anoche recibí otro mensaje comunicándome la fecha. Dice así el mensaje:

FIDEL CASTRO RUZ

Alemán listo paracaídas lunes a martes mantener campiña encendida de 9 a 10. Encender radio-faro desde 8 y ½. Confirmar este mensaje hoy.

Yo no sé lo que quieren decir con la palabra <u>paracaídas</u>. En el mensaje anterior también aparecía esta palabra. Pienso en la posibilidad de que en vez de aterrizar con el avión, lancen las armas en paracaídas sobre el campo.

De todas formas tú tienes que prepararlo todo mañana lunes y pasado mañana martes, como si fueran a aterrizar.

No queda más remedio que encender las luces de 9 a 10 como ellos piden. Fíjate que no es Pedro Luis [Díaz Lanz], sino Sansón, que una vez se perdió. El radio-faro debes echarlo a funcionar desde las 8 y 30.

Otra cosa, Horacio: las armas y balas que lleguen mándalas con toda urgencia para acá, pues estamos en un minuto muy importante y los acontecimientos parece que se van a precipitar. Tenemos que mover equipos y hombres con mucha rapidez.

Yo creo que esta vez sí llega el avión. Yo anoche mismo contesté que todo estaba listo para el lunes y el martes y que las luces estarían encendidas de 9 a 10.

Saludos, y mucho éxito.

Fidel Castro Ruz [firma]

P. D. Te voy a mandar este mismo mensaje por otra vía para asegurarlo.

Dime si te quedaste con un aparato de radio.

Eduardo [Fernández] todavía no los ha entendido bien y creo que eso va a tardar algo.

En previsión del cerco a Santiago de Cuba en el momento oportuno envié una carta a Almeida donde —como aviso— le adelantaba la clave. La señal por radio sería: Realice urgente plan W-3-10-9.

Sierra Maestra, Noviembre 9 de 1958

Querido Almeida:

Te mando diez mil balas; son cinco mil de 30-06 [30.06] y cinco mil de M-1. De esas diez mil, le mandas cuatro mil a Hubert [Huber Matos]; dos mil 30-06 [30.06] y dos mil M-1; las otras seis mil las distribuyes entre las columnas 3 y 10. Te doy un consejo y es que esas seis mil balas las guardes para el momento más necesario. Si se las das a la gente las tiran. Es una vieja experiencia.

Tengo la impresión de que los acontecimientos se pueden precipitar de un momento a otro. Yo estoy tomando medidas rápidamente para cortar totalmente la entrada o la salida de la provincia. Raúl [Castro Ruz] está llevando con éxito una serie de operaciones que van más aprisa de lo que yo pensaba, pero de todas formas es correcto que él aproveche estos instantes de anonadamiento del enemigo para rendir todos esos pequeños cuartelitos que se habrán ido quedando aislados en su zona.

FIDEL CASTRO RUZ

Se está acercando el momento de realizar el plan de que te hablaba en mi anterior instrucción. Yo soy partidario de realizar las operaciones de cerco no en una ciudad o sector determinado, sino en toda la provincia para evitar por completo el envío de refuerzos en la mayor parte de ellos y asegurar su rendimiento. Tienes que ir estudiando tus planes para cuando llegue el momento de iniciar el cerco cerrado de Santiago como parte del plan general. Pero ese momento puede surgir repentinamente. Yo te voy a dar una palabra clave, para en caso de que no haya tiempo de comunicártelo por escrito recibas por radio la orden.

La orden en clave será esta:

"Mensaje al Comandante Almeida: <u>Realice urgente plan W-3-10-9</u>".

Plan W-3-10-9 es cercar estrechamente Santiago de Cuba con las fuerzas de las tres columnas (3-10-9) y no dejar salir ni entrar a nadie en la ciudad, al mismo tiempo que ir cerrando el círculo más y más hasta encerrarlos en sus instalaciones militares y presionarlos hasta que se rindan, lo mismo resistan una semana que un mes. Los detalles tácticos de la operación te corresponde estudiarlos y decidirlos a ti.

Voy a tratar de que Raúl [Castro Ruz] no se adelante demasiado, pero la necesidad de iniciar las operaciones puede surgir en cualquier momento.

Debes ir pensando las medidas que vas a adoptar cuando Santiago de Cuba caiga. Entre otras cosas tienes que procurar que las armas no se vayan a desperdigar. Todo el mundo va a querer agarrar un fusil y va a ser un problema tremendo. La medida adecuada es ordenar depositarlas, tomar las más indispensables para los hombres que se los hayan ganado y esperar órdenes sobre el resto. Ten presente que en estas situaciones las operaciones se suceden ininterrumpidamente y los hombres una vez alcanzado un objetivo hay que moverlos inmediatamente hacia otro.

Yo estoy esperando a ver si cuaja cualquier gestión de las que estamos haciendo para que se nos una alguna tropa. Apenas ocurriera algo de eso no podríamos esperar más, habría que iniciar de inmediato las operaciones envolventes.

En esencia: hay que estar preparados porque en cualquier momento la Provincia se convierte en una Sierra Maestra en grande.

Tú con un poquito de suerte puedes hasta pescar un general.

Abrazos,

Fdo. Fidel Castro Ruz

Comandante Jefe

Sierra Maestra

11/9/58

Querido Huber:

Recibí tu carta de Octubre 23 aunque gracias al radio he ido recibiendo también noticias tuyas casi a diario. Me preocupa sin embargo, que un fuerte sistema de interferencias esté obstaculizando mucho las comunicaciones. Fué un golpe formidable el combate del Cristo por el momento en que se produjo y es tremendo efecto psicológico que tiene que haber producido en el enemigo. Es realmente magnífico el esfuerzo que están haciendo los hombres de esa columna y tengo en la misma una gran confianza.

Se aproxima el momento de convertir la provincia de Oriente en una Sierra Maestra Grande. Hay que adelantar todo lo posible la preparación de la operación de ustedes sobre la ciudad de Santiago; sobre esto le hablo a Almeida hoy.

Esa posición tuya es de extraordinaria importancia no solo con respecto a Santiago, sino también como contención de todo refuerzo enemigo a Guantánamo y demás guarniciones que colaboran muy estrechamente.

Le di a Almeida la siguiente contraseña para el caso de que los acontecimientos se precipiten y haya que iniciar el asedio cerrado contra la guarnición de Santiago hasta rendirla.

Mensaje al Comandante Almeida:

Realice urgente Plan W-3-10-9

Este mensaje lo enviaré yo por radio si las circunstancias obligasen a actuar rápidamente.

Plan W-3-10-9 es cercar estrechamente Santiago de Cuba con las fuerzas de las tres columnas (3-10-9) y no dejar salir ni entrar a nadie en la Ciudad, al mismo tiempo que ir cercando el círculo más y más hasta encerrarlos en sus instalaciones militares y hostigarlos hasta que se rindan, lo mismo resistan una semana que un mes.

Los detalles tácticos de la operación corresponden resolverlos a ustedes. El objetivo de la operación en gran escala en toda la provincia es copar en este extremo de la isla al grueso de las fuerzas enemigas. La operación de cerco y rendición de guarniciones se realiza con mucha más seguridad cuando en vez de emprenderse aisladamente se lleva a cabo al mismo tiempo en el mayor número posible de puntos, impidiendo así el envío de refuerzos que en todo caso si el enemigo hace un gran esfuerzo, servirá solo para librar algunas tropas pero no a todas. Calcula por ejemplo qué habría ocurrido en Las Mercedes si Estrada Palma, Yara, Manzanillo, Bayamo y Holguín hubieren estado cercados al mismo tiempo.

Raúl [Castro Ruz] se está adelantando un poco y necesito tiempo para terminar de preparar y coordinar las operaciones en el resto de la provincia; pero es correcto por parte suya aprovechar el anonadamiento de las fuerzas enemigas para hacerle el mayor daño posible en su zona. Ayer, sin embargo, me pidió solicitase de [Delio Gómez] Ochoa el bloqueo de la carretera Holguín-Cueto, para evitar llegaran refuerzos a Cueto. Solicitaba esa ayuda con carácter urgente, envié instrucciones a Suñol y Ochoa en ese sentido comunicándole la petición sin empleo de clave pues eso no estaba preparado; lo que al mismo tiempo produce desplazamiento de tropas nuestras hacia un punto distinto del que estaba planeado debilitando momentáneamente nuestras líneas entre Oriente y Camagüey que es la garganta donde debemos estrangular al enemigo.

Hace falta de todos los comandantes una perfecta coordinación y que cada cual dé el máximo de sí mismo pues nos aproximamos a una etapa decisiva.

Te envío vía Almeida dos mil balas 30-06 [30.06] y dos mil balas M-1; recomiendo no las repartas, sino en el momento más necesario. Tenemos que adaptarnos a nuestro escasísimo parque.

No me has dicho si recibiste los cinco mil pesos que ordené se te remitieran desde Santiago.

Un abrazo a todos,

Fidel Castro Ruz

Comandante Jefe

Sierra Maestra

Nov. 9, 58

Estimado Crescenciano [Agustín Tomé, coordinador del Movimiento 26 de Julio en Camagüey]:

No tengo noticias de esa Provincia desde su última carta. Lamentablemente por radio no hemos podido hacer comunicación y las comunicaciones por carretera ya debe usted suponer cómo andan.

Siento mucho que la hora en que le escribo estando a punto de partir el portador quien no puede esperar, por la necesidad de estar en Manzanillo a fecha fija, no me permita tratarle extensamente una serie de cuestiones que por su carácter requieren analizarlas a fondo. Tendría que escribirle largas horas para expresarle todas las preocupaciones que tengo respecto a Camagüey.

El médico vino y me habló de las cuestiones que usted insinuaba en su carta. El resultado de los informes recibidos de allá es uno: preocupación. Nace esta de la impresión que tengo de una serie de puntos de vista que se apartan de las realidades de esta guerra y además se desentienden de los problemas futuros de la revolución. Todo lo que escuché sobre planes de adquisición de armas revelaban una gran inexperiencia sobre las dificultades y las características de esas operaciones; una tendencia a creer en promesas e informes que en la inmensa mayoría de los casos resultan falsos e impracticables.

Para no ir muy lejos en busca de ejemplos baste citar uno relativo a algo sobre lo que ustedes por la proximidad era de presumir que conocieran bien: las seguridades que me dió el compañero Z. [Ricardo Lorié, *Zoilo*] de que ahí se podrán adquirir armas y balas, lo que me reiteró con mucha fe ante las insistentes indagaciones y preguntas mías. Todo resultó una ilusión y todavía a estas horas no he tenido explicación clara de ello.

La cuestión es que basado en los informes de Z. ordené retener ahí los diez mil pesos recogidos y luego usted me escribe que iban a ser remitidos a Miami. Nada de extraño tendría que otro tanto ocurriera con los informes sobre armas que reciben de Miami, un poco más lejos.

Pero hay además, otra cosa: con mucho trabajo y solo gracias a poder encontrar por fin hombres realmente capacitados logramos organizar un departamento de abastecimiento de armas con que abastecernos directamente después que el Movimiento había malbaratado más de trescientos mil pesos con delegados que no lograron traernos un solo fusil. Después que hemos resuelto al fin aunque muy modestamente ese problema, cuando hemos logrado poner un poco de orden en cosa tan importante y discreta ¿qué necesidad tenemos de introducir la anarquía en ese departamento e iniciar la compra de armas por la libre, que aparte de todos los inconvenientes de falta de organización y disciplina, fracasos posibles, etc. puede poner en peligro la discreción y seguridad de lo poco que hemos logrado hasta ahora? Las gestiones que usted ha estado haciendo con elementos de otras organizaciones para fines de carácter bélico y de abastecimiento de armas sobre las que he recibido tardías noticias con carácter de contactos consumados y proyectos por realizar en días determinados no me preocuparían gran cosa, y hasta estaría dispuesto a comprender el natural deseo de reunir lo que tanta falta hace: armas, si no viera con justificada aprehensión el peligro de que por no tener las cosas bien aclaradas, advertidas, estudiadas y planeadas, Camagüey se vaya a convertir en un caos de organizaciones, mandos, jefes y jefecillos como Las Villas. Yo que tengo derecho a conocer el valor de la disciplina y la coordinación en una guerra, sé que doscientos hombres bien identificados hacen mucho más que cinco mil que no se entiendan y con los que no es posible realizar ni confiar en la realización de ningún plan, y que hay cosas que en una guerra no se pueden sacrificar por ninguna cantidad de armas.

Tengo entendido que usted realiza gestiones de carácter personal y valiéndose de su crédito privado para reunir una determinada cantidad con que llevar a cabo esos proyectos. No pueden haber en una organización dos clases de planes: unos como miembro de la misma y otros como asuntos privados. Un miembro de una organización y mucho menos un dirigente, no puede hacer proyectos de carácter privado pensando que lo justifica el hecho de respaldarlo con sus recursos personales. ¿Qué sentido tiene hacer eso? Si el plan es bueno, se propone a la Organización. Si la Organización lo acepta, en ello deben invertirse los recursos de la misma. ¿Cómo puede darle usted una explicación correcta a la búsqueda privada de diez mil pesos para adquirir armas para esa Provincia, cuando el Movimiento tiene cientos de miles de pesos?

FIDEL CASTRO RUZ

Cuando yo decidí enviar a esa provincia una cantidad de hombres armados, no hubo necesidad de que se mandara aquí un solo centavo previamente, ni tampoco se requirió para enviar otro número de hombres armados a reforzar la primera columna. Los mandé cuando creí que hacían falta. ¿Qué obsesión es esa de adquirir armas para Camagüey? ¿Quién le ha dicho a nadie que los planes y la distribución de armas tenga algo que ver con los sentimentalismos personales? ¿Considera usted que por ejemplo, tiene lógica mandar armas en un momento dado a una provincia cuando en otra puedan ser necesarias para una batalla decisiva que aporte a la revolución en conjunto un saldo mucho mayor? El envío de armas a una provincia determinada se hace de acuerdo con un plan determinado. Los planes en una guerra los concibe y ejecuta un determinado organismo de mando, no es cosa que deba decidirse por capricho o por personales deseos o deseos de una localidad determinada. ¿No le parece a usted por ejemplo que en el momento en que el enemigo desató su gran ofensiva en la Sierra Maestra hubiere sido un disparate tener nuestras armas regadas por toda la isla? No se hubiera podido ocupar entonces una sola arma, ni habría hoy dos columnas en las Villas y una fuerza en esa provincia. Yo me tomo con gusto el trabajo de razonarle sobre estas cosas, pero para mí por lo que he sufrido y he pasado en dos años soportando las consecuencias de los errores de muchos, constituyen cosas elementales.

Anda todo regular por Camagüey y la impresión que dejan las cosas de esa provincia son negativas: las mentiras de Medina, la indisciplina de [Jaime] Vega que condujo al desastre, la poca claridad de sus dirigentes sobre una serie de cuestiones esenciales de la revolución, el localismo que se observa en la mentalidad de los compañeros responsables, las vacilaciones ante ofrecimientos de armas que por su procedencia había que rechazarlas sin el menor parpadeo, la tendencia a desconocer el sentido de la organización y la disciplina, el modo superficial con que deciden sobre cuestiones que requieren experiencia y cuidado y la liberalidad con que interpretan sus prerrogativas. El portador me refiere una conversación del Dr. J. con él al tratarle los proyectos que tenían concebido, argumentándole que para realizar los mismos podían contar con los ochocientos mil pesos que se iban a recaudar en los ingenios. Si en materia de armas y de guerra, se consideraban con derecho a decidir, nada tenía de extraño que ya estuviesen pensando en disponer de los fondos como si no hubiera que rendirle cuentas a nadie. Añado a esto el hecho, de que habiéndose remitido a la Sierra Maestra desde la Habana, quinientos uniformes, para hombres que en muchos meses y acaso años, no se habían puesto un uniforme nuevo, la Sección de Abastecimiento o la persona responsable del envío desde Camagüey a la Sierra, sin contar con nadie reparó y retuvo en esa ciudad doscientos uniformes completos, <u>para la</u>

tropa de Camagüey y aquí mandó ciento y tanto pantalones de uniforme, sin camisas, que fué todo lo que llegó a la Sierra Maestra, del único envío de uniformes que se nos había hecho en dos años. Se privó a las tropas que no tienen acceso a los centros de abastecimiento de doscientos uniformes, para dejarlos a una tropa, que ni siquiera había llegado a ese territorio, que no pasaban de cincuenta bien armados y a los cuales se les pudo hacer ropa con tela adquirida en esa ciudad. Eso, que hizo una persona responsable del Movimiento, no lo hubiera hecho ninguno de los ciudadanos que desde esa provincia han donado cosas para estos combatientes, conscientes de nuestras necesidades.

Yo espero que Ud. analice con honestidad lo que le escribo en esta carta. No son todavía siquiera todas las preocupaciones que me invaden con relación a Camagüey. Ojalá que con un máximo esfuerzo de todos, principalmente de usted en esa provincia comience a borrar la impresión mala de las últimas semanas. Ojalá que todo comience a marchar mejor y que usted se compenetre con el Jefe de nuestra tropa y lo pueda ayudar a vertebrar las fuerzas bajo el signo de la disciplina y el más elevado espíritu revolucionario. Quiera Dios, que elementos ajenos al 26 de Julio no le introduzcan factores de anarquía, con todos los peligros que en ese sentido entrañan las consecuencias del desastre de Vega y el no haber podido enviar a esa provincia algunos de nuestros jefes más experimentados. Al menos el capitán [Víctor] Mora es un hombre valiente y combativo, pero ustedes tienen que ayudarlo a organizar el territorio e impulsar el espíritu de disciplina, de administración eficiente y de responsabilidad.

Sobre el proyecto del avión le expresará al piloto mi punto de vista.

Espero noticias amplias de usted.

Y le deseo que no se deje llevar de la impaciencia. Tal vez pronto podamos dedicar a la liberación de esa provincia el grueso de nuestras fuerzas. Lo saluda,

Fidel Castro Ruz [firma]

Sierra Maestra

Nov. 9. 1958

Se asciende al capitán de Milicias, Ángel Ameijeiras que cayó combatiendo heroicamente frente a los esbirros de la tiranía. En homenaje a su ejemplar conducta revolucionaria, a su incansable espíritu de lucha y al heroísmo con que se batió durante horas con las fuerzas mercenarias del tirano, sin importarle el número del enemigo, prefiriendo morir antes que deponer las armas, el Ejército Rebelde le concede el grado de Comandante, que es el más alto de nuestra jerarquía militar.

Fidel Castro

Comandante-Jefe

RADIO REBELDE

¡ÚLTIMA HORA!

¡Atacado el pueblo y la granja de Bayamo, sede de la jefatura de operaciones del ejército enemigo en horas de la madrugada del día 3!

¡Una batería de morteros 81 bate el puesto de mando enemigo!

Repetimos...

Informes llegados a la planta del llano rebelde y remitidos a la comandancia general, comunicaban que todos los indicios de un gran combate se estaba desarrollando en la madrugada del día 3 en la ciudad de Bayamo; que en la ciudad se escuchaba un intenso tiroteo, mientras que en la Granja de Bayamo, sede del puesto de mando enemigo podían escucharse a gran distancia el estampido de los morteros 81 y el tronar de cañones; eran señales evidentes de que el comandante Delio Gómez Ochoa al mando de la columna 32 José Antonio Echeverría del ejército rebelde, apoyado con fuego de mortero 81, estaba cumpliendo su cometido.

De las ciudades de Holguín, Manzanillo, Victoria de las Tunas sobre las que estaban operando otras columnas rebeldes, no se ha recibido todavía información alguna.

DECLARACIÓN DE LA FEDERACIÓN ESTUDIANTIL UNIVERSITARIA

Después de la mascarada electoral continuista, del títere [Andrés] Rivero Agüero, que sólo ha servido para corroborar hasta la saciedad, el rejuego politiquero más insólito en nuestra era republicana, denunciada por esta Radio Rebelde día a día, y que solo ha servido para reafirmar aún más la fé de un pueblo en su determinación de ser libre, sentando las bases de un verdadero y definitivo proceso revolucionario.

Inesperadamente nuestra hora radial Alma Máter en Miami, conjuntamente con la del 26 de Julio, fué clausurada. Ya la despreciable censura de Prensa la sufrimos los cubanos hasta en el extranjero...

Pero queda esta Radio Rebelde, como vehículo inexpugnable de orientación y denuncia. Y desde aquí, esta Federación Estudiantil Universitaria, hoy en estas montañas históricas, al lado del inspirador y guía del glorioso Movimiento 26 de Julio, Fidel Castro, denuncia: El continuismo y su secuela; el rejuego injerencista de la dictadura y su contubernio con el tramitado Embajador Smith, con un esfuerzo inútil de impedir el triunfo de la revolución. Nos enfrentaremos a todos los intentos de los retrógrados y enemigos sistemáticos de la revolución cubana, a todas las fuerzas: internas o externas, que tal cosa pretendan. Aquí está, victoria tras victoria del Ejército Rebelde —en la que ya se destaca la Columna "José Antonio Echeverría" en el ataque a Bayamo— que nos hace confiar en una pronta victoria final y no cejar ante ninguna fórmula, que no sea el triunfo definitivo de nuestros postulados revolucionarios, en la que ya hemos demostrado hasta la certidumbre, la resolución adoptada por nuestro pueblo, dispuesto a hacer uso de la fuerza, para conquistar sus derechos conculcados: hasta vencer o morir.

POR LA FEDERACIÓN ESTUDIANTIL UNI-
VERSITARIA. TERRITORIO LIBRE DE CUBA
Juan Nuiry Sánchez
Omar Fernández Cañizares
y José Fontanill Castillo

Nov. 9 de 1958.
Sierra Maestra
RADIO REBELDE
A LA OPINIÓN PÚBLICA Y LAS FUERZAS ARMADAS.
Declaraciones de Nuestro Comandante Jefe Dr. Fidel Castro Ruz.

Antes de ayer a las ocho y treinta de la noche, esta Comandancia estableció comunicación por Radio con el Teniente Coronel de la Cruz Roja Cubana, Oscar Cossío del Pino, solicitando de ese Organismo, trasmitiera al Estado Mayor enemigo, el canje del Teniente Coronel del Ejército, Nelson Carrasco Artiles, prisionero de nuestras fuerzas, por el Comandante [Enrique] Borbonet, preso en Isla de Pinos.

El Teniente Coronel Nelson Carrasco Artiles fue herido en combate y hecho prisionero por Tropas de la Columna Tres, hace varias semanas. Recientemente, a petición de sus familiares, la Cruz Roja Cubana solicitó y obtuvo permiso del mando Rebelde para visitarlo y llevarle medicinas. El Teniente Coronel Carrasco Artiles había recibido varias heridas pero nuestros médicos lograron salvarle la vida.

Los rebeldes siempre hemos dispuesto la libertad de los soldados y oficiales de baja graduación sin condición alguna ni solicitar nada en cambio de ello, reteniendo únicamente como prisioneros a los oficiales de alta graduación.

Por tratarse en el caso de Nelson Carrasco de un oficial herido cuyo restablecimiento total estaría mucho más garantizado en un hospital dotado de todos los medios modernos, hemos considerado humano facilitarle esa oportunidad por medio de un canje. Y al mismo tiempo, que la dictadura pueda brindarle a uno de sus altos oficiales que fué herido en combate los servicios del más completo tratamiento médico, es justo que recobre también su libertad un oficial del Ejército de los que están presos hace más de dos años por oponerse a la Tiranía.

No proponemos el Canje del Tte. Coronel Carrasco Artiles por el Coronel [Ramón] Barquín por ser éste oficial preso de mayor graduación que aquél, y la dictadura pudiera alegarlo como pretexto para rechazar el canje.

FIDEL CASTRO RUZ

En consecuencia se propone el canje del Teniente Coronel Carrasco Artiles, no por un oficial de mayor graduación, ni siquiera por un oficial de la misma graduación que él, sino por un oficial de menos graduación, el Comandante Borbonet a quien el Pueblo de Cuba conoce por sus valientes y cívicas declaraciones en el Consejo de Guerra que lo condenó a injusta prisión.

Otros 120 soldados prisioneros están a punto de ser puestos en libertad por el ejército rebelde, lo que elevará a 700 el número total de soldados y oficiales enemigos que han estado prisioneros de nuestras fuerzas desde que comenzó la guerra, cuyas vidas han sido respetadas, tratados con toda consideración humana y devueltos al seno de sus hogares, de donde lamentablemente, en muchos casos la dictadura los ha llevado de nuevo al combate y a la muerte.

Por primera vez después de poner en libertad un número tan extraordinario de prisioneros enemigos, se propone el canje de un Teniente Coronel que está herido y asistido en un hospital rebelde, por un adversario de la tiranía preso. La dictadura tiene ahora la palabra. Los familiares del Teniente Coronel Carrasco Artiles esperarán con ansias la respuesta que permitiría el regreso al hogar de un allegado por cuya suerte han vivido angustiados interminables días.

Nada cuesta a la dictadura remediar esa angustia en la familia de uno de los suyos que cayó herido en el cumplimiento de sus órdenes. No podría, por cierto, remediar en nada el dolor de los familiares de los soldados y oficiales que han muerto. Sin embargo, en este caso sí puede. Carrasco Artiles aunque herido está vivo, y en manos de sus compañeros de armas [pueden] devolverlo al seno de su familia y del ejército. Para ello no tendrían que hacer daño a nadie; simplemente algo tan sencillo como justo: poner en libertad a otro militar, que está preso sin razón en las prisiones de Isla de Pinos. Borbonet no es un soldado rebelde. Borbonet es un comandante del ejército que compartió durante muchos años con esos mismos oficiales que continúan ostentando en el cuerpo armado las mismas insignias y emblemas que él ostentara. Borbonet se graduó en la Academia Militar; compartió allí con otros jóvenes cadetes sus sueños de gloria y de servicio a la Patria. Hace más de dos años y medio que está preso junto con otros militares dignos.

Ante este canje no hay alternativa para el mando enemigo.

La dictadura no puede ser tan cruel, insensible y torpe que dejándose llevar por el odio y la soberbia prefiera dejar abandonado a un alto oficial de su ejército permitiendo que continúe herido en un hospital rebelde, sólo por no acceder a libertar a otro oficial del ejército de la República, encarcelado por el propio régimen.

¿Qué explicación podría darle a los familiares del militar herido? ¿Qué explicación podrá darle a los familiares

FIDEL CASTRO RUZ

de los demás militares que con razón pueden pensar <u>que ese mismo</u>, cualquier día, puede ser su caso? ¿Qué explicación podría darle a los propios soldados, compañeros de Carrasco Artiles que están combatiendo contra los rebeldes?

¿Le parecería todavía a la Dictadura demasiado poco tiempo el que lleva en prisión el digno Comandante Borbonet y sus compañeros, como para no brindarle una oportunidad de curarse a uno de sus propios oficiales que ella ha sacrificado en el campo de batalla?

Tan innoble, cobarde e impolítico sería rechazar este canje, <u>que ni aún un régimen como éste</u> que ha sido capaz de tantas ruindades y traiciones podría llegar a esos extremos.

El teniente coronel Carrasco Artiles será ingresado en el Hospital Militar de Columbia con sólo abrir las puertas de la prisión de Isla de Pinos al Comandante Borbonet y entregarlo a la Cruz Roja para su traslado al territorio libre.

Imposible que el Estado Mayor de la Dictadura no acepte. Ningún ejército del mundo puede hacer semejante agravio a un oficial herido en combate. No habría soldado ni oficial que después de eso se sintiera con ánimo para seguir combatiendo.

Nuestros médicos le salvaron la vida a Carrasco Artiles, ahora corresponde a la Dictadura lograr su completo restablecimiento y su inmediata libertad.

Fidel Castro Ruz
Comandante Jefe

9 de noviembre de 1958

RADIO REBELDE.

ÚLTIMA HORA: Tomado el cuartel de Soledad por las tropas rebeldes. Ocupadas 29 armas largas y miles de balas. Hecha prisionera su guarnición. Informes recibidos desde el segundo frente Frank País comunican textualmente lo siguiente: El día siete de noviembre fuerzas rebeldes de la columna Seis al mando del comandante Efigenio Almejeira [Ameijeiras] y el capitán Samuel Rodiles después de siete horas de combate tomaron el cuartel de la guardia rural de Soledad. Fueron ocupadas 29 armas largas, 17 fusiles springfields, una ametralladora española calibre 30, dos carabinas San Cristóbal con sus respectivos peines, cinco fusiles garand, 30 cananas, dos escopetas calibre 16, 10 revólveres calibre 45, una pistola calibre 38, una pistola de nueve milímetros, diez granadas de mano, un fusil, una planta eléctrica de 32 voltios, y 3,125 tiros, de distintos calibres. Fue hecha prisionera toda su guarnición, compuesta de 29 hombres, entre ellos un sargento y dos cabos. Por nuestra parte sólo tuvimos dos heridos graves. (Fdo.) Comandante Raúl Castro Ruz.

El Segundo Frente Frank País resultaba indetenible en su empuje ofensivo de estas semanas. Una tras otra se rendían a sus fuerzas las guarniciones enemigas [documentos pp. 535 y 536]. Esperábamos el momento oportuno para

FIDEL CASTRO RUZ

que el grueso de sus combatientes en acción aunada con los
del Primero y Tercer Frentes lanzaran ataques decisivos.

Radio Rebelde

ÚLTIMA HORA: Cae también el cuartel de Barton en poder de las tropas rebeldes. Se rindió su guarnición. Ocupadas numerosas armas.

La Comandancia General del Segundo Frente Oriental, Frank País, informa también que el cuartel de Barton ha caído en poder de las fuerzas rebeldes y hecho prisionera su guarnición, ocupándosele las armas, en la forma que detallamos a continuación: Soldado Antonio Rondón Sola, se le ocupó un springfield y un revólver 45; soldado Julián Guillermo Martínez, se le ocupó un springfield; soldado Manuel Durán, se le ocupó un springfield y una granada de mano; soldado Eugenio Quintanilla, se le ocupó un springfield y una granada de mano; soldado Godofredo Tomás Rodríguez, se le ocupó un springfield y un revólver 45; soldado Augusto Rodríguez Alpízar, se le ocupó una ametralladora San Cristóbal con cuatro magazines; soldado Fernando Regalado Fuentes, se le ocupó un springfield; soldado José Rolando Batista, se le ocupó una ametralladora calibre 30, un revólver 38 y una granada de mano; soldado Roberto Amador Prieto, se le ocupó un springfield; soldado Carlos Cruz Iglesias, se le ocupó un springfield; soldado César Medero Sánchez, se le ocupó un springfield; soldado Segundo Téllez Rodríguez, se le ocupó una ametralladora San Cristóbal con cinco magazines, y un revólver calibre 45; soldado Eustaquio Ramón Batista, se le ocupó un springfield y dos granadas de mano.

Continúa la ofensiva rebelde, ascienden ya a catorce los cuarteles que han caído en poder de nuestras tropas.

Hemos recibido hoy el siguiente parte de la Comandancia General. Las columnas rebeldes del segundo frente Frank País, han tomado catorce cuarteles enemigos en los últimos días. Los partes de guerra de la comandancia del Segundo Frente, con las listas de las armas ocupadas, prisioneros de guerra y demás detalles de las acciones, mantienen ocupados todo el día a los operadores de nuestra estación de radio-comunicación. Pasan ya de doscientos cincuenta los soldados enemigos que han caído prisioneros.

Un número que se aproxima a doscientas setenta armas ocupadas. Las tropas de la dictadura, que iban tomando alzadas en numerosas guarniciones pequeñas, fueron abandonadas a su suerte. El estado mayor de la tiranía, ni siquiera intentó salvarlas. Uno a uno sus cuarteles se van rindiendo a discreción, en algunos casos, después de varios días de inútil resistencia.

La ofensiva rebelde tiene anonadado y paralizado al enemigo, y las vías de comunicación están interceptadas por nuestras fuerzas. El ataque victorioso de nuestras tropas, ya es incontenible. La resistencia enemiga se desmorona ante el empuje del frente Número Dos, mientras el grueso de las tropas rebeldes que integran [el frente los frentes] uno, tres y cuatro esperan las órdenes oportunas para lanzar sobre el enemigo ataques decisivos.

Fidel Castro Ruz, Comandante Jefe.

LUNES
10

Mensaje al Comandante [Delio Gómez] Ochoa:

Los Cuarteles de Cueto y Guaro cayeron ya en poder de los Rebeldes, muévase usted hacia la zona que se le señaló al partir de la Sierra Maestra y ordene al Capitán Suñol esté listo para apoyarlo a usted con todos sus hombres.

Comunique a todas las fuerzas de ese frente que han caído 14 cuarteles en poder de los Rebeldes los últimos días y que las fuerzas de la dictadura se están desmoronando.

Todas las fuerzas al mando de usted deben estar listas para cumplir su objetivo básico tan pronto reciban la orden.

Fidel Castro

Raúl:

Estoy [de] acuerdo contigo. Ayer envié instrucciones por escrito a Almeida y Huber poniéndolos alerta.

Sigue tú presionando paulatinamente.

[Los] Acontecimientos [se] están desarrollando muy rápidamente. ¿Te has adelantado un poco?

Pero vas bien.

TE TRANSCRIBO ORDEN QUE DI HOY A OCHOA.

Fidel

MARTES
11

Sierra Maestra

Nov. 11, 58

10 a.m.

Luis [Pérez]:

Voy a realizar una operación importante y necesito el apoyo de esa columna con la que espero mejorarte y aumentarte el armamento. Tienes que hacer un esfuerzo para reunirte conmigo en el punto que te indicará [Reinaldo] Mora; él vendrá con ustedes. Trae las minas, los cables y detonadores. Vamos a ver si para el sábado estamos juntos. La tropa no debe saber hacia dónde se dirige.

Saludos

Fidel Castro Ruz [firma]

Sierra Maestra

Nov. 11, 58.

Lalo [Eduardo Sardiñas]:

Parece que los acontecimientos se están precipitando mucho más rápidamente de lo que pensábamos. Raúl [Castro Ruz] ha lanzado una gran ofensiva en el Segundo Frente y hasta el día de ayer habían tomado 14 cuarteles y ocupado 270 armas aproximadamente y unos 250 prisioneros, apenas sin bajas por parte nuestra.

Debes estar muy atento de la situación porque [en] cualquier instante se puede producir el desmoronamiento, y sea necesario cortar por ahí todo intento de evacuación enemiga. Esa es tu misión principal. Procuraré tenerlos informados de la situación por radio rebelde.

Yo voy a salir hoy de la Plata para una operación importante. Si sale bien, mando refuerzos rápidos para esa.

No he recibido más armas.

Saludos

Fidel Castro Ruz [firma]

Había partido de mi puesto de mando en Cuatro Caminos, el día 9 de noviembre. Mil reclutas habían sido preparados en las duras condiciones de Minas de Frío. Pedí me enviaran, si mal no recuerdo, 100 hombres desarmados para que me acompañaran.

Como vanguardia llevaba el pelotón del teniente Orlando Rodríguez Puertas.

Antes recibí noticias de que una compañía del Ejército de Cuba, menos un pelotón, había decidido ponerse a nuestro lado. Entregaban las armas, conservaban su carácter de soldados profesionales y los grados de oficiales. Les hicimos esa propuesta, a través del comandante Quevedo, cuyo batallón fue obligado a deponer las armas en la Batalla de Jigüe en la última ofensiva batistiana en la Sierra Maestra.

Otras unidades se proponían hacer lo mismo, por ello partí rápidamente hacia el poblado de Minas de Bueycito, que fue sede del experimentado batallón de Sánchez Mosquera, el más cruel y temido de las tropas enemigas.

No habíamos atacado aquella unidad, simplemente la hostigábamos de vez en cuando. Sí le tenía cortada la retirada con una pequeña fuerza rebelde, en el camino hacia el llano. Ese era el momento de exhortarlos a conversar, llegar a un acuerdo y pedirles que entregaran sus armas. Para nosotros era muy importante avanzar hacia Guisa (mapa p. 548), defendida por las fuerzas élites de Bayamo, que disponían de tanques pesados, livianos y vehículos blindados; por esa razón escribí en términos respetuosos un mensaje al capitán que se encontraba al frente de ese puesto para que depusiera sus armas como ya lo habían hecho otras unidades del Ejército al sumarse a la revolución. No habríamos tenido que invertir 10 días en la Batalla de Guisa. ¿Qué impidió nuestro propósito? Una pequeña fuerza al mando de un teniente rebelde era la que debía cerrar el camino hacia Bayamo, apoyados por Curuneaux con 12 hombres.

Miguel Aguilar, que iba al frente del pelotón estaba ya en camino, por delante de nuestra tropa. Lo primero que hizo cuando llegó mi carta donde él se encontraba, el jueves 11 de noviembre por la mañana, fue redactar otra de su puño y letra que era una grosería, con la cual acompañó la mía, enviada en un sobre cerrado. El capitán al leer la de Miguel que iba abierta, se negó, con toda justificación a leer la mía, según le comuniqué después a Faustino Pérez. El incidente fue resultado de una chapucería más, fruto de la autosuficiencia que tanto he criticado siempre. En ese momento, yo tampoco podía ya retroceder. Esa noche dormí en la amplia casa deshabitada de un político y latifundista ausente, en las proximidades de la guarnición que defendía a Guisa, a pocos kilómetros de las tropas élites del Ejército instaladas en la ciudad de Bayamo.

Al día siguiente, golpeamos a aquella fuerza y se inició la desigual batalla que tal vez no habría tenido lugar si la carta que reproduzco a continuación hubiera llegado sin percance a su destino.

[Carta dirigida al jefe del Batallón 24 del Ejército de la tiranía, ubicado entonces en Minas de Bueycito, presumiblemente, el capitán Díaz Calderín]

Sierra Maestra

Nov. 11, 58

11 p.m.

Señor Capitán:

He ordenado cortar la retirada a esa tropa, pero con instrucciones de no disparar, sino comunicarse con usted para ponerlo al tanto de esa situación.

Esta medida obedece al hecho de que varias unidades del Ejército se han sublevado y unido a la revolución, por lo cual con toda seguridad la tiranía llena de temor y desconfianza ordenará retirar esa tropa, lo cual no podemos permitir; primero: por razones de orden militar, que usted comprenderá perfectamente, y segundo porque deseo tener una entrevista con usted para invitarlo a que secunde [a] los valientes compañeros suyos que se han unido al pueblo.

Lo que no deseo, de corazón se lo digo, es que se dispare un solo tiro entre sus hombres y los rebeldes.

Al tomar nosotros los caminos, usted puede comunicar que está sitiado, y entonces que sea el mando militar quien venga a combatir si lo desea, lo cual dudo, pues en estos instantes numerosas fuerzas están cercadas.

Nosotros queremos tener en consideración su trato decente y generoso con los vecinos de ese abnegado pueblecito de las Minas que tanto ha sufrido el terror y la represión de la tiranía.

FIDEL CASTRO RUZ

Escarbe ahí y verá que dondequiera encuentra huesos de algún infeliz asesinado.

¡Busque [a] alguien [~~que~~ a quien] no le hayan arrancado un ser querido!

¡Ojalá que las tristezas de ese vecindario donde tanto luto y dolor ha sembrado el tirano, lo hagan meditar a usted en la nobleza y razón de nuestra causa!

En nombre del honor verdadero, de su deber hacia Cuba y sus compatriotas, reciba la mano que le tendemos caballerosamente.

Con un saludo lleno de fraternidad, queda de Ud.

Fidel Castro Ruz [firma]

MIÉRCOLES
12

Sierra Maestra

Nov. 12, 58

Horacio [Rodríguez]:

¡Qué cosas tú tienes! Cuando vi eso creía que me habías mandado algún invento o cosas por el estilo. Así es como tú me agradeces la caja de tabacos que te mandé.

El avión lo cogieron cuando iba a salir. Fué mala suerte; pero llegó una noticia mejor: ingresaron dos pelotones completos con sus armas. Tú lo habrás oído. La cosa va fenómena. Sigue esperando ahí pacientemente el poco tiempo que queda. Te haremos jefe de un aeródromo grande cuando cojamos a Oriente.

Abrazos

Fidel Castro Ruz [firma]

JUEVES

13

Sierra Maestra

11/13/58.

Sr. Capitán R.

E.S.M.

Estimado compatriota:

En marcha hacia el encuentro con varios oficiales que con sus unidades han abrazado nuestra justa causa me alcanza un mensajero urgente del Dr. [René] Vallejo, quien a su vez lo recibió del Sr. Miguel Mesa, expresando la esperanza de que usted y otros militares honorables de esa zona se unan al pueblo en su lucha heroica por su libertad y sus derechos, y que las condiciones morales y humanas de usted y muchos compañeros suyos le dan derecho a ocupar un lugar heroico en la revolución, me detengo un minuto para hacerle estas rápidas líneas.

FIDEL CASTRO RUZ

Por todos los indicios e informes que obran en mi poder la lucha se acerca a un final. Ustedes, los militares más próximos a nosotros, que son testigos excepcionales de la verdad que el Estado Mayor de la Dictadura trata de ocultar al propio Ejército, son los que dando un paso al frente pueden decidir la contienda, ahorrado Dios sabe cuántas vidas de compañeros suyos y nuestros.

Hay infinidad de militares descontentos, pero les resulta sumamente difícil agruparse para realizar una acción decisiva. Por otro lado, si logran vertebrar una pieza determinada y se lanzan a una acción en los cuarteles, conduciría inevitablemente a un choque entre militares que debe evitarse. Por eso el camino más efectivo, más seguro y menos sangriento es que los oficiales, clases y soldados descontentos se trasladen al territorio libre a confraternizar con nosotros y pedirles desde aquí a sus compañeros que cese la guerra, resistiéndose a seguir defendiendo un régimen criminal y odioso.

Los militares honorables, que son muchos, no deben por ningún concepto seguir cargando el peso que un grupito reducido de hombres despiadados y sin escrúpulos están lanzando sobre ellos. Es justo que salven ante la historia de su patria su honor y su derecho a seguir contando con estimación de sus conciudadanos.

Los militares no deben venir a combatir, porque no creemos ni queremos que deba promoverse esa lucha. La inmensa mayoría de los soldados, clases y oficiales del

Ejército son hombres capaces de reaccionar patrióticamente y es posible que muy pronto el Ejército en masa se una a la revolución. De ahí el valor extraordinario que tienen los primeros militares que den el ejemplo.

No puedo darle datos concretos sobre las unidades que se sublevaron porque recibí un mensaje en clave del Comandante Quevedo, por radio, informándome que serán dos tenientes [Rodolfo Villamil y Ubineo León, en Charco Redondo] y dos pelotones completos con sus armas y parque, estando en espera de otras unidades.

Tanto el Comandante Quevedo, como los capitanes Durán [Batista] y [Victorino] Gómez Oquendo, que fueron prisioneros nuestros y han podido comprender toda la justicia de esta causa, el espíritu fraternal de los revolucionarios con los militares, unido al olvido del Estado Mayor, que trató además de difamarlos calumniosamente tratando de hacer caer injustamente sobre ellos la culpa de las derrotas, cuando en realidad fueron abandonados a su suerte y combatieron con extraordinario valor en circunstancias totalmente adversas, están hoy entregados de lleno a despertar en sus compañeros de armas el sentido del deber de todo militar con su pueblo y con su patria, convencidos además de que el Ejército no debe seguir comprometiéndose con los errores de la Dictadura.

He propuesto también el canje del Coronel Carrasco Artiles por el Comandante Borbonet, pero hasta este momento no hemos recibido respuesta.

FIDEL CASTRO RUZ

Tenemos el propósito de organizar la Columna Militar de la Revolución. No se tratará pues de rebeldes, sino de militares, que como tales lucharán también contra la tiranía, pero de la forma más efectiva, sin combatir con las armas, sino invitando al Ejército a unirse a ellos. Esta es la idea sobre la que está girando nuestro plan en relación a los militares. Cuando una gran parte del Ejército piense así, no habrá que disparar un tiro más, pues la camarilla que oprime al país no esperaría un minuto más para escapar del poder.

Si usted se decide reúna a todos los hombres de su unidad en los que pueda confiar y estoy seguro de que será una mayoría (bastará con que usted les hablase con emoción y decisión) y póngase en marcha hacia acá con el portador de esta carta que le servirá de vanguardia, y camine hasta encontrarse conmigo.

Que traigan sus armas y todo el parque posible. Conserve esta carta que le sirva de salvoconducto.

En el trayecto trate de hacer contacto con el compañero Crescencio Pérez que es Comandante de la zona para que le brinde facilidades y orientación hacia el lugar donde yo me encuentre. Todos sus hombres deben traer sus armas hasta encontrarse conmigo y de acuerdo con los demás militares decidir los próximos pasos.

Con la esperanza de que usted pueda contarse entre los que van a prestarle a la patria en este minuto tan señalado servicio, le expreso mi más ferviente deseo de poderle dar muy pronto un abrazo fraternal.

Fidel Castro R.

Sierra Maestra

Nov. 13, 58

Suñol:

Sin leer siquiera los papeles que acaba de entregarme Armando le viro para atrás con dos mil balas 30.06 y quinientas de M-1, pues esta tarde recibí tu carta informándome de tus heridos, así como la del Mellizo, Manolo Díaz que es muy amigo mío (¡cómo... [equivale a cómo diablos]* no me voy a acordar de él!), diciéndome que andabas escaso de parque, lo que también me comunicaba [Delio Gómez] Ochoa. Yo ando en operaciones con todo el arsenal de balas conmigo para atender las necesidades.

No me has dicho si recibiste las 500 balas de M-1 que te mandé anteriormente con [Orlando] Lara.

Supongo habrás escuchado mis instrucciones generales por radio.

A mi entender, debes prestarle a Ochoa el mayor apoyo para que refuerce bien la entrada y salida de Oriente.

Te felicito por las proezas que estás realizando.

Abrazos

Fidel Castro Ruz [firma]

* *Comentario del autor.*

P. D. Te mandé un muchacho con un springfield. Es el sobrino de Juan Manuel Márquez [Orestes Quintana]. Con él iba un grupito que lleva mil balas de máuser. Te mando ahora otras mil más de máuser.

Sierra Maestra
Nov. 13, 58
6 p.m.
Sr. Comandante:

Recibí el saludo que me envió en su nombre y el de su tropa, que considero un gesto caballeroso de su parte en medio de esta guerra dolorosa.

Los militares de honor tienen en mí un adversario que sabe reconocer la hombría de bien, aunque hoy nos separe un concepto distinto del deber.

Si revolucionarios y militares pudiésemos hablar de hermano a hermano no se derramaría una gota más de sangre, pero hay intereses mezquinos y egoístas que quieren mantener al militar aislado de su pueblo, como si lo honorable fuera matar compatriotas en vez de confraternizar con ellos. Aunque no se pueden remediar en un día males que tienen raíces viejas, créame que esta pesadilla horrible que está sufriendo Cuba se acerca a su fin.

Sé que la inmensa mayoría de los militares cubanos son hombres dignos que aborrecen lo que está sucediendo. Por eso he tenido tantas consideraciones con los prisioneros, apartándome de toda política de odio o represalia. No los culpo porque los han engañado; les han hecho creer que ese régimen de corrupción, vicio, crimen, fraude, tiranía había que defenderlo.

La fe que puse en la reacción de los militares cubanos está empezando a rendir los más inesperados frutos. Los que creyeron poder llevar a los soldados de la República a morir por una causa odiosa e injusta están a punto de presenciar los más inesperados acontecimientos.

Usted que es un hombre joven y valeroso no se hunda ni arruine su hermosa carrera defendiendo una causa que no es la suya ni de su pueblo. Usted no tiene millones, usted no ha asesinado a nadie, usted es militar y no político, ningún interés tiene en esa comedia repugnante que es la prostitución del sufragio; no tiene por qué sacrificar su vida y la de sus hombres a intereses tan bastardos que no son los de su patria ni de los suyos, como hombre de bien y como militar.

Sea usted también de los primeros militares en abrazar la causa de su pueblo. Una brillante carrera lo espera como Comandante que es a pesar de sus pocos años. Rompa los lazos que lo atan a ese régimen infamante que ya está en el ocaso. Haga lo que han hecho ya otros oficiales que por su gesto merecerán el cariño eterno del pueblo. Y como jefe que es, salve también a sus soldados de la deshonra y tal vez de la rendición y la muerte. Se lo van a agradecer infinitamente el día de mañana, aunque ahora tenga que imponerse. Usted está cerca de nosotros. No tiene más

FIDEL CASTRO RUZ

que dar un paso, y no es capaz de imaginarse cuántas vidas ayudará a salvar. Su mejor amigo no le daría un consejo más leal y desinteresado. Escriba junto con nosotros la página más hermosa y prometedora de la historia de Cuba.

Su amigo

Fidel Castro Ruz [firma]

[Raimundo] Roselló:

Entrega al portador mil balas de máuser.

Fidel Castro Ruz [firma]

S. Maestra

Nov. 13, 58

Noviembre 13

RADIO REBELDE

Por su importancia repetimos las declaraciones de nuestro Comandante-Jefe Dr. Fidel Castro.

Última Hora:

Una noticia sensacional.

Repetimos. Última hora:

Una noticia sensacional.

A todos los Comandantes y Jefes de Columna Rebeldes en la provincia de Oriente, Camagüey y las Villas y a la población civil, muy especialmente de la Provincia de Oriente.

Dos dignos oficiales del Ejército al mando de sus respectivas tropas acaban de sublevarse contra la Dictadura y unirse a las fuerzas Revolucionarias en el frente Número Uno de la Sierra Maestra. Trajeron todas sus armas y gran cantidad de balas. Son dos pelotones completos con sus oficiales, clases y soldados, que están ya en camino hacia la Comandancia General. Reina extraordinario júbilo en las filas Rebeldes por esta emocionante noticia. Otras unidades se han sublevado y están también en marcha hacia la Sierra Maestra. Estos hechos evidencian un completo estado de conciencia revolucionaria en las filas de las Fuerzas Armadas. Es este un minuto extraordinario que puede determinar el fin próximo de la Tiranía. Aunque sea necesario todavía luchar muy duramente todo parece indicar que la derrota del régimen es inminente por desesperada que fuese su resistencia final.

El tráfico en la Provincia de Oriente debe quedar paralizado de nuevo totalmente. Todos los hombres y todas las unidades Rebeldes deben estar en sus puestos. Todas las vías de entrada y salida de las ciudades así como de la provincia de Oriente deben quedar cortadas. Las columnas del Segundo Frente Frank País, deben proseguir su avance, cercando y rindiendo todos los cuarteles posibles en la zona comprendida dentro del triángulo Mayarí, San Luis, Guantánamo, mientras las columnas que rodean a Santiago de Cuba deben estrechar el cerco impidiendo el menor movimiento de Tropas enemigas. Las tropas rebeldes que operan en el centro y oeste guardando la entrada de la provincia de Oriente deben combatir con toda tenacidad cuanto refuerzo el enemigo pretenda enviar a la provincia.

Los centros urbanos que caigan en poder de nuestras fuerzas deberán ser declarados ciudades abiertas y en consecuencia ninguna tropa rebelde deberá acampar en ellas para evitar que las ciudades indefensas sean bombardeadas. En este sentido solicitaremos la intervención de la Cruz Roja.

Debe reinar el más estricto orden en todas las circunstancias. Los soldados que se rindan o que se unan a la Revolución deberán recibir el más fraternal tratamiento.

Todo oficial de las fuerzas armadas que desee unir su tropa a la Revolución deberá hacerlo ante los Comandantes y jefes Rebeldes de cada zona. Cada Comandante Rebelde debe poner especial cuidado en que las armas que se ocupen en los cuarteles grandes sean inventariadas y depositadas en lugar seguro en espera de órdenes sobre las formas en que serán distribuidas para armar a los alumnos de las distintas escuelas de soldados revolucionarios, donde están recibiendo entrenamiento en este instante.

Las tropas Rebeldes de la Provincia de Camagüey deben apoyar la batalla de Oriente intensificando el ataque contra los medios de transportes enemigos en Camagüey atacando en su retaguardia a los refuerzos que pretendan enviar a esta Provincia.

Las columnas invasoras 2 y 8 del ejército rebelde situadas en las Villas, recabando apoyo de todas las demás fuerzas revolucionarias que allí combaten deben a su vez interceptar las carreteras y vías férreas para impedir el cruce de tropas enemigas hacia Oriente y evitar que puedan retirarse las que permanezcan junto a la Tiranía y queden combatiendo en este extremo de la Isla donde virtualmente están siendo arrolladas ya por nuestras fuerzas.

El pueblo debe cooperar con el ejército Rebelde todo lo que esté a su alcance. El pueblo debe ser el principal mantenedor del orden en cada ciudad que se libere, evitando que se produzca ningún tipo de saqueo, destrucción de propiedades, o hechos de sangre deprimentes. Nadie debe tomar venganza contra nadie. Los confidentes y los elementos que se hayan caracterizado por sus actos inhumanos contra el pueblo deberán ser detenidos e internados en prisiones para ser juzgados por Tribunales Revolucionarios. En los momentos decisivos que se acercan el pueblo debe dar las más elevadas pruebas de civilidad, patriotismo y sentido del orden para que nadie pueda el día de mañana lanzar imputaciones deshonrosas contra nuestra Revolución que por ser la más elevada conquista de la Nación Cubana y su más extraordinaria prueba de amor patrio y dignidad ciudadana debemos cuidarla de toda mancha.

FIDEL CASTRO RUZ
COMANDANTE JEFE

Sierra Maestra,

Nov. 13, 58

Estimado Pardo [José Pardo Llada]:

Se están produciendo acontecimientos que a mi entender son importantes. Yo tengo hoy, a las 10, una reunión con la Cruz Roja en Providencia y después sigo para encontrarme con los pelotones que se han unido a nosotros (del Ejército) y para atender también una operación militar que puede tener importancia.

Si no tienes ningún otro plan, puedes trasladarte a Providencia tan pronto recibas esta. En dos o tres horas puedes estar allí, si te indican el camino. Tal vez la Cruz Roja esté hasta tarde. Después puedes seguir tras los acontecimientos sucesivos.

No puedo mandarte la cámara, principalmente por no querer soltar la que tengo con todo el apego por ella de un recién aficionado y la quiero tanto como a mi fusil, pero te puede servir para tomar fotos de todos estos temas, con carácter exclusivo y yo puedo ayudarte a tomar escenas sin separarme mucho de ella.

Te envío este papel temprano, con órdenes de que te localicen para ver si puedes llegar pronto. Yo estoy ahora en Santo Domingo y salgo para Providencia. Te llevo sólo unas horas de ventaja.

Saludos,

Fidel

SOCIEDAD NACIONAL CUBANA DE LA CRUZ ROJA
DIRECCIÓN GENERAL DE BRIGADAS
LA HABANA
ACTA

En Guasimal de Nagua, a los trece días del mes de Noviembre de Mil Novecientos cincuenta y ocho, reunidos el Dr. José Ramón Cruells y Reyes, Secretario General de la Cruz Roja Cubana, y el Teniente Coronel Jorge Caballero y Herrera, Cuartelmaestre de esa Institución, que asistieron en representación de la misma, y de otra parte el Dr. Fidel Castro Ruz, Comandante Jefe del Ejército Rebelde que solicitó la presencia de dichos Delegados, con el propósito de formular determinadas proposiciones a la mencionada Institución, que considera están dentro de sus funciones humanitarias, que concreta los siguientes puntos.

Primero: El envío de una Delegación permanente de la Cruz Roja Cubana a cada uno de los frentes de operaciones, que tendrían por función sugerir y viabilizar cuantas medidas puedan adoptarse a fin de evitar riesgos y daños a la población civil y a cuantas personas puedan ser consideradas como no beligerantes. Que aunque recaba de la Cruz Roja gestione con el Mando opositor la aplicación de medidas similares, esta proposición la hace sin exigir como condición indispensable que tengan que aceptarla ambos contendientes.

FIDEL CASTRO RUZ

<u>Segundo</u>: Que considerando la posibilidad de que en breve plazo caigan en poder de las fuerzas revolucionarias distintos centros urbanos de importancia, en evitación de que los mismos queden expuestos a los riesgos de ataques aéreos que costarían incalculable número de vidas inocentes, propone a la Cruz Roja declarar ciudades abiertas a dichos centros urbanos, renuncia por su parte el Mando Rebelde, a las ventajas de utilizarlas como bases militares ni puntos de acantonamiento de tropas, y que, en consecuencia, las fuerzas rebeldes se instalarían siempre en zonas no urbanas, donde los efectos de los ataques aéreos no expondrían masivamente a la población civil a las consecuencias de los mismos, ya que aunque los ataques aéreos en las zonas rurales producen también víctimas indefensas, nunca lo sería en proporciones tan catastróficas como los bombardeos en zonas densamente pobladas.

<u>Tercero</u>: Que habiendo solicitado la intervención de la Cruz Roja en distintas ocasiones para poner en sus manos centenares de prisioneros enemigos, entre ellos gran número de heridos, quiere hacer constar, que actuando con una falta de reciprocidad absoluta, los enemigos, digo heridos y prisioneros rebeldes son asesinados, como ocurrió en la provincia de Camagüey cada vez que algún rebelde cayó en poder del enemigo, a raíz del cruce de dos columnas por esa provincia, y muy especialmente con el caso de una fuerza rebelde

que opera permanentemente en dicha provincia, la cual, los últimos días del mes de Septiembre del presente año, al caer en una emboscada no pudo recuperar once de sus miembros heridos en combate, los cuales al caer en poder del enemigo, fueron trasladados primeramente al hospital del Central Macareño y con posterioridad, cuando eran trasladados en camiones de dicho punto al pueblo de Santa Cruz del Sur, sus escoltas, al mando de un comandante de apellido Piñeiro y un sargento de apellido Otaño, lanzaron granadas de mano en el interior de los vehículos donde iban los heridos, rematando con ráfagas de ametralladoras a los supervivientes. Afirma igualmente que sin una sola excepción en dicha provincia los rebeldes hechos prisioneros fueron asesinados. Que en ocasión de ello solicitó de la Cruz Roja Internacional, por medio de su Comité en Ginebra, el envío de una Delegación para solicitar del mando enemigo datos, informes y facilidades para la comprobación de los mismos a fin de presentar una denuncia ante la Comisión de Los Derechos Humanos de la O.N.U. [Organización de Naciones Unidas] —que en este caso reitera dicha solicitud por medio de los representativos de la Cruz Roja Cubana, que por su parte está dispuesto este Mando Rebelde, a brindar toda la información necesaria para facilitar dicha investigación.

Cuarto: Que reitera su disposición a brindarle a la Cruz Roja Cubana todas las facilidades en el desempeño

FIDEL CASTRO RUZ

de su altruista gestión y ratifica su propósito de seguir realizando una política de guerra civilizada y humana que ocasione el menor costo posible de sangre, para cuyo fin recaba la colaboración de la misma.

Los Delegados de la Sociedad Nacional de la Cruz Roja que concurren a este acto, el Dr. José Ramón Cruells, Secretario General de la Cruz Roja Cubana y el Teniente Coronel de la misma, Jorge Caballero y Herrera, se dan por enterados de las peticiones del Comandante Jefe del Ejército Rebelde, Dr. Fidel Castro, para dar cuenta de las mismas a la Institución a los fines procedentes.

Y para que así conste se firma la presente, en Guasimal de Nagua, a los trece días del mes de Noviembre de mil novecientos cincuenta y ocho.

Dr. José Ramón Cruells
Sec. Gral. de la Cruz Roja
[firmado en el original]

Dr. Fidel Castro
Comandante Jefe
[firmado en el original]

Jorge Caballero Herrera
Tte. Coronel Cuartelmaestre de la Cruz Roja Cubana
[firmado en el original]

[Carta del Comandante en Jefe Fidel Castro al general Eulogio Cantillo, jefe de la zona de operaciones del Ejército de la tiranía en Bayamo]

Señor:

Me comunica el Dr. Cruells sus palabras acerca del Estado Mayor ante mi proposición de canje entre el Teniente Coronel Carrasco Artiles y el Comandante Borbonet.

¿Es posible, General, que el Estado Mayor vea un obstáculo en el hecho que el T.C. Carrasco sea un prisionero en combate y el C. Borbonet un preso juzgado y sancionado por un tribunal de guerra, por cuyo motivo el Ejército renuncia a recobrar a uno de sus altos oficiales herido en combate que necesita mejor asistencia? ¿Cómo es posible entonces, señor General, que el Estado Mayor no haya tenido el menor escrúpulo en que un marinero que asesinó un niño, una joven y una anciana por lo que fué condenado a 140 años se encuentre en libertad dirigiendo en Manzanillo las pandillas de ganster de [Rolando] Masferrer y que con la tolerancia de las fuerzas armadas ejerce funciones de orden públicas y comete toda clase de fechorías? Usted, General Cantillo, que es un hombre sensible ¿cómo puede aceptar que se haga semejante desprecio a uno de sus oficiales heridos en combate? ¿Le puede parecer absurdo, con estas cosas, que hasta el último oficial se una a nuestra causa después de haber esperado inútilmente que hombres como usted

FIDEL CASTRO RUZ

que tanta influencia gozaba entre los oficiales jóvenes hicieran algo?

¡Bien, General Cantillo! ¡No importa! Cuando sea definitiva la respuesta rechazando el canje, mande 2 oficiales de su confianza a la S.M. que yo le entregaré al T.C. Carrasco Artiles sin condición alguna, porque más que indignación lo que produce la conducta del mando del Ejército es asco y repugnancia.

Atentamente,

F. [Fidel Castro Ruz]

VIERNES

14

Noviembre 14, 1958.

RADIO REBELDE

Desde la zona de Operaciones de la Columna Uno, nuestro Comandante-Jefe nos envía las siguientes declaraciones:

Para saber la desesperada situación militar de la Tiranía, bastaba escuchar los partes emitidos ayer por el Estado Mayor del Ejército.

Tan tremendo fue el impacto del gesto patriótico de los militares que se han unido al pueblo, y las victorias rebeldes que se están produciendo, unas tras otras con asombrosa rapidez, que el Estado Mayor de la Dictadura en el día de ayer se dió a la tarea de anunciar una serie de partes cuyo contenido peregrino y falso no se le escapa ni al más ingenuo.

Todo el mundo sabe en primer lugar, que los partes de guerra del Estado Mayor de la Dictadura jamás han dicho la verdad. Al revés del mando Rebelde que ha tenido como política de guerra, anunciar la situación militar con absoluta veracidad, no puede decirse que la dictadura haya dicho la verdad una sola vez. No se explica uno, cómo no se cansan, ni se aburren de los mismos partes rutinarios y de las mismas mentiras repetidas con inalterable cinismo. Hablan de muertos rebeldes y no dicen cuándo ni cómo; hablan de armas ocupadas y nunca dicen de qué marca y calibre.

En cualquier combate victorioso, siempre el vencedor recoge en el campo de batalla numerosos heridos. A un número de cifras como dá el Estado Mayor de cientos de rebeldes muertos, correspondería un número similar de prisioneros heridos cuya fotografía, una sola vez, [bastarían bastaría] para dar algún crédito a las noticias de la tiranía. La explicación es clara: la dictadura no ha sufrido más que derrota tras derrota. Sólo en una ocasión, al Sur de Camagüey, recogieron 11 prisioneros rebeldes heridos, y en vez de aprovechar la oportunidad de sacar fotografías y producir aunque fuese una sola vez alguna prueba de sus partes de guerra, los asesinaron estúpida y cobardemente.

FIDEL CASTRO RUZ

El mando rebelde dá siempre el número exacto de bajas enemigas, cantidad y clase de armas ocupadas, número preciso de balas, el nombre de los prisioneros, unidad a que pertenecen, lugar de su residencia, fecha de su nacimiento y cuanto pueda servir para autentificar de manera indubitable nuestros partes de guerra.

Jamás ocultamos nuestras bajas, y damos los nombres de los compañeros caídos siempre que cada Jefe de Unidad incluya ese dato. Nadie absolutamente en Cuba duda por eso de cuanta noticia sobre la situación militar brinda la Comandancia General. Ha sido norma severa y rigurosa, que desde un principio se estableció. Eso nos ha dado ante el pueblo un crédito ABSOLUTO.

Ayer la dictadura habló de más de 200 muertos rebeldes en diversos combates en Oriente. Pues bien: en numerosos combates efectuados sobre todo en la zona Norte de Oriente, que ha costado al enemigo la rendición de numerosos cuarteles y más de 200 prisioneros cuyas generales completas hemos ido dando por Radio Rebelde, no se ha reportado un sólo rebelde muerto, lo que constituye no solo una prueba de superioridad táctica, sino que las tropas de la dictadura están ofreciendo una resistencia muy débil en estos instantes. Por lo que se puede añadir aquello de que: "Los muertos que vos matáis gozan de buena salud".

Otra noticia de la dictadura, es que un avión de la marina, por motivos de un desperfecto, se vió obligado a aterrizar en territorio rebelde y que éstos, violando la tregua concertada para la devolución de los pasajeros del avión, lo habían ocupado. ¡Qué casualidad tan grande y qué mala suerte la de la dictadura! En primer lugar, si había tregua ¿qué hacía un avión volando sobre territorio rebelde con una <u>ametralladora</u> y miles de balas? ¿Quién en ese caso <u>violaba la tregua</u>? En segundo lugar ¿qué pretenden? ¿que si un avión se vé forzado a aterrizar en territorio libre se lo vamos a devolver lindamente a la dictadura?

Nosotros todavía no hemos recibido detalles pormenorizados sobre el caso de dicho avión: si se vió forzado a aterrizar o se incorporó voluntariamente lo cual no tendría nada de extraño en este momento pero cualquiera que haya sido la causa no puede ser más lastimosa, ridícula y plañidera la versión del Estado Mayor.

Sin embargo, de los partes del día de ayer, lo que produce verdadera risa es la versión que pretendieron dar para explicar el caso de los 2 oficiales de la guarnición de Charco Redondo que con todos los hombres y armas de sus respectivas unidades se unieron a la Revolución. El parte del Estado Mayor afirma, que una patrulla de 20 soldados fue secuestrada por los rebeldes. ¿Pero no es realmente absurdo afirmar que 20 soldados perfectamente armados pueden ser secuestrados tranquilamente? Ni en Cuba ni en ninguna parte del mundo se pueden secuestrar 20 hombres armados. Se pueden matar 20 soldados en una emboscada, <u>pero es imposible capturar una tropa</u>

de 20 hombres sin entablar <u>combate</u>. Eso no podría realizarlo ni el mejor ni el más entrenado cuerpo de comandos del mundo. Le hace muy poco favor el Estado Mayor de la dictadura a los soldados de la República, al afirmar que una patrulla de 20 hombres fue secuestrada por los rebeldes.

Los soldados del ejército no tienen nada de cobardes, hemos combatido con ellos muchas veces y sabemos que pueden rendirse por hambre y sed como ocurrió en el Jigüe, o cuando quedan encerrados bajo un fuego mortífero como ocurrió en Santo Domingo, Purialón, El Salto, etc., pero siempre han combatido con valor.

Cualquier militar cubano comprende estos razonamientos sin dificultad alguna.

Esos soldados secuestrados de que habla el Estado Mayor, son los que se sublevaron, y no fueron 20 sino 52 de la Guarnición de Charco Redondo, con dos Primeros Tenientes, todas sus armas, <u>8 000 balas 30.06 y M-1</u> y docenas de granadas de mano. ¿Se pueden secuestrar 52 soldados que estaban armados con automáticas y granadas de mano? Todos los datos personales de dichos militares serán publicados por Radio Rebelde tan pronto se reciban completos. Están en marcha hace varios días. La población campesina sale a recibirlos con indescriptible júbilo en todos los caminos, <u>los abrazan</u> y les dan vivas a la revolución y a los militares dignos. <u>Son las primeras unidades completas del ejército</u> que se unen a la Revolución.

El pueblo no halla cómo demostrarles su agradecimiento y sus simpatías, les brinda lo que tiene, les ayuda a cargar su equipaje y los colma de atenciones. Esos militares no vienen a matar campesinos: vienen a confraternizar con su pueblo. Nunca una tropa del ejército en operaciones recibió esa acogida; antes los campesinos huían, escondían todo, informaban a los rebeldes; <u>ahora a esos militares los abrazan</u>, todo se lo brindan y los colman de atenciones. Ese será el cuadro el día del triunfo. El abrazo que en la Paz unirá a los civiles y a los soldados dignos. Porque estos son solo los primeros, <u>detrás vendrán muchos más</u>.

Y tampoco van a combatir contra sus antiguos compañeros de armas. Esos militares vienen al territorio libre a confraternizar con el pueblo, a negarse a seguir sirviendo a la tiranía, a dar el ejemplo a sus compañeros. Ellos no dispararán sus armas contra otros soldados, sino que los invitarán a que también se unan al pueblo y abandonen la tiranía. Saben que esta guerra se puede terminar sin disparar un tiro, basta con que los demás soldados hagan lo mismo que ellos y no habría más sangre ni más lucha entre hermanos.

Pocos ejemplos tan hermosos como este se han dado, en la historia de los pueblos.

No pudieron haber adoptado una actitud más humana y honorable. Si estos militares se hubiesen reunido con otros para poner fin a la dictadura mediante un golpe de estado, al llevarse a cabo, con toda seguridad que hubiese habido choques entre soldados, <u>sangre derramada entre soldados</u>, y eso es lo que no quiere la revolución; por eso no invitamos a los soldados a dar golpes de estado ni a combatir contra sus compañeros de armas, sino a confraternizar con su pueblo, que es el mejor modo, el más digno y emocionante de liberar a la patria sin más sangre.

Bienvenidos al territorio libre, militares honorables, que supieron sentir el dolor de Cuba.

Para ustedes será hoy, mañana y siempre nuestro emocionado reconocimiento, porque supieron saltar el abismo que separa el bien del mal, el honor de la deshonra, la lealtad de la traición; la tiranía de la libertad.

El soldado que abandona las comodidades del cuartel por la vida dura y sufrida del rebelde merece doblemente la gratitud de la Patria.

(Fdo.) Fidel Castro Ruz
Comandante Jefe

A mediados de este mes las noticias recibidas desde el Cuarto Frente eran alentadoras y probaban la efectividad del bloqueo aplicado en la provincia de Oriente por el Ejército Rebelde. A Lara le escribí al respecto y para comunicarle instrucciones cursadas para hacer llegar parque a la tropa de Suñol, entre otros asuntos de interés.

Sierra Maestra

Nov. 14, 58

Capitán [Orlando] Lara:

Recibí tus comunicaciones de fecha once que llegaron a mis manos más rápidamente porque el mensajero me encontró en Providencia.

Me parece muy razonable el planteamiento de los ferrocarriles y con ese compromiso de la empresa puede disponerse se emprenda la destrucción sistemática de las vías. Solo de una cosa hay que cerciorarse: que no esté actualmente el sistema ferroviario, principalmente la vía del tren central en condiciones de ser reparado rápidamente y utilizado por el enemigo. En vista del bloqueo establecido por nosotros en la Provincia es importante que esas vías no puedan ser utilizadas para abastecimientos. Aclarado este requisito, no tengo objeción en ofrecerle a la empresa seguridades para sus propiedades. No me parece correcto que le cobremos impuestos, porque hemos excluido de ellos a los medios de transporte, además, la compañía de ferrocarriles ha sufrido muchos daños. Puedes exponerle que de parte nuestra no hay interés en el cobro de impuesto, por los motivos alegados.

Sobre la urgencia de parque de la tropa de Suñol, ayer mismo di instrucciones al muchacho que trajo los prisioneros de virar enseguida con veinte hombres llevando parque para él.

FIDEL CASTRO RUZ

El informe sobre el territorio y de los adelantos en todos los órdenes me pareció muy bueno. [Delio Gómez] Ochoa también me habló encomiásticamente.

Voy rumbo a la Estrella [mapa p. 548]. Estaré por estas zonas los próximos días atento a los aconte-cimientos.

Saludos a todos

Fidel Castro Ruz [firma]

P. D. Comunícale a Suñol por radio que van: 2 000 ba-las 30.06, 1 000 balas máuser y 500 de M-1, por otro lado 1 000 balas máuser más.

DOMINGO
16

S. Maestra

Nov. 16, 58

Nassín [Haddad]:

Te ruego le sirvas una factura de nuestra mercancía al Capitán Ignacio Pérez incluyendo los números de zapatos que él le dirá. Es para una tropa en marcha que encontré cerca de aquí.

Lo saluda

Fidel Castro Ruz [firma]

LUNES

17

Sierra Maestra

Nov. 17. 58

Sr. Andrés Morales

E. S. M.

Estimado Señor:

Envío al compañero Eduardo Méndez con la misión de hablar con usted y le haga llegar a sus hijos que son militares honorables una exhortación mía a que se unan a la causa justa de la Revolución. Mucha sangre de hermanos ha costado esta lucha, con hombres que caen de uno y otro lado. Es preciso que la tiranía desaparezca. Usted que ha sufrido muy de cerca las desdichas de su patria es uno de los llamados a ayudarnos en esta noble cruzada, para que sus hijos y nosotros no sigamos combatiéndonos.

Lo saluda fraternalmente,

Fidel Castro Ruz [firma]

Sierra Maestra

Nov. 17, 58

Faustino [Pérez]:

Llegué aquí tarde. Los guardias como habíamos supuesto, recibieron la orden de partir. Miguel [Aguilar] que ya estaba en el camino lo primero que hizo cuando llegó el jueves por la mañana fué hacer una carta de su puño y letra, que era una grosería, con la que acompañó la mía que iba en un sobre cerrado. El capitán al leer la de Miguel que iba abierta, se negó con toda justificación a leer la mía.

Lo segundo que hizo Miguel fué retirarse de manera bastante vergonzosa al otro día dejando pasar el refuerzo. El único que hizo resistencia durante 3 horas fué Curunó [Braulio Curuneaux] con 12 hombres.

En consecuencia, los guardias de las Minas se fueron. Fué una chapucería imperdonable. Acabando de salir los guardias llegaban aquí la gente de Luis Pérez, el Mexicano [Francisco Rodríguez], parte de los fusiles de los guardias que se unieron, la tropa de Ignacio [Pérez] y los dos morteros. Gente que vino toda de lugares muy distantes y llegaron puntuales a la cita. Miguel pudo haber rechazado el refuerzo con los sesenta hombres armados que tenía y las bombas contra las tanquetas. A los de las Minas no había que tirarles un tiro; pero al llegar las tanquetas pudieron irse.

Tanto a una tropa como a la otra se le ocasionaron bajas. Pero de esto no vale la pena ni hablar. Las Minas están ya en territorio libre. Quedaba poca mercancía y [me se] dejó casi toda porque es lo único con que cuentan los vecinos de esta zona para los próximos días. Compramos solo latería y otras cosas que no suelen adquirir los consumidores. Si no ocurre hoy algún imprevisto sigo viaje con la tropa reunida a realizar la operación en otro punto. Luego regresaré hacia la zona de Canabacoa según los planes, que desde luego pueden ser modificados de acuerdo con las circunstancias. Todo depende del desarrollo de las operaciones en los demás frentes.

Al fallarme los aparatos de comunicación, estoy desesperado de noticias. Oigo, por suerte, a Radio Rebelde. Ayer recibí el mensaje de Eduardo [Fernández] sobre lo de Gustavo [Arcos Bergnes].

Si llega algo avísale a Horacio lo traslade urgente a las Vegas. Eso es lo que él hará seguramente apenas lleguen las armas. Una vez allí, le dices a Aldo [Santamaría] que envíe una tropa escogida cuyo número debe ser igual a la mitad de las armas que vengan. Cada hombre debe recibir dos armas, las balas posibles y trasladarse a Providencia. Allí que manden a avisar a donde yo esté. Todo esto con la mayor rapidez posible, y tú por otro lado me mandas un mensajero hacia acá.

Te adjunto una clave para que me envíes un mensaje por radio rebelde, apenas llegaran armas.

El mensaje debe ser así: La compra para el hospital ha consistido en... La clave:

springfields= gallinas
garands= gallos

FIDEL CASTRO RUZ

261

M-1= guanajos
balas 30.06= posturas de malanga
balas M-1= posturas de plátanos
balas 7 M.M= matas de maíz
fusiles 7. MM= chivos

Si vienen otras clases de armas, como fusiles antitan-
ques, trípode, etc.= otros animales grandes. Si son pistolas,
ametralladoras, thomson, etc.= otros animales chiquitos.

Creo que con eso baste.

Me dices simplemente "la compra para el hospital ha
consistido en tantas gallinas, tantos gallos, tantas posturas de plátanos, etc.". El mensaje en cuestión o cualquier
otro debe darse al final de la transmisión de las 8, y si es
importante, darlo dos días seguidos, porque a veces la
sintonía no es clara.

Saludos,

Fidel Castro Ruz [firma]

Adicional

Si me avisas de las armas por radio en clave, no tienes
que mandarme mensajero. Cuando los hombres sal-
gan para Providencia, me puedes decir, que "ya Aldo
hizo su trabajo".

A los periodistas americanos, ingleses y canadienses,
les pueden responder que manden el cuestionario,
pero que yo estoy en operaciones muy distantes de

la planta y se necesita por lo menos una semana para llevar las preguntas y traer las respuestas. Que yo con mucho gusto los atiendo.

Puede ser que de un momento a otro mande a trasladar la planta de radio a la zona de Juan Machado.

Si llega algo avísale a Horacio

Sierra Maestra

Nov. 17, 58

Eduardo [Fernández]:

Hay que trasladar la planta. Hazlo durante el jueves y el viernes, para salir al aire si es posible el mismo viernes por la noche. Tienes que ir para los Pinos, cerca de Juan Machado. [Luis] Crespo te indicará. Lleva todos los aparatos que trajo el avión para ver si sirven de algo en el llano. Voy a ver si consigo por aquí abajo una planta eléctrica. Si la consigo Crespo te dirá. Si no, trae la que tienes. Habla de esto con [Carlos] Franqui, para que lo anuncie y prepare también su traslado. Los locutores deben hacer su casa inmediatamente y tú preparar defensas antiaéreas para el nuevo punto. Juan Machado dará facilidades.

Te repito: que hay que anunciar el día antes que Radio Rebelde no saldrá al aire en dos días, debido a la necesidad de trasladar el equipo.

Saludos

Fidel Castro Ruz [firma]

MARTES

18

Sierra Maestra
Nov. 18, 58
Un saludo fraternal a todos los vecinos de Cautillo y Santa Rita que les llevará un valiente soldado revolucionario, compañero Nelson Domínguez.
Fidel Castro Ruz [firma]

S. Maestra
Nov. 18, 58
Luis Pérez:
Te mando a [Feliciano] Puebla para tu tropa, a petición suya y espero que con resignación tuya.
Fidel Castro Ruz [firma]

JUEVES
20

Sierra Maestra

Nov. 20, 58

4 p.m.

Curunó [Braulio Curuneaux]:

Acabo de recibir tu mensaje en este momento 4 p.m. Después de las 12 horas en que escribiste no he recibido más noticias. Veo que se está luchando intensamente desde hace muchas horas [mapas pp. 550, 552 y 554]. Los felicito por el éxito de esta mañana y espero continúen venciendo. Lamento la muerte del compañero que me informas. Por la noche trataré de hacer contacto directo contigo. Te mando 500 balas 30.06.

Fidel Castro Ruz [firma]

Sierra Maestra

Nov. 20, 58

Curunó [Braulio Curuneaux]:

Después de analizar detenidamente la situación, de acuerdo con los datos que me brindan distintos compañeros, considero conveniente replegar las fuerzas conformándonos con la espléndida victoria de hoy, por ser imposible y tal vez demasiado ambicioso hacer más. La gente está agotada, no tenemos parque ni minas.

Retira tu tropa hacia acá, así como la de [Rafael] Verdecia y [Reinaldo] Mora [documento p. 517] y cualquier hombre de alguna otra unidad que quede por ahí.

Fidel Castro Ruz [firma]

Sierra Maestra
Nov. 20, 58
Ignacio [Pérez]:
Se ha combatido durante casi 12 horas; la gente está agotada y el parque muy escaso; el saldo hasta este momento completamente favorable, pero es muy arriesgado proseguir la batalla en el estado del parque y el cansancio de los hombres. Vamos a replegarnos con nuestros laureles [incompleto]

Sierra Maestra
Nov. 20, 58
[Luis] Crespo:
Necesito que me resuelvas un problema con mucha urgencia. Preséntate donde está [Raimundo] Roselló y dile que te entregue todas las balas M-1, 30.06 y calibre 45 que haya en las Vegas. Manda a buscar a la Plata todas las balas antitanque que allí hay; todo eso y además las minas y bombas de cien libras o de cualquier otra clase que tengas me las envías hasta alcanzarme. En estos

momentos estoy en Guisa donde se está librando un gran combate.

También quiero que le pidas a Roselló 400 fulminantes eléctricos, de los que están allí.

Otra cosa: si llegó el avión con armas, Faustino las iba a mandar a Providencia con unos muchachos de la Escuela de Recluta. Tan pronto lleguen ahí, los mandas para acá con todas las armas y balas que hayan llegado.

Espero no te falte un solo detalle.

Saludos

Fidel Castro Ruz [firma]

P. D. Recuérdate que en la Plata hay una bomba de cien libras. Puedes emplear para el transporte de esto los 14 mulos que te mandé recoger.

VIERNES
21

Sierra Maestra,

Nov. 21 de 1958

Juan Machado [Linares]:

Te ruego que me mandes urgente las balas que te llevaron ahí de las que se recogieron en [el almacén] Roca y Álvarez pues las necesito urgente.

Fidel Castro Ruz [firma]

Adicional

Juan Machado:

Además de las balas que tú tienes ahí y que quiero que me mandes enseguida con el portador, quiero que mandes un hombre urgente a ver a Roselló para que le lleve a las Vegas el papel que va junto con este para él. También quiero que Roselló le mande a [Orlando] Benítez un papel que va para él. Benítez está en el Alto de Mompié, por si no está allí. Benítez que le dé el papel a Baldo [Mauro La Rosa Labrada, *Boldo*]. Benítez tiene que mandar unas balas que hay en el Alto de Mompié, pero el hombre tuyo no tiene que esperar respuesta de Benítez, para no perder tiempo, sino recoger las balas que le dé Roselló y salir enseguida para ahí y de ahí tú me las mandas. Cuando lleguen las balas que tiene que mandar Benítez, tú me las mandas con otro hombre.

Fidel

Sierra Maestra

Nov. 21, 58

11 y 30

Curunó [Braulio Curuneaux]:

Yo estoy aquí entre Santa Bárbara y Guisa y no he tenido ninguna noticia de tropa avanzando por este lado. No sé de dónde salió esa noticia. Estoy aquí a solo unos metros del camino. Investiga quién fué el que dió la orden y por qué motivo, porque yo no he mandado a decir una palabra. Además, si vinieran por aquí soldados, tendrían que combatir primero con Ignacio [Pérez] y después aquí con [Reinaldo] Mora. Habría tiempo de sobra para retirar la gente, que en todo caso, en una posición buena, puede siempre esperar la noche.

Te mando este papel, porque me dijeron que alguien les dijo a ustedes de parte mía que se retiraran. Eso no es verdad.

Fidel Castro Ruz [firma]

Sierra Maestra

Nov. 21, 58

A cualquier miembro del Movimiento 26 de Julio o del Ejército Rebelde:

El portador, que es lechero, tiene permiso para transportar leche al pueblo, haciéndose pasar como persona que no acata nuestras disposiciones, con el objeto de poder realizar misiones muy importantes.

Fidel Castro Ruz [firma]

P. D. Tengo sumo interés en que no se le obstaculice en ninguna forma.

S. Maestra

Nov. 21, 58

Luis Pérez:

Mándame el Minipax.

Fidel Castro Ruz [firma]

S. M.

Nov. 21, 58

Luis Pérez y Mexicano [Francisco Rodríguez]:

Los guardias no entraron en Guisa. Curunó [Braulio Curuneaux] ocupó las dos trípodes del tanque. Ustedes deben descansar unas horas y regresar por la tarde a la zona de lucha. Todo el mundo va a seguir hoy en sus puestos.

Fidel Castro Ruz [firma]

Sierra Maestra

Nov. 21, 58

Roselló:

Yo mandé a Crespo que recogiera todas las balas que quedaron en esa. Pero necesito que me mandes delante urgentemente tres mil balas de 30.06 y tres mil de M-1.

Fidel Castro Ruz [firma]

P. D. Va un papel para Benítez o Boldo, a fin de que remitan unas balas de fusil italiano. Mándale el mensaje, pero no esperes por las balas italianas porque se perdería un día; me mandas primero las de M-1 y 30.06 que te pido; y luego mandas las italianas a Juan Machado con otro mensajero.

SÁBADO
22

S. M.

Nov. 22, 58

7 y 35 a.m.

Curunó [Braulio Curuneaux]:

Hay que prestar un trípode de ametralladora para que hagan los dos que necesitamos. Mañana mismo estará de regreso. No nos queda otra solución. Préstale el que hizo [Luis] Crespo, para que los hagan igual. Si quieres alguna mejora se la dices. Ven para acá con tus pelotones, que tengo sitio magnífico para campamento.

Fidel Castro Ruz [firma]

DOMINGO
23

S. Maestra

Nov. 23, 58

Luis Pérez:

Trasládate con tu tropa a la finca de Mon Corona [en Hoyo de Pipa], donde estábamos el día del combate, tan pronto recojas y estés listo. Ruego te apures.

Fidel Castro Ruz [firma]

Sierra Maestra

Nov. 23, 58

Cabo García Pérez

Soldado Morales

Estimados compatriotas:

La compañera Blanca Viamonte me informó de la entrevista con ustedes ayer y el objeto de la misma. Por casualidad me encuentro en esta zona. Comprendo el deseo de ustedes de entrevistarse con un oficial responsable de nuestro Movimiento, pero en este instante es difícil por encontrarnos en operaciones.

El Tte. [Rodolfo] Villamil está muy lejos, por la zona de Estrada Palma. Los otros oficiales del Ejército, Comandante Quevedo y los capitanes Durán [Batista] y [Victorino Gómez] Oquendo están en misiones.

A mi entender ustedes deben actuar rápidamente, antes de que los trasladen, los descubran o lo que es peor, los envíen a combatir contra nosotros, pues en estos días va a haber lucha.

Sería un golpe formidable, que si ustedes pueden contar con un grupo de diez o quince, no se conformen con venir con sus armas simplemente sino que se apoderen por sorpresa de los dos o tres tanques Sherman que hay en la Granja y vengan con ellos. Eso no es difícil. Estudien esa posibilidad, que si lo consiguen, al otro día podemos tomar la Granja con el apoyo de esos tanques, y ocasionar una catástrofe a la Dictadura. Explíquenle a Blanca si consideran esto posible y qué opinan. De todas formas, deben actuar cuanto antes. Tan pronto vengan yo tendré el gusto de recibirlos personalmente.

Un saludo fraternal

Fidel Castro Ruz [firma]

LUNES
24

Sierra Maestra

Nov. 24, 58

Se ordena detener al Sr. José Carlos Pérez, que haciéndose pasar por Teniente Rebelde está cometiendo una serie de abusos contra los vecinos en la zona de Sta. Rita de Veguitas. Debe ser remitido al auditor Jorge Mendoza, quien debe remitirlo a Puerto Malanga mientras se investigan los hechos. Hay contra él numerosas denuncias.

Fidel Castro Ruz [firma]

En medio de la guerra siempre nos preocupó preservar la vida de seres inocentes, en especial mujeres, ancianos y niños, por lo que invariablemente advertíamos con anticipación de los peligros y llamábamos a la evacuación a lugares seguros.

FIDEL CASTRO RUZ

SIERRA MAESTRA
11/24/58
1:00 PM
A LOS VECINOS DE GUISA:

Hemos tratado a toda costa de evitar que Guisa se convierta en campo de batalla; incluso durante el curso del violento combate del día 20 en la carretera de Guisa a Bayamo, a unos cientos de metros de ese pueblo no se hizo un solo disparo contra el cuartel, pero el enemigo se empeña en mantener en ese punto una guarnición que nos vemos en la necesidad de rendir o desalojar, y lo que es peor aún, los soldados de la dictadura han convertido en cuarteles y fortificaciones los principales edificios de la localidad.

Ante esta situación el Ejército Rebelde solicita de los vecinos de Guisa que evacuen inmediatamente el pueblo para que nuestras tropas puedan proceder al desalojo de los soldados enemigos, sin que se produzcan bajas en la población civil. Cumplimos un deber humano al advertir este peligro, aunque sea a costa de sacrificar el factor sorpresa.

De las pérdidas materiales que se deriven caerá toda la responsabilidad a la tiranía por haber convertido en fortaleza militar una localidad de familias, sin escrúpulo alguno por la vida y los intereses de sus pacíficos habitantes.

La evacuación debe hacerse hacia el interior del territorio libre. Nadie puede moverse hacia Bayamo, Santa Bárbara o Corralillo. Cada familia debe llevar consigo sus objetos de valor.

La población debe protestar enérgicamente contra cualquier intento de impedir la evacuación. Ningún ejército tiene derecho a escudarse en la población civil. Si eso se hiciera sería considerado como un crimen de guerra y en consecuencia los responsables tendrían que responder de sus hechos ante tribunales revolucionarios y no tendrían derecho a ser tratados con las consideraciones que siempre hemos tenido con los prisioneros de guerra.

Fidel Castro

S. Maestra

Nov. 24, 58

11 y 40 p.m.

Tte. Puerta [Orlando Rodríguez Puertas]:

He sido informado que los guardias tomaron hoy a las 3 p.m. la loma del Matadero, evidentemente por negligencia de los hombres que debían haberla ocupado desde temprano, de acuerdo con las instrucciones que yo le di a usted, indicándole que debía situar allí 14 hombres armados con Cristobals.

No estoy seguro de que los guardias permanezcan allí todo el día. Parece ser que por las tardes situaban allí una posta hasta por la mañana siguiente.

Hay que estar atento para que sea ocupada, apenas ellos bajen. De permanecer allí, entonces tengo un plan para desalojarlos que llevaré a cabo con una escuadra que está por aquí.

No me descuide esos detalles. Sea exigente con los hombres y adviértales la responsabilidad de estar siempre muy alertas y hacer las cosas bien. Otra cosa: dígale a los hombres que estarán en esa posición del Matadero cerca de ella que no disparen sobre el cuartel si no reciben órdenes, y que hagan fuego solamente si los guardias avanzan sobre ellos.

Hoy hubo combate por el camino del Corojo, con una tropa que venía avanzando. Se le hicieron 4 prisioneros y se les ocuparon 5 armas largas después de rechazarlos.

Mucho éxito.

Fidel Castro Ruz [firma]

S. Maestra

Nov. 24, 58

11 y 40 p.m.

Curunó [Braulio Curuneaux]:

La gente de Ignacio [Pérez] rechazó sin mucho trabajo la tropa que venía avanzando, haciéndole 4 prisioneros y ocupándoles 5 armas largas y una microonda.

Te envío el trípode que te faltaba.

Creo que mañana tratarán de entrar. Yo espero que sea un éxito para nosotros por dondequiera que vengan.

Mañana te escribo más extenso.

Saludos

Fidel Castro Ruz [firma]

MARTES
25

Sierra Maestra,

Nov. 25, 58

3 y 15 p.m.

Curunó [Braulio Curuneaux]:

Posiblemente el detonador tuyo se humedeció el día de la lluvia, o tal vez se le haya zafado un cablecito dentro. Te envío uno nuevo que tiene mucha potencia. Recuerda que basta que dé una chispita.

Respecto al cuartel de Guisa, ya tenemos una escuadra en la loma de Teófilo de 6 hombres con springfields, en la loma de la Estrella 5 hombres que tienen 1 garand y 4 springfields; en la loma del Matadero le ordené al Teniente Puerta [Orlando Rodríguez Puertas] que está de Jefe de la tropa que mandaba Luis Pérez que pusiera 14 Cristobals. Ayer a las 3 p.m. todavía no la habían tomado y los guardias se posesionaron en ella, pero bajaron por la madrugada y nuestra gente pudo entonces tomarla. Tal vez los guardias choquen con ellos si vuelven a subir.

FIDEL CASTRO RUZ

En esos tres altos que son básicos he mandado hacer trincheras buenas. Ya tengo también alto-parlantes.

El plan mío con Guisa es ir tomando las postas del pueblo una por una, de noche, empleando un mínimo de hombres. Tú sabes que tenemos que ahorrar balas y la única manera es destinando muy pocos fusiles al fuego de hostigamiento. Las balas, más que nunca hay que ahorrarlas para combatir a los refuerzos. Pienso dedicar solo las escuadras que están en la loma de Teófilo y la Estrella para hostigarlos. La gente tuya no debe disparar sino en caso de que se esté combatiendo de día en el pueblo y ellos traten de salir del cuartel para apoyar alguna posta. La gente de Puerta que está en la loma del Matadero, tampoco debe disparar a no ser que le vayan a tomar la loma, pues los Cristobals tienen pocas balas y no hacen gran cosa a distancia. Pienso dejar el mortero 81, para cuando ellos hayan abandonado los edificios del pueblo y se concentren en el cuartel. Por lo demás, mi principal preocupación ahora es que ellos no pasen por el camino del Corojo, ya que sé que por ahí donde tú estás no pasarán de ninguna forma. La tropa que emplee por las noches en Guisa, por el día las tendré en posición para combatir cualquier refuerzo que venga por este camino. Hoy venían avanzando por el mismo lugar que ayer, pero yo mandé poner anoche una mina mucho más adelante, y según me informó Ignacio [Pérez] hace un rato volaron una tanqueta con soldados.

Más atrás de la línea de Ignacio, entre Santa Bárbara y Guisa tenemos otra línea muy estratégica y varias minas. Para nosotros es negocio que manden refuerzos. Guisa caerá pedacito a pedacito. Me parece que todo marcha bien. Manda a buscar mañana dos latas de Milo y varias de leche condensada que me regalaron y te las voy a mandar.

Saludos a tus bravos muchachos. He ordenado para ellos mucha comida que será situada en la casa de [Mon] Corona.

Fidel Castro Ruz [firma]

Sierra Maestra

Nov. 25, 58

3 y 30 p.m.

Tte. Puerta [Orlando Rodríguez Puertas]:

Los hombres suyos deben hacer muy buenas trincheras en la loma del Matadero [documento p. 516], contra avión y contra morteros. No deben estar además muy juntas. Como esos hombres están armados de Cristobals y el parque está escaso, no deben disparar sobre el cuartel aunque sepan que se está combatiendo en el pueblo, pues no reportaría gran beneficio y se gastarían balas. Si usted viera que en el pueblo se está luchando y desde esa posición se pudiera hostigar con éxito a los guardias del cuartel, sustituya entonces cinco hombres de Cristobals, mándelos para donde está la 30, y ponga allí 5 springfields, para que disparen con mucha puntería y muy de cuando en cuando. Pero sobre eso no hay apuro. El cuartel no interesa por ahora, lo que interesa es rechazar los refuerzos. Contra la guarnición voy a emplear muy pocos hombres, atacando las postas una por una, de noche preferentemente. Las escuadras que se dedicarán preferentemente a hostigar a la guarnición son dos que están situadas en la loma de Teófilo y en la de la Estrella. Los del Matadero, por ahora, van a estar allí para impedir que ellos la tomen o traten de salir por ese lado. Espero puedas captar mis ideas respecto a la guarnición.

Por experiencia sé que si empleamos muchos hombres contra guardias atrincherados gastamos todo el parque. Vamos a obligarlos a ellos a que tengan que avanzar con los refuerzos contra nuestras posiciones atrincheradas. Si rechazamos los refuerzos, los de adentro no tienen salvación posible.

Saludos a los compañeros
Fidel Castro Ruz [firma]

P. D. Por el camino del Corojo, hoy se voló una tanqueta con guardias de una tropa que venía avanzando.

LUNES
26

Sierra Maestra

Nov. 26, 58

[Evelio] Laferté:

Leí tu carta a Montero [Ricardo Montero Duque, capitán del Ejército de la tiranía]. No puede ser realmente más convincente y emotiva. Creo que algún día debe publicarse.

Sobre lo de la muchacha me parece que debes consultar tus dudas con el propio Montero, diciéndole que yo queriendo complacerlo mandé ponerla en libertad; pero que en ausencia mía, por considerar el riesgo que implica han aplazado la ejecución de la orden, en espera de nuevas instrucciones en vista de nuevas sospechas. En fin que el asunto debe tramitarse con la mayor delicadeza para él; y decide tú en último término lo que creas mejor.

¡Cigarros! ¿Es posible que por ahí no se pueda conseguir ni una caja? Te mando 25 pesos para gastos personales.

Para el caballo te mando 100 pesos. No es mucho pero puedes hacer la compra de uno bueno en dos plazos y respondo al crédito.

Un abrazo para [Rodolfo] Villamil y para ti.

Fidel Castro Ruz [firma]

P. D. Noticias: Tenemos sitiado a Guisa y estamos fuertemente atrincherados en espera de los refuerzos [mapa p. 556]. La acción se está librando en dos etapas. Hubo que hacer un receso el día 21, parte por un error de información y parte por exceso de cansancio en el personal y escasez de parque. La cuestión fue que después de rechazar un refuerzo luego de combatir 10 horas el día 20 por la noche, obrando de acuerdo con los informes de un capitán que aseguró que los refuerzos habían penetrado al fin al anochecer, y viendo yo que no había balas, ni minas, y la gente estaba agotada ordené replegarse a la tropa, pero mandé a buscar balas y minas urgentemente y dos días después ocupamos de nuevo posiciones que va a ser duro romperlas. Tenemos 31 armas más entre ellas dos trípodes, balas y minas de reserva. Moral alta, trincheras por centenares y deseos de vencer. Por un inexcusable error, el mando del enemigo reforzó solo con 40 hombres la guarnición el día 21 y no tomó ninguna de las posiciones claves que están hoy en manos nuestras. El 24 y el 25 se rechazaron los refuerzos por el camino del Corojo. Todo parece marchar bien.

Fidel Castro Ruz [firma]

Sierra Maestra
Nov. 26, 58
A todos los muchachos de Radio Rebelde:
Aquí estoy echándole de menos a ustedes. Ya tengo altoparlantes pero no tengo locutores. Pronto va a llegar aquí una planta transmisora potente, pero sin Eduardo [Fernández] y ustedes nada funciona.

Tenemos una fuerte línea de defensa entre Bayamo y Guisa. Es como un Jigüe pero a las puertas de Bayamo. Aquí la pelea es contra tanques, pero ya hay uno boca-arriba. No tengo aquí a los veteranos, pero la tropa se está portando bien. Curunó [Braulio Curuneaux] hecho un león; ha abierto en un firme más de 200 trincheras. Picos y palas por la libre. La gente, buena, y acariciando todos la idea de comprar en Guisa muchas chucherías.

Abrazos a todos
Fidel Castro Ruz [firma]

Un abrazo,
Celia Sánchez Manduley [firma]
11/26/58

Sierra Maestra

Nov. 27, 58

9 p.m.

Puerta [Orlando Rodríguez Puertas]:

Los guardias están retrocediendo. Al anochecer se le puso una emboscada entre Guisa y el entronque de la Central y parece que cayeron en ella. Queda un grupo atrás que no pudo retirarse temprano porque tenían dificultades para pasar los tanques ligeros. También les tengo puesta una emboscada pero temo que si los primeros cayeron en la otra, estos no se atrevan a seguir retirándose de noche. Ha sido una gran victoria [mapa p. 558], aunque nos costó la pérdida del mejor oficial que contábamos [Braulio Curuneaux].

Mañana con toda seguridad que no vienen refuerzos. Todo lo más, ayudarán a sacar a los que quedan por el puente si no salen esta noche. Así que mañana le puedes dar descanso a tu tropa por esos alrededores. Los únicos que tienen que permanecer en su posición son los del Matadero. Pero, dale instrucciones de que hasta nueva orden no disparen sobre el cuartel. Fíjate bien: podemos hacerles un truco, haciéndoles creer que allí no hay nadie. Eso servirá para dos cosas: que los aviones no les tiren y la posibilidad de que los guardias suban allí y puedan hacérseles varias bajas. Manda dos o tres hombres a buscar balas. Me dices cuántas armas tienes y de qué calibre y cuántas balas tienen de promedio aproximadamente. Dime si te queda dinero y si pasan mucha hambre [documento p. 523].

Saludos.

Fidel Castro Ruz [firma]

Adicional

Si los guardias de Guisa tratan de irse, los del Matadero deben abrirles fuego.

Pasado mañana temprano todo el mundo debe estar de nuevo en su posición. Aprovechen el tiempo para mejorar las trincheras todo lo que puedan.

Sierra Maestra

Sr. Teniente [Renaldo Blanco, jefe Co. de Guisa]:

El portador lleva un mensaje mío para usted. Deseo que usted entienda que hablo con el más fraternal propósito. Sé que usted es un militar recto y valiente, algunos piensan que algo duro con el pueblo, pero usted es demasiado joven para tener mancha. Su vida es hoy como un libro en blanco que usted puede llenar de páginas gloriosas al servicio de la patria: usted tiene en sus manos su propio destino; junto a la tiranía que ha ensangrentado nuestra tierra usted cometería el crimen de manchar su vida joven sin remedio posible. Morir en aras de una causa injusta que aborrece nuestro pueblo no honra a nadie. Nadie se detendrá mañana a rendir un tributo en la tumba de un defensor de la dictadura y vivir después de haberla defendido es peor que morir, porque se carga por toda la vida el peso de esa infamia sobre usted, el temor a la muerte en nada puede influir; pero sí debe influir el temor a la deshonra. Sin honra no hay valor verdadero; todo lo más un valor irracional que hasta los animales lo poseen.

Nadie puede ser verdadero militar cuando no dedica su energía y su valor a defender algo noble. Los grandes militares ganaron su fama y su gloria combatiendo por su patria y su libertad. Por eso ningún general de España podría brillar como Maceo. Ningún militar de Europa pudo superar a Napoleón, que era un oficial revolucionario; como ningún general romano pudo compararse con Aníbal. Solo junto a la causa justa de la libertad y de la patria el talento militar se desarrolla. [En] Los mismos soldados, nunca podrá compararse el entusiasmo del que lucha por un ideal voluntariamente con el desgano de los hombres que son obligados a morir por bastardos intereses. Nosotros no descansamos ni de día ni de noche, no hay distancias, no hay esfuerzos, no hay sacrificios que nos desalienten. La causa es solo una: la convicción de que estamos cumpliendo un deber sagrado. No confunda usted la honra verdadera con la honra falsa.

Usted como todo cubano está en el deber de servir a su pueblo. Lo honrado sería que usted combatiera a la tiranía y no a la revolución que quiere el bien de todos los cubanos incluso los militares. Aquí están siendo atendidos los heridos de esa guarnición; los prisioneros han sido tratados con todo respeto, como es proverbial en nosotros. Sentimos que algunos cayeran. La acción estaba dirigida a otros fines, no contra esa tropa de Guisa. Guisa no nos interesa, nos interesa Bayamo. No se disparó contra ese cuartel un solo tiro; y ojalá no tenga que derramarse una sola gota de sangre entre esos soldados y nosotros, y eso depende de usted esencialmente. Lo que usted decida lo decidirán sus soldados, toda la vida le agradecerán que usted los salve de la deshonra y de tal vez la muerte, aunque algunos de ellos hoy no lo comprendan claramente. Si no lo hace, el día de mañana sus propios hombres se lo echarán en cara. Cuando cayó Machado los soldados culparon a los oficiales por no haberles orientado como jefes que eran y los destituyeron de sus mandos. La inmensa mayoría de los oficiales están enteramente contra la Dictadura, pero sin embargo se les hace muy difícil actuar. Hay un modo muy sencillo: confraternizar con los revolucionarios y negarse a seguir defendiendo la tiranía; así podría terminarse la guerra sin más sangre, y para eso no hace falta conspirar sino tomar decisiones. Es algo que pueden hacer o no todos los oficiales dignos y todas las unidades; así borrará el Ejército de Cuba toda la deshonra y la sangre fratricida que

FIDEL CASTRO RUZ

ha lanzado este régimen contra los institutos armados. Yo a usted no lo invito a rendirse, porque ni lo estoy atacando ni deseo atacarlo; lo invito a usted y a sus hombres a que se unan a la revolución que es lo que deseamos de todos los militares honorables y no combatir contra ellos.

Espero que un hombre joven como usted comprenda y sepa apreciar estas sinceras palabras y no malgaste su energía, su valor y su juventud en aras de una infame y vergonzosa causa.

Fidel Castro R.

Noviembre 27 de 1958
Dr. Fidel Castro
Comandante Jefe:

El portador, Sr. Carlos Hernández Miranda, fué mi jefe en Camagüey como Coordinador Provincial de Propaganda; es un gran luchador y un elemento puro, desinteresado y noble. Ya es imposible que trabaje en Camagüey y desea quedarse en Territorio Libre si usted lo aprueba.

[Carlos] Franqui no ha llegado todavía por lo que la Comisión que usted nombró sigue funcionando, cuando llegue le entregaremos la dirección de Radio Rebelde.

Comandante, estoy a su entera disposición si me necesita con los magnavoces que le han llegado. Aunque de esto no he hablado con Orestes [Varela] y Ricardo [Martínez], estoy seguro que ellos están igualmente dispuestos a servirle donde podamos ser útiles.

Siempre a sus órdenes:
Jorge E. Mendoza

P. D. Comandante: Si usted lo autoriza desearía que el
Sr. Carlos Hernández se quedase a trabajar conmigo
en la Auditoría.
Jorge E. Mendoza

Mendoza:
No tengo objeción alguna en lo que me pides.
[firma]
Dr. Fidel Castro
Comandante Jefe
E.S.M.

RADIO REBELDE

Hoy se conmemora un aniversario más del fusi-
lamiento de los Estudiantes en 1871.

El Ejército Rebelde, que tiene en sus filas de hombres
y mujeres del pueblo a tantos estudiantes que han dado
el ejemplo más alto de desinterés y sacrificio, saludan
en este 27 de Noviembre la presencia de los compañeros
dirigentes de la Federación Estudiantil Universitaria en
las ya invencibles columnas que avanzan en la lucha final
contra la Dictadura.

Esta fecha —que tantas veces celebramos del brazo
de nuestros compañeros estudiantes, en las luchas de

calle contra la Opresión— <u>nos brinda una evocación de especial significación, en momentos en que se incorporan al Ejército Rebelde, cientos de soldados del Ejército de Cuba</u>.

Junto al recuerdo de los mártires del 71, brilla en la Historia el nombre de Nicolás Estévanez, el bravo oficial español que quebró su espada en la Acera del Louvre, antes que hacerla cómplice de un crimen abominable.

Aquel gesto, valiente y resuelto del Capitán Estévanez, salvó, en días de oprobio, el honor del Ejército de España. No quiso Estévanez luchar contra sus compañeros, pero en gesto de noble hidalguía militar, supo quebrar su espada, antes que mancharla con la sangre de unos inocentes.

Aquella actitud de un militar de dignidad, capaz de volver sus armas contra el Abuso, la Injusticia y el Crimen; vuelve a repetirse 87 años después, al plantearse otra vez en Cuba, la lucha necesaria entre la Libertad y el Despotismo.

Como ayer el Ejército Español pudo dar un Nicolás Estévanez; hoy, el Ejército de Cuba tiene también militares de dignidad y pundonor que unen sus armas al pueblo:

Cada militar cubano —como los tenientes [Rodolfo] Villamil y [Ubineo] León, como los soldados y clases de la compañía de Charco Redondo, como tantos y tantos hombres de uniforme que diariamente se incorporan al Ejército Rebelde—, <u>cada militar</u> capaz de comprender que no puede haber dignidad, jerarquía ni mando honorable en jefes que sean vulgares ladrones o cobardes asesinos; cada militar consciente de su deber patriótico que procura su honra uniéndose a las columnas de la Libertad; cada militar que abandona la comodidad del cuartel por la vida esforzada del rebelde, merece respeto y gratitud de la Patria, y su gesto de hoy, sabrá registrarlo la Historia con igual consideración al que hoy evocamos de Nicolás Estévanez, el bravo oficial español que quebró su espada el 27 de Nov. de 1871, avergonzado ante el crimen repugnante e inútil.

Sierra Maestra
Segundo Frente
Casi no entender mensaje.
Avión derribado hacer pedazo todo.

Yo estar zona Guisa guarnición cercada, batalla desarrollar frente a Bayamo. Enemigo no poder mover tropas para otros frentes. Tú aprovechar continuar ofensiva.

Fidel Castro R.

Faustino [Pérez]:

Te adjunto un acta sobre robo de ganados que me envía Víctor Mora. Los acusados han sido enviados para Puerto Malanga según me informan.

Fidel Castro Ruz [firma]

De forma constante exaltábamos el espíritu irredento de nuestro pueblo en pie de lucha, fiel al legado de los próceres de las contiendas mambisas por la independencia y la justicia.

AL PUEBLO DE CUBA:

La decidida y viril actitud adoptada por el pueblo de Cuba frente a la usurpación del 10 de marzo ha revelado que nuestra nación no sabe vivir sin libertad y que está dispuesta a obtenerla cueste lo que cueste; ésa ha sido la conducta del criollo a través de la Historia y la generación actual está cumpliendo cabalmente con esa tradición. El mismo espíritu libertario y afán de justicia que impulsó a Agüero y Armenteros, a Céspedes y Agramonte, a Maceo y Martí, es el que hoy está llevando a los hombres y mujeres de Cuba a escribir las páginas más hermosas de nuestra etapa Republicana. Hay tanto arrojo, tanto desinterés, tanta abnegación en los que hoy luchan, que los ojos del mundo están puestos sobre la situación de Cuba.

Ya hemos dicho que la lucha por la Libertad es la más hermosa de todas las batallas. En la obra cumbre del idioma castellano se escuchan de labios de El Quijote estas palabras:

La libertad es uno de los más preciados dones que a los hombres les dieron los cielos, con ella no pueden igualarse los tesoros que encierran la tierra y el mar, y por ella como por la honra se puede y debe aventurar la vida.

Y por ser libres los cubanos lo están dando todo, lo están aventurando todo, hasta la propia vida.

Pocos ejemplos tan hermosos como éstos ha registrado la historia de la Humanidad. Nunca aceptaremos las cadenas, la esclavitud jamás ha sido nuestra vocación. Como pueblo, los cubanos de hoy aprendieron del apóstol que "la perla está en su concha y la libertad en el espíritu humano". Dos cosas hay que son gloriosas: el sol en el cielo y la libertad en la tierra.

Mintiendo al Ejército, el tirano pretendió ahogar nuestras ansias de libertad, continuar la usurpación, mantener la injusticia, prolongar el crimen; pero se puede mentir hasta un día porque la verdad [que] no es cosa que pueda sepultarse indefinidamente. Recordemos con Lincoln "que puede engañarse a todo el pueblo una vez, que puede engañarse una parte de él todas las veces, pero no puede engañarse al pueblo todas las veces".

Ya el pueblo todo de Cuba y Unidades enteras del ejército, han comprendido la razón y la justicia de esta causa libertaria; allí están los 52 militares de Charco Redondo encabezados por los tenientes Rodolfo Villamil y Ubineo León Sánchez, que vinieron a confraternizar con su pueblo trasladándose al territorio Libre de Cuba.

FIDEL CASTRO RUZ

293

Siempre es lamentable la sangre derramada entre cubanos; pero nosotros no provocamos esta guerra, esta guerra la provocó la tiranía. El Ejército de la República es una institución pública al servicio del bienestar del pueblo y no de la tiranía actual que está atentando contra Cuba y contra su destino. Decía Martí que "las instituciones públicas no andan seguras sino cuando se cimentan sólidamente en el bienestar del pueblo". Por eso, día tras día llamamos a los militares que tengan sus manos limpias de sangre y oro mal habido para que vengan a confraternizar con su pueblo en el Territorio Libre de Cuba, como ya lo hicieron los 52 soldados, clases y oficiales de Charco Redondo.

La actual tiranía hace más de 6 años está dañando a la Patria de todos. Desde el 10 de marzo del 52 nada ni nadie está seguro en Cuba. Bajo las cadenas de la opresión: CUBA SUFRE. El hombre es aquí un verdadero paria. Las conquistas sociales del obrero han sido destruidas de un solo tajo. Todas las clases del país, desde las más altas hasta las más humildes, se han visto lesionadas por las arbitrariedades de la tiranía. Por romper esas odiosas cadenas, por sacar al cubano de tan humillante situación, trabajamos incesantemente. Nadie tiene el derecho de dormir tranquilo; mientras haya un solo hombre infeliz y sin libertad y justicia no puede haber felicidad.

Estamos a un paso de derrocar al régimen de las provocaciones, al mantenedor de la desigualdad, el crimen, la esclavitud y lo injusto.

En esta hora decisiva, Cubanos [Cubano], no le niegues a la Patria tu concurso. No es la hora de las vacilaciones, no es la hora de colocar su interés personal sobre el de todo un pueblo, no es la hora de sentarse a esperar para que otro resuelva.

Cubano, al alcance de tu mano está el resorte maravilloso que dará al traste con toda la ignominia de la dictadura. Es la HORA DE LA REVOLUCIÓN, ES LA HORA QUE MARCA EL MERIDIANO DE LA LIBERTAD.

FIDEL CASTRO R.

Diciembre de 1958

El primer día del mes de diciembre redacté el parte militar sobre la Batalla de Guisa, publicado en esa misma fecha por la emisora Radio Rebelde. La información pormenorizaba las bajas enemigas y los pertrechos ocupados; destacaba, además, la bravura del capitán Braulio Curuneaux, caído en combate casi al final de los enfrentamientos.

Radio Rebelde

Última hora: La Batalla de Guisa. Tomado el pueblo por las fuerzas rebeldes. Más de doscientas bajas ocasionadas al enemigo. Un tanque, dos morteros, una bazooca, siete ametralladoras trípode, 94 armas largas y cincuenta y cinco mil balas ocupadas.

Repetimos... Hemos recibido de la Comandancia General el siguiente parte:

Ayer, a las 9 de la noche, después de diez días de combate nuestras fuerzas penetraron en Guisa. La batalla tuvo lugar a la vista de Bayamo, donde está situado el puesto de mando y el grueso de las fuerzas de la dictadura. Se combatió contra nueve refuerzos enemigos que vinieron sucesivamente, apoyados en tanques pesados, artillería y aviación.

La acción de Guisa se inició exactamente el 20 de noviembre a las 8 y 30 de la mañana [mapa p. 550], al interceptar nuestras fuerzas una patrulla enemiga que diariamente hacía el recorrido de Guisa a Bayamo, poniéndole fuera de combate a los pocos minutos. Ese mismo día a las 10 y 30 de la mañana [mapa p. 552] llegó al lugar de la acción el primer refuerzo enemigo contra el que se combatió hasta las seis de la tarde en que fue rechazado. A las 4 P.M. un tanque T-17 de 30 toneladas quedó destruido por una poderosa mina [mapa p. 554]. Fue tal el impacto de la explosión que el tanque se elevó varios metros y cayó más adelante con las ruedas hacia arriba y la torre clavada en el pavimento de la carretera.

Horas antes un camión repleto de soldados había sido también destruido por efecto de otra potente mina. A las seis de la tarde el refuerzo se retiró.

Al día siguiente el enemigo avanzó apoyado con tanques Sherman y logró penetrar en Guisa, dejando un refuerzo en la guarnición. El 22 nuestras tropas, repuestas del cansancio de dos días de continuas luchas tomaron de nuevo posiciones en la carretera de Bayamo-Guisa. El 23 una tropa enemiga intentó avanzar por el camino del

Corojo siendo rechazada. El 25 [realmente fue el día 26, documento p. 521] un batallón de infantería precedido por dos tanques T-17 avanzaba de nuevo por la carretera de Bayamo a Guisa en un convoy de 14 camiones. A dos kilómetros de este punto las tropas rebeldes hicieron fuego contra el convoy a ambos lados de la carretera cortándole además la retirada, mientras una mina paralizaba el tanque de vanguardia. Se inició entonces uno de los más violentos combates que se han librado en la Sierra Maestra [mapa p. 556]. Había quedado sitiada no sólo la guarnición de Guisa sino el batallón completo que vino de refuerzo. Estos contaban en el interior del cerco con dos tanques T-17. A las 6 de la tarde el enemigo había tenido que abandonar todos los camiones, agrupándose estrechamente alrededor de los dos tanques. A las 10 de la noche, mientras una batería rebelde de morteros [del] 81 atacaba a la fuerza enemiga, reclutas revolucionarios armados de pico y pala abrieron una zanja en la carretera junto al tanque destruido el día 20, de modo que entre los restos de este y la zanja quedaba obstaculizada la salida de los dos tanques T-17 que estaban en el interior del cerco. A las dos de la mañana una compañía rebelde avanzó desplegada contra el enemigo batiéndolo fuertemente contra los tanques, donde quedaron sin agua y sin comida.

Al amanecer del 27 dos batallones de refuerzo de Bayamo, precedidos por tanques Sherman llegaron al lugar de la acción [mapa p. 558]. Se combatió contra ellos

FIDEL CASTRO RUZ

durante todo el día 27. A las seis de la tarde los blindados y la Infantería enemigas iniciaron retirada general. Los Sherman pudieron salir gracias a sus ruedas de estera. Tras ellos arrastraron uno de los tanques T-17, pero el otro no pudo ser retirado. Sobre el campo lleno de cadáveres enemigos quedaron numerosas armas; treinta y cinco mil balas, catorce camiones, 200 mochilas y un tanque T-17 en perfectas condiciones, con abundante parque de cañón calibre 37 milímetros. Pero la acción no había concluido; una columna rebelde avanzando rápidamente de flanco interceptó al enemigo en retirada en las proximidades del entronque en la carretera Central, atacándole y haciéndole numerosas bajas y ocupándole más armas y más parque.

Rápidamente el tanque fue ocupado y puesto en condiciones de entrar en acción. El 28 por la noche dos pelotones rebeldes precedidos por el tanque avanzaron resueltamente hacia Guisa. A las dos y veinte de la madrugada del día 29, el T-17 tripulado por rebeldes se situó exactamente a las puertas del cuartel de Guisa y en medio de los numerosos edificios donde estaba atrincherado el enemigo [~~comenzando~~ comenzó] a disparar sus armas. Cuando había disparado ya cincuenta cañonazos, dos impactos directos de bazooka disparados por el enemigo paralizaron los motores del mismo. Los tripulantes del tanque averiado continuaron disparando contra el cuartel el resto de las balas del cañón hasta agotar la última. Entonces bajándose del tanque iniciaron la retirada. Se produjo un acto de inigualable heroísmo. El teniente Hipólito Prieto [en verdad fue Leopoldo Cintra Frías] que manejaba la ametralladora del tanque la sustrajo del mismo y bajo un fuego cruzado, y a pesar de estar herido, se arrastró bajo las balas llevando consigo la pesada arma sin abandonarla un instante.

Ese mismo día, al amanecer cuatro batallones enemigos avanzaron por tres puntos diferentes [mapa p. 560]: El camino de Bayamo al Corojo, la carretera de Bayamo a Guisa y el camino de Santa Rita a Guisa. Todas las fuerzas enemigas de Bayamo, Manzanillo, Yara, Estrada Palma, Baire y otros puntos fueron movilizadas. La columna que avanzaba por el camino de El Corojo fue rechazada después de dos horas de fuego.

Los batallones que avanzaban por la carretera de Bayamo a Guisa fueron contenidos durante todo el día, acampando durante la noche a dos kilómetros de Guisa. Los que venían por el camino de Corralillo fueron igualmente rechazados, dando entonces un rodeo por el noreste del pueblo. El treinta se libraron las últimas acciones; los batallones que habían tomado posiciones a dos kilómetros del pueblo, intentaron reiteradamente avanzar durante todo el día sin conseguir forzar el paso [mapa p. 562].

A las cuatro de la tarde, mientras nuestras unidades combatían contra los refuerzos, la guarnición de Guisa abandonó el pueblo en precipitada retirada dejando atrás todo el parque y numerosas armas [documento p. 519].

A las nueve de la noche nuestra vanguardia penetró en el pueblo. Ese mismo día sesenta y un años atrás, fuerzas del ejército libertador al mando del General Calixto García Íñiguez habían tomado el pueblo de Guisa.

En el momento en que se redacta este parte de guerra se ha contado ya el siguiente equipo ocupado al enemigo:

Un tanque de Guerra T-17, tomado, perdido y vuelto a recapturar, 94 armas entre fusiles ametralladoras, Garand, Springfield, y ametralladoras San Cristóbal; dos morteros 60, un mortero 81, una bazooca, siete ametralladoras trípode calibre 30, cincuenta y cinco mil balas, ciento treinta granadas de Garand, setenta obuses de mortero 60 y veinticinco de 81, veinte cohetes de bazooca, 200 mochilas completas, ciento sesenta uniformes, catorce camiones de transporte, víveres, medicinas, etc... Se sigue registrando el campo de batalla [en con] la seguridad de encontrar más armas.

Se le ocasionó al enemigo más de 200 bajas entre muertos y heridos en los diez días de combate. Hoy la Cruz Roja ha procedido a enterrar numerosos cadáveres de soldados de la dictadura que fueron abandonados en el campo de batalla y que no habían podido ser sepultados mientras duró la misma. Ocho compañeros cayeron heroicamente en el curso de la acción y siete más fueron heridos. La batalla se libró principalmente contra las tropas acantonadas en Bayamo.

Fue una lucha de hombres contra aviones, tanques y artillería. El más destacado oficial rebelde fue el capitán Braulio Coronú [Curuneaux] veterano de numerosas acciones que cayó gloriosamente defendiendo su posición en la carretera de Guisa, por donde no pudieron pasar los tanques enemigos.

Las unidades rebeldes al mando de sus capitanes y demás oficiales combatieron con una moral extraordinaria. Se destacaron especialmente los capitanes Reynaldo [Reinaldo] Mora, Rafael Verdecia, Ignacio Pérez y Calixto García; los Tenientes Orlando Rodríguez Puerta [Puertas], Alcibiades Bermúdez, Gonzalo Camejo que dirigió la tripulación del Tanque y que dirigió la batería de morteros 81, Dionisio Montero que manejó la batería del 60, el teniente Raimundo Montes de Oca, instructor de la Compañía de ametralladoras, el ingeniero Miguel Ángel Calvo, jefe de la Sección de Minas y Explosivos [documento p. 512], y los tenientes Armelio Mojena y Niní Serrano [René Serrano]. Una escuadra del pelotón de mujeres Mariana Grajales combatió valerosamente también durante los diez días que duró la acción soportando el bombardeo de los aviones y el ataque de la artillería enemiga.

Guisa, a 12 kilómetros del Puesto de Mando de Bayamo es ya Territorio Libre.

Fidel Castro
Comandante Jefe

Sierra Maestra,

Dic. 1, 58

El Sr. Abelardo Tasé [comerciante de Guisa] está autorizado para transitar libremente por el territorio libre.

Fidel Castro

[Al jefe de operaciones de Bayamo]

Sierra Maestra,

Dic. 1, 58

2 y 45 p.m.

Coronel [García] Casares:

Le escribo estas líneas para interesarme por un hombre nuestro [se refiere al teniente Orlando Pupo] que casi con toda seguridad fue hecho prisionero por las fuerzas suyas. El hecho ocurrió así: después que se retiraron las unidades del Ejército, yo mandé una vanguardia a explorar en dirección al Horno. Más atrás me puse en marcha por la misma carretera donde iba la vanguardia nuestra. Por una casualidad dicha vanguardia había tomado otro camino y llegó a la carretera detrás de nosotros. Como lo suponía delante mandé un hombre a alcanzarla para indicarle que se detuviera antes de llegar al Horno. El mensajero salió con la creencia de que la misma iba delante y por tanto estaría completamente desapercibido del peligro; viajaba, además, a caballo, con el ruido consiguiente de las pisadas del mismo. Descubierto el error se hizo lo posible por advertirlo de la situación, pero ya había llegado a la zona de peligro. Se le esperó varias horas y no regresó. Hoy no ha aparecido. También se escuchó por la noche un disparo. Tengo la seguridad de que fue hecho prisionero; le confieso que, incluso, el temor de que posteriormente lo hubiesen muerto. Me preocupa el disparo que se escuchó. Y yo sé que cuando es una posta la que hace fuego no se limita nunca a un solo disparo en estos casos.

He sido explícito en la narración del incidente para que pueda usted contar con los elementos de juicio suficientes. Tengo esperanza de poder contar con su caballerosidad, para evitar que ese joven sea asesinado inútilmente, si es que no fue muerto anoche. Por ese compañero sentimos todos especial afecto y nos preocupa su suerte. Yo le propongo a usted que lo devuelva a nuestras líneas, como he hecho yo con cientos de militares, incluyendo numerosos oficiales. El honor militar ganará con ese gesto elemental de reciprocidad. "Lo cortés no quita lo valiente". Muchos hechos dolorosos han ocurrido en esta guerra por culpa de algunos militares sin escrúpulo ni honor, y créame que el Ejército necesita de hombres y gestos que compensen esas manchas. Por tener de usted un elevado concepto es que me decido a hablarle de este caso, en la seguridad de que usted hará lo que esté al alcance de sus facultades. Si algún inconveniente formal se presenta, puede hacerlo en forma de canje, por uno o varios de los

FIDEL CASTRO RUZ

soldados que hicimos prisioneros durante la acción de Guisa.

Atentamente,

Fidel Castro R.

P. D. Con la Cruz Roja le devuelvo tres prisioneros heridos, que fueron atendidos por nuestros médicos.

Cuando se cumplían exactamente dos años de lucha guerrillera respondí por escrito el cuestionario de varios periodistas. Esa madrugada dispuse que Ignacio Pérez y Calixto García salieran hacia Charco Redondo para apoyar el convoy de alimentos y pertrechos militares que llevaba Arturo Aguilera, responsable de los suministros. Además, le agradecí al coronel Casares su gestión.

Sierra Maestra

Dic. 2, 58

2 p.m.

Coronel Casares:

He recibido una gran alegría al saber que el compañero que cayó en poder de sus fuerzas está vivo y no ha sido maltratado [se refiere a Orlando Pupo]. En los dos años, que hoy exactamente, se cumplen de lucha, pocas veces he experimentado mayor simpatía ante el gesto de algún militar cubano. Le doy las gracias por haberme informado al respecto y no puedo menos que reconocerle su caballerosidad con la sinceridad de un adversario honrado. Yo sé que usted no es el único militar cubano que sabe respetar las leyes de la guerra, y eso es una compensación frente a los que no han sabido tener el mismo concepto de la honra. Siempre le tendré en cuenta esa actitud por si algún día se me ofrece la oportunidad de demostrarle mi reconocimiento. Por lo pronto le envío con la Cruz Roja dos soldados heridos. El tercero ya está completamente bien. Aunque esta entrega es en cumplimiento de una norma que hemos seguido hasta hoy sin establecer condición alguna.

Atentamente,

Fidel Castro Ruz [firma]

Sierra Maestra

Dic. 2, 58 / 7 y 10 p.m.

[Delio Gómez] Ochoa:

Te envío a Luis [Pérez] para tu tropa. Él te explicará todo. Como desea prestar sus servicios junto a ti, lo mando para allá, que en su actual estado de ánimo es el mejor punto. Se portó bien y creo allá puede hacer bastante.

Abrazos,

Fidel Castro Ruz [firma]

Sierra Maestra
Dic. 2, 58
9 p.m.
Dr. [Julio] Martínez Páez:
Tengo entendido que usted viene en camino hacia acá. Supongo le habrán enviado varios mensajes. Desde la clínica de Guisa le hago esta notica que llevará el mensajero que va con el parte de guerra, para expresarle el interés que tenemos en este compañero que requiere sus servicios, que aparte de ser siempre grande en todos los casos, en este se reúnen una serie de circunstancias de tipo sentimental, pues lo dimos por muerto y lo encontramos vivo en esta clínica.

Todo por aquí ha salido muy bien. Tengo deseos de que usted llegue. No le digo más porque sé todo el interés que se tomará por llegar pronto. Un abrazo.

Fidel Castro Ruz [firma]

Guisa, Dic. 2/58
Sr. Francisco Aedo:
Ruégole me facilite dos bidones de gasolina para una urgente necesidad.

Le acompaño orden para que pueda transportar durante otros diez días la que le haga falta para su negocio. Gracias.

Fidel Castro Ruz [firma]

Guisa, Dic. 2/58

Se autoriza al Sr. Francisco Aedo para transportar combustible para las trillas de arroz, y trasladarlo a los molinos.

Fidel Castro Ruz [firma]

JUEVES
04

S. Maestra [documento p. 522]

Dic. 4, 58 / 6 a.m.

Puerta [Orlando Rodríguez Puertas]:

Traslada tu compañía al punto que Calixto te indicará hoy al anochecer. Con ella deben venir dos escuadras de ametralladoras.

Fidel Castro Ruz [firma]

SÁBADO
06

Minas de Charco Redondo,

Dic. 6 del 58.

Territorio Libre de Cuba

Resumen del Discurso pronunciado por el Comandante en Jefe Dr. Fidel Castro Ruz.

FIDEL CASTRO RUZ

Señoras y señores, damas y niños, todos en general, nos encontramos reunidos hoy con el gran privilegio de gozar de libertad, no porque la libertad en sí represente un privilegio, sino que por el estado de tiranía que ejerce el gobierno despótico, en los distintos lugares de la isla, hace posible que dicho respiro, que dicho estado de libertad, represente un privilegio con relación a los demás pueblos de la nación, que desde hace ya largos años vienen sufriendo la carencia de trabajos, donde la juventud es perseguida, donde las asambleas no pueden desarrollarse si no es con los fusiles y las ametralladoras de los militares en los portales y a las puertas de la localidad.

Primero que nada me preocupa que la presencia de nuestro ejército rebelde, dando libertad a este pueblo, pueda traer como consecuencia, represalias contra la población civil de parte de los militares asesinos. Porque contra nosotros, nada pueden el ejército, los aviones, las bombas, porque éstos son superiores en número y armas, pero inferiores en moral; ha quedado demostrado que a pesar de todo eso el ejército es el que está a la defensiva, ya que el ejército rebelde no le da descanso, ni se lo daremos, ahora somos nosotros los que los perseguimos y los buscamos, ahora son ellos los que huyen.

Pero me preocupa, repito, que los vecinos de Charco Redondo tengan toda la seguridad posible, por lo cual les pido, construyan sus refugios individuales y colectivos en la Escuela, el Hospital y ya se han dado instrucciones a los miembros de la policía militar rebelde para que los ayuden en la construcción de todos los medios de seguridad, para que no se dé el caso de que algún vecino de estos de Charco Redondo, que nos han dado su aliento, su estímulo y ayuda, pueda resultar herido o muerto por los bombardeos, les ruego a los vecinos, no dejen de tomar las medidas de seguridad porque de no resultar así, no volveré a Minas de Charco Redondo, porque cada vez que muere un hombre, mujer o niño, se pierde un patriota más, porque aquí hasta los niños son revolucionarios.

Tenemos que seguir luchando contra esta terrible tiranía, que oprime al pueblo cubano para poder ver nuestros sueños realizados.

Como Uds. verán aquí ya lo tenemos logrado, no porque el ejército se haya retirado, sino porque hemos sabido conquistar el pueblo. Todos nuestros ideales se están realizando, y como ejemplo les pongo que hace 6 ó 7 años, no recuerdo el tiempo, condolido por las quejas y sufrimientos que estaban precisamente latentes en los trabajadores de las Minas de Charco Redondo, hice una visita a ésta observando el personal, los túneles, etc.

Esta visita sucedía antes del Movimiento Revolucionario 26 de Julio, pasó inadvertida para el pueblo, puesto que no me di a conocer, pero en mi mente quedó grabado el recuerdo de este recorrido; una vez presentado el problema de la opresión que ejercía el gobierno, inmediatamente pensé en los obreros de las Minas de Charco

Redondo, porque ésta era la clase más sacrificada y la más revolucionaria, aunque veía como un sueño la ayuda que pudiera prestarles, siempre pensé que cuando fuera a realizar el primer ataque al Cuartel Moncada, a los primeros que les daría armas sería a los obreros de ésta, porque aquí fue donde surgió la idea de que ellos se podrían rebelar contra la dictadura.

Como lo pensé, así sucedió. Porque ellos fueron los primeros que colaboraron con la causa y los que más se han sacrificado, porque aquí todo el mundo es revolucionario, sólo nos encontramos con la colaboración espontánea del pueblo, por eso nosotros seguiremos nuestra marcha, los rebeldes se irán, Charco Redondo quedará atrás, pero atrás de nuestro recorrido, del avance revolucionario, pero no se perderá en el recuerdo de nuestras mentes.

Dejaremos encargados del Orden Público, Judicial, Social, Económico y Educacional.

Prestaremos ayuda al pueblo durante determinado tiempo, hemos dispuesto $15,000 hasta ahora para los gastos, si se cumple el plazo y los recursos económicos escasean, entonces dispondremos de otro presupuesto para seguir ayudando al pueblo, una vez más les digo que no se preocupen por la comida, tendrán lo que necesiten, lo que quiero es que el pueblo no se encuentre ocioso, que invierta el tiempo en obras útiles a la sociedad.

No se preocupen por los empeños que tienen, porque aquí hay para sacar mineral de todas las montañas, esto es un tesoro que hay que explotar.

Hay para vivir todos, para indemnizar a los obreros inválidos, aquí han estado personas que estaban en contacto con el sanguinario gobierno de la tiranía, llegaban a las Minas con $12.00 y salían con un millón, mientras los obreros quedaban inválidos a causa de su pillería.

Esto no pertenece a Cajigas, no es una Compañía, porque si él se ha hecho millonario a costa de los infelices obreros de esta Mina y se ha enriquecido con ayuda del poder comprando a Isla de Pinos, Cajigas tendrá que ser juzgado.

Aquí ya no habrá dirigentes sindicales que duren años a pesar de su mal comportamiento, éstos los pone y los quita el pueblo el mismo día, sin tener en cuenta sindicatos de clase alguna, el pueblo es el que manda.

También quiero decirles que todas aquellas personas que han cooperado con la Dictadura, denunciando rebeldes, tienen que ser castigadas y unas cuantas docenas de cabezas rodarán por el suelo.

A los que se les perdonará, será a aquellos confidentes, infelices campesinos, los cuales atemorizados por las represalias que ejercían sobre ellos los del ejército, decían donde nos encontrábamos, pero eso causa gracia, porque cuando ellos iban, ya nosotros habíamos huido y entonces los batíamos a todos.

FIDEL CASTRO RUZ

Oriente constituye la provincia más revolucionaria, esto no se debe a regionalismo, sino porque antaño, Oriente fue cuna de héroes y ahora es una de las provincias más revolucionarias y la que más ha cooperado con la causa.

En Cuba suceden hechos tan odiosos y criminales, como los de las distintas acciones de la Coronela,* enterada de que los presos han sido torturados y muertos, martiriza a las madres de esos infelices dándoles esperanzas de que se encuentran aún con vida y que pronto le darán la libertad, cobrándoles un alto precio por ésto.

Con ella no se puede tener piedad de ninguna clase, ya que engañar a una madre diciéndole que sus hijos viven, cuando en realidad se encuentran muertos es la ofensa más grande y el acto más sanguinario que se puede realizar.

Debemos tener fe y sabemos que el Ejército Rebelde, unido con el pueblo, irá lugar tras lugar conquistando territorios libres de Cuba, hasta llegar al pleno triunfo del poder.

Recuerden que las Minas de Charco Redondo no quedará en el olvido, en este lugar no habrá casas con techos de guano y piso de tierra, habrá casas mejores, campos deportivos, etc., para que los niños puedan disfrutar de amplias comodidades.

---

*   Marta Reyes Miranda, tristemente célebre por traficar con la libertad y la vida de los revolucionarios y campesinos, aprovechando sus relaciones con los jefes militares de Bayamo, lo que le valió el apodo de Coronela.

Por eso les digo que volveremos a pasearnos por éste lugar cuando todo esté libre e independiente.

Este es un pueblo pequeño en habitantes, pero grande en la conciencia y en la dignidad patria.

Tengan mucha fe en el triunfo de la Revolución, que pronto seremos libres e independientes.

DOMINGO
07

[Arturo] Aguilera:

Facilítale el jeep a Lázaro para que me lleve a donde debo ir. Me siento embarcado. Debieron despertarme.

Fidel Castro Ruz [firma]

Sierra Maestra

Dic. 7, 58

Baire, Sierra Maestra, 12-7-58

[Al jefe de la Compañía G-4 del Ejército de la tiranía]

Sr. Capitán José Sánchez

Capitán:

Distinguido Militar:

Le acompaño adjunto la orden de evacuación a la población civil de Baire, que acabo de dirigir a los vecinos de esa localidad por motivos que en la misma se consignan.

FIDEL CASTRO RUZ

Yo estimo que no tienen los militares derecho a atrincherarse en medio de las casas de familia, poniendo en riesgo las vidas de personas inocentes e indefensas. La prueba de que están ustedes conscientes del peligro de ataque, son las medidas de defensa que constantemente toman.

Luego, demuestra no albergar sentimientos de humanidad para con sus propios compatriotas expuestos a caer en medio del fuego.

No lo culpo a usted, pero es una odiosa costumbre que junto con otros muchos errores ha implantado un régimen tiránico y criminal, al que ningún militar de honor debiera a estas horas estar defendiendo.

No he querido atacarlo por sorpresa con las armas de que dispongo que incluyen bazookas y mortero 81, por consideración a las numerosas familias instaladas alrededor de sus defensas, y también por consideración a usted al que no quiero hacer objeto de un ataque sorpresivo sin advertirle mis propósitos.

Comprenderá el riesgo que están corriendo esos vecinos infelices que no tienen la culpa de la tragedia que la ambición y la maldad de un grupo de asesinos y ladrones sin escrúpulos ha hecho recaer sobre la patria.

A estas horas usted no puede ignorar toda la ignominia, la falsedad, el engaño y la corrupción que encierra la Dictadura, cuya caída es ya inevitable y no justifica la sangre de los soldados que están cayendo.

Si usted pudo informarse de lo que ocurrió en la carretera de Bayamo a Guisa, y tiene derecho a saberlo pues su compañía intervino desde esta dirección al final de los combates de Guisa, imagino habrá de repugnarle la forma en que se oculta la verdad a los soldados.

Usted estuvo a las órdenes de uno de los más pundonorosos y honrados comandantes del Ejército [José Quevedo], que sé lo aprecia y quiere a usted mucho. Quien fuera su jefe y cayera prisionero después de diez días de resistencia inútil abandonado a su suerte y difamado después por jefes desalmados y sin escrúpulos que están llevando a la ruina a los institutos armados, es hoy abanderado espontáneo y legítimo de esta justa causa, que se honra en contar con sus servicios, aunque no bélicos, porque no desea luchar contra sus amigos que están en el error, pero sí morales.

¡Cuántas vidas de amigos de usted y de él se habrían ahorrado si esa verdad la hubiese conocido antes! Usted, sin embargo, tiene ya suficientes elementos de juicio para conocerla. Las cosas ocurridas se la demuestran de manera inequívoca. Por lo tanto es muy grande su responsabilidad en estas circunstancias.

El Comandante Quevedo ignora que me dispongo a actuar sobre Baire y otros pueblos. Me es imposible hacer contacto con él para comunicárselo, ya que está en estos momentos algo lejos hacia el este y la espera podría ser perjudicial porque como usted podrá comprender perfectamente, los movimientos de tropas tardan poco en ser conocidos y la Dictadura dispondría de tiempo para movilizar sus refuerzos, siendo por ello norma nuestra actuar con la mayor rapidez.

Sin embargo, sé que él considerará que he sido caballeroso con usted al no efectuar acción alguna contra sus fuerzas sin aviso previo.

Lo que sí ignoro es cómo acogerá usted estas líneas. Ojalá lo ilumine su inteligencia, y su dignidad de hombre de bien le haga tomar una decisión valiente y patriótica, pensando sobre todo en lo triste que es sacrificar la vida de sus soldados sin honra ni gloria, porque el pueblo no le reconocerá ni hoy ni mañana ningún mérito y la tiranía ni siquiera se lo agradecerá. Ahorrará también la vida de los soldados que caerán cuando los envíen en socorro suyo, no porque les preocupen usted y sus hombres, sino para evitar que esas armas caigan en nuestro poder. Los hombres que mueran, a ellos no les importa, siempre que les quede el recurso de reclutar a cuanto delincuente y vicioso pulule por la República para ingresarlo en el Ejército por treinta pesos, que son como las treinta monedas que le pagaron a Judas.

Pero además de sus soldados, deben pesar el ánimo de esos vecinos, sus casas y sus modestos bienes que quedarán expuestos a una batalla que sería estúpida, cuando hay una posibilidad de que usted y nosotros nos abracemos en la misma causa que es la justa, que es como usted sabe muy bien, la de todo el pueblo de Cuba, que es al que deben lealtad los verdaderos soldados, los que no son mercenarios dispuestos a disparar contra su propia patria, sino hombres de verdadero honor.

Yo lo quiero conocer a usted, no como prisionero o vencido, que lo será ahora o en otra ocasión, en Baire o en otro pueblo, porque el destino de la tiranía es la derrota, en cuyo caso no será usted para nosotros tan digno de aprecio, porque a estas horas ningún militar cubano tiene excusa para desconocer la verdad, que ven incluso claramente los niños de cuatro y cinco años.

Le deseo abrazar a usted como compañero de lucha, como soldado valeroso que se une a una causa justa, como hombre humano que no sacrifica inútilmente y sin razón las vidas de sus hombres y la de los moradores de una población pacífica, que no tiene ninguna culpa de esta guerra.

Bien estaría que lo hiciera en defensa de la patria o por un motivo justo, pero repugnan los sacrificios de vidas que se hacen defendiendo una causa deshonrosa y criminal.

Hay que ser valiente para comprender con el prejuicio y abrazar lo que es justo [sic].

Le hablan los jefes de un honor que no tienen, de un compañerismo que no practican, de un deber que no cumplen, y han convertido las más hermosas frases y conceptos de la profesión de las armas en odiosos resortes que encadenan a muchos hombres a la muerte oscura o a

FIDEL CASTRO RUZ

una postración estúpida, mientras los que invocan esos conceptos a los hombres que están muriendo, acumulan millones tras millones sin escrúpulo alguno y viven alejados de los horrores de la guerra.

Hay que ser insensato para no rebelarse. ¿Por qué sacrificarse ni sacrificar a nadie a tanta desvergüenza? ¿Qué beneficios recibirán por ello los soldados y oficiales que arriesgan sus vidas, las que deben dedicar a algo más noble?

Sé que algunos de sus soldados no entenderán esto. Pero impóngase. Para eso es jefe. Lo que usted haga es lo que ellos harán, después se lo agradecerán eternamente.

Yo, como me preocupo hondamente por estos hombres que están sacrificándose a mi lado por un ideal, y sé lo que valen las vidas de cada uno de ellos, le agradeceré también cada gota de sangre que me ahorre, de un combate que si se libra va a ser sangriento. Cuba se lo agradecerá y se lo premiará. Solo por tan noble propósito me molesto en escribir tantas hojas y molesto la atención de usted.

Le hablo con toda honradez y espero que comprenda la nobleza y caballerosidad que encierran estas líneas y el porvenir grande y honroso que a usted y sus hombres les ofrezco antes de disparar un solo tiro.

Fraternalmente,

Fidel Castro R.

P. D. Su respuesta espero recibirla antes de las 11 de la noche del día de hoy, bien rechazando de plano la invitación que le hago, bien expresándome si desea más tiempo para considerarla, bien aceptándola.

LUNES
08

S. Maestra / Dic. 8, 58
[Juan] Machado:
Dale a Benjamín [Pardo] un par de botas y dos pares de minas si tienes. Saludos.
Fidel Castro [firma]

S. Maestra
Dic. 8, 58
Compañera Alicia [Pacheco]:
Le envío un mensaje para el Capitán Sánchez que usted debe hacer llegar hoy mismo con carácter urgente por mediación de un amigo de éste o por cualquier persona que se lo pueda llevar.

También le envío varias copias de un mensaje dirigido al pueblo de Baire que usted debe hacer circular urgentemente.

Sobre la comunicación al Capitán Sánchez, usted debe gestionar la entrega de la misma con la mayor discreción.

Atentamente,
Fidel Castro Ruz [firma]

Al igual que en Guisa, en Baire alerté a la población civil para que evacuara el pueblo y denuncié la cobardía del enemigo al atrincherarse en medio de casas de familia.

Zona de Operaciones de la Columna 1

Dic. 8 de 1958

A Todos los vecinos de Baire.

Compatriotas:

Las fuerzas de la tiranía en Baire van a ser atacadas por nuestras tropas.

El enemigo, como ha hecho en todos los pueblos, se ha instalado y atrincherado cobardemente en medio de las casas de familias, exponiéndolas a todos los peligros.

Siendo una necesidad de la revolución combatir las fuerzas de la tiranía donde quiera que se encuentren y desalojarlos de sus posiciones, no podemos evitar el ataque pues de lo contrario permanecerán indefinidamente en el interior de las poblaciones. Pero deseando preservar del peligro de los combates a la población civil advertimos a la misma y solicitamos [de a] todos los vecinos que evacuen el pueblo.

Las instalaciones enemigas van a ser atacadas con armas pesadas y resulta imposible evitar que algunos disparos caigan por los alrededores de las mismas haciendo blanco sobre las casas colindantes. La responsabilidad de los daños que se ocasionen caerá enteramente sobre los que han convertido en centro militar una localidad indefensa sin consideración alguna para sus moradores. Ellos tienen trincheras y parapetos para defenderse pero nada de eso tienen los vecinos. Por tanto evacuar al pueblo es un deber de cada padre de familia. Si las fuerzas de la tiranía tratan de impedirlo hay que demandar con toda energía el derecho a salir del pueblo.

Nosotros sacrificamos el factor sorpresa con tal de preservar las vidas de los civiles, aunque cueste más caro a nuestros soldados la toma del pueblo.

Cada cual debe llevar consigo lo más indispensable para su subsistencia durante varios días.

Cumplido este deber del Ejército Rebelde para con los vecinos de ese pueblo esperamos cooperen con nosotros en el esfuerzo por evitar que mueran personas inocentes, evacuando al pueblo de BAIRE antes de las 12 de la noche del día de hoy.

Fidel Castro Ruz [firma]
Comandante Jefe

Rogamos se saquen copias de esta proclama [y] se distribuyan urgentemente entre los vecinos.

MARTES
09

Sierra Maestra,
Diciembre 9/58
Tte. Puerta [Orlando Rodríguez Puertas]:

Tú puedes cambiar de posición cada vez que lo estimes necesario para la seguridad de tus hombres y garantizar el factor sorpresa contra el enemigo. Lo importante es que puedas interceptar al enemigo en ese tramo, venga de una dirección o de otra. Haces bien en estar siempre alerta. Cuando los combates de Guisa, a la tropa de Lázaro [Soltura] prácticamente la sorprendieron. Los combatientes tienen que estar siempre alertas.

Hoy me confirmaron la llegada de un avión con armas. Espero que lleguen de un momento a otro aquí y podré aumentar tu compañía, así como espero que te ganarás pronto el ascenso a Capitán.

Saludos a todos y mucha suerte.
Fidel Castro Ruz [firma]

MIÉRCOLES
10

[Acuse de recibo a una nota de Mercedes de Varona, *Tula*, miembro de la dirección del Movimiento 26 de Julio en Bayamo]

S. Maestra

Dic. 10, 58

11 y 35 p.m.

Tula:

El portador te explicará hora y circunstancias en que recibo tu nota, la que respondo de inmediato con el ruego de que me perdones la forma en que lo hago, debido al agotamiento físico y a la dichosa avioneta que no me deja escribir.

Abrazos,

Fidel Castro

Baire,

Dic. 10, 58

2 p.m.

Reynaldo [Reinaldo Mora, capitán del Ejército Rebelde]:

Los guardias abandonaron Baire. En la carretera hacia Jiguaní cayeron en una emboscada, pero era de noche y

escaparon casi todos. Pienso, sin embargo, que de Jiguaní no puedan pasar a Bayamo, porque les hemos tomado
todos los caminos.

Tú debes permanecer en tu posición sin moverte, esperando al enemigo, venga de donde venga. Esta misma
noche pienso situar una tropa entre Maffo y Contramaestre para acorralar a los de Maffo [mapa p. 566]. También
está tomada la carretera entre Contramaestre y Palma
Soriano. Todo va saliendo bien.

Abrazos,

Fidel Castro [firma]

Avísale a Fonseca [Rubén Fonseca Guevara] para que
cuide los demás caminos por donde puedan tratar de
escapar los guardias de Maffo.

Radio Rebelde

¡Última hora! Baire en poder de los rebeldes.

Cayó ayer a las 8 y 30 de la noche.

Hemos recibido de la Comandancia General el siguiente parte:

Tropas rebeldes de la columna Uno, tomaron ayer el
pueblo de Baire a las 8 y 30 de la noche.

El enemigo se bate en retirada.

Una importante acción militar se está desarrollando a lo
largo de la carretera central, en una extensión de 35 kilómetros.

Numerosas guarniciones enemigas han quedado cercadas sin otra alternativa que la rendición o el aniquilamiento.

Por razones de orden militar nos abstenemos de ofrecer más detalles sobre el estado actual de las operaciones.

Prosigue el avance victorioso e incontenible de nuestras fuerzas.

Fidel Castro
Comandante Jefe

JUEVES
11

Sierra Maestra,
A las fuerzas Rebeldes:
Por orden de la Comandancia General se dispone el traslado del soldado Guerrero, que pertenece al ejército enemigo y se encuentra herido en Jiguaní. Solicitando a esta Comandancia, los familiares de dicho soldado, que se le permita traerlo al territorio Rebelde, al pueblo de Baire.

Fidel Castro [firma]
Comandante Jefe

S. Maestra,
Dic. 12, 58
[Arturo] Aguilera:
Facilítale a Paco dos camiones para trasladar tropas que vienen en camino.
Fidel Castro [firma]

Mándame un poco de gasolina para moverme.

Recuerdo que el 8 de diciembre aterrizó en Cienaguilla, al oeste del firme de la Maestra, un avión procedente de tierra venezolana con un alijo de armas que enviaba a nuestro Ejército Rebelde la Junta Patriótico Militar que había derrocado el 23 de enero de ese año al dictador Marcos Pérez Jiménez en Venezuela.

En esa ocasión recibí un fusil FAL. Ya estaba persuadido de la importancia, para las batallas finales de la guerra, de emplear armas automáticas por su elevado volumen de fuego.

Para expresar el agradecimiento infinito de Cuba a Wolfang Larrazábal, protagonista del gesto solidario, le escribí una carta.

Sierra Maestra [documento p. 526]
Dic. 12, 58
[~~Contra Almirante~~ Contralmirante]
Wolfand [Wolfang] Larrazábal
Admirado amigo:

¿Qué puedo decirle después de su noble y espontáneo gesto?

Hay que llevar dos años luchando contra todos los obstáculos, las armas confiscadas antes de llegar a Cuba, los frutos de los sacrificios económicos de tantos compatriotas perdidos la mayor parte por la persecución de los gobiernos, para comprender con cuánta emoción y gratitud recibimos la ayuda que usted nos envía en nombre de Venezuela.

Hemos visto convertido en realidad lo que durante mucho tiempo fué como un sueño. Temo que usted no llegue a imaginarse cuánto se lo agradecemos.

A la satisfacción que ha de producirle el beneficio que de mano suya recibe este pueblo que tanto quiere al suyo y lo admira a usted, puede añadir la seguridad de que muchos cubanos buenos, combatientes de una causa justa, dispuestos a hacer por Venezuela lo que hacen por Cuba, le deberán la vida, porque lo que se recibe en armas se ahorra en sangre, y esto, yo que he visto caer a tantos compañeros entrañables, siempre los mejores, se lo agradeceré eternamente. Desde hoy le digo que cualquiera

FIDEL CASTRO RUZ

que sea la posición que usted ocupe en su país, la más alta o la más modesta, para nosotros será siempre el primero de los venezolanos.

Fraternalmente

Fidel Castro Ruz [firma]

[Al jefe del Batallón 10 y de la Compañía 102 del Ejército de la tiranía]

Comandante [Leopoldo] Hdez. de Río:

En la casa del Dr. Eduardo [~~Zorribe~~ Sorribes, a 300 m BANFAIC], en compañía del Comandante Quevedo lo espero a usted o a uno de sus oficiales para conferenciar.

Por su jerarquía y por el buen concepto que tengo de usted quiero atenderlo personalmente. No le propongo una condición. Aún cuando militarmente todas las ventajas nos favorecen, en reconocimiento a su valor y al de sus hombres, le concedo a usted y a ellos la alternativa de abrazar nuestra causa, que es la justa y la que por tanto todo militar honorable debe defender. Triste es que usted malgaste su valor y el de sus hombres y haga pagar en un precio alto de vidas esa posición, para defender a los que los han abandonado, mientras los instigan a combatir hasta la última bala, sabiendo que no pueden socorrerlos. Jiguaní está cercado, Baire en nuestro poder, la tropa de Aguacate cercada, Palma Soriano cercado, Santiago de Cuba cercado. Las fuerzas del Puesto de Mando, junto al puente destruido de Cautillo no intentan siquiera moverse. La retirada de

Baire y el intento de retirarse de Aguacate, demuestran el propósito de abandonarlo a usted a su suerte.

Lo han dejado solo, en la posición más débil donde nosotros podemos concentrar todo el peso del ataque. No les tocará otra alternativa que rendirse por mucho que resistieran, entonces, no podrán esperar sus hombres las mismas consideraciones de un adversario al que le obliguen a sacrificar a muchos de sus hombres. Estoy seguro de que usted y yo seremos amigos, como lo son todos los militares honorables que he tratado. Ningún hombre en tales circunstancias le [brindaré brindará] a usted la oportunidad que yo le brindo generosamente. Si usted es hombre de conciencia comprenderá perfectamente que no vamos... [incompleto]

DOMINGO

14

Carretera Central
12/14/58
Cmte. Hernández Ríos:

Mi proposición a usted obedecía a móviles humanos, en bien de sus hombres y de los míos, puesto que no se justifica por parte de ustedes, resistir una posición que está perdida. Nosotros no somos extranjeros; somos

FIDEL CASTRO RUZ

cubanos, no mancha su frente deponer sus armas ante compatriotas que han demostrado sobradamente la justicia de la causa que defienden frente al régimen criminal y odioso, por el cual usted está haciendo derramar la sangre de sus hombres.

El pueblo, que es al único a quien deben lealtad los militares honorables, está todo con nosotros. Si ustedes como militares del Ejército de la República fueran leales al pueblo, lo estarían defendiendo. Es criminal que usted sacrifique a esos hombres para defender a una camarilla repleta de millares robados, que comercia con la sangre de sus soldados que usted como jefe y hombre de más cultura y visión está en el deber de librar de la derrota inevitable si persiste, y tal vez de la muerte en combate.

Lamento que no haya usted escuchado mis sinceras y honradas razones.

¿No comprende que si nosotros permitimos salir a esa tropa le estaríamos prestando un servicio a la tiranía, que usted pide un imposible?

Con verdadera pena me veo en el deber de comunicarle que a partir de las 12.30 de esta noche queda rota la tregua.

Fidel Castro R.

LUNES
15

Inmerso en el asedio a Maffo, le escribí a Raúl para que me prestara apoyo aéreo con algunas bombas incendiarias, con el objetivo de precipitar el desenlace y dirigir el ataque a Jiguaní.

Carretera Central
Dic. 15, 58
5 y 15 p.m.
Raúl:

Aquí se está librando una lucha dura. Hoy es la quinta noche consecutiva de ataque a Maffo [mapa p. 566]. La aviación ha arrasado el pueblo. Después tenemos la tarea de Jiguaní que está cercado con 250 hombres dentro. Una tropa de 200 guardias ha logrado filtrarse, tratando de apoyar a la de Maffo; la tenemos localizada al norte de Baire, que está en nuestras manos y espero interceptarla mañana. Los de Maffo se están defendiendo como fieras y nos han costado ya 13 bajas (dos muertos y 11 heridos de mayor o menor gravedad) hasta este momento, pero los tenemos en una situación desesperada. Me preocupa que la operación posterior en Jiguaní me vaya a llevar mucho tiempo. Necesito, pues, que me prestes apoyo aéreo con algunas bombas incendiarias. Yo puedo emplear algunos obuses 81 como bombas. Para eso te mando a Willy [Figueroa].

La [Carretera] Central está tomada por nosotros desde el Río Cautillo hasta cerca de Palma Soriano. El único punto que tienen ellos es Jiguaní. Baire, Contramaestre y América los tenemos nosotros. Ellos están arrinconados en unas naves del BANFAIC en Maffo.

No sueltes un solo prisionero más. Creo que debemos variar ya la política en ese sentido. Después del trato que les hemos dado no se justifica que resistan todavía como resisten. Tengo un encabronamiento con estos de Maffo, que de milagro no los fusilo a todos cuando se rindan.

Fidel Castro R. [firma]

MARTES

16

S. M.
Dic. 16, 58
6 y 40 p.m.
Cristino [Naranjo. Se encontraba al norte de Jiguaní]:
Espera ahí instrucciones mías.
Fidel Castro Ruz [firma]

S. Maestra,

Dic. 16, 58

[A Arturo Aguilera]

Orden de 6 galones de gasolina al portador.

Fidel Castro Ruz [firma]

S. Maestra/Dic. 16, 58

10 y 50 p.m.

Almeida:

El refuerzo fue interceptado en los lugares escogidos anoche y rechazados hasta Jiguaní, no sin antes caer en una tercera emboscada que le preparé por la tarde al mando de Antonio (el que se le fue a Casillas). Se ocuparon algunas armas. Eran tres compañías. Traían muchos Garand, bazoocas y morteros 81. Primero cayeron en la emboscada donde estaba Reynaldo [Reinaldo Mora] y luego fueron a parar a donde estaba [Crisógenes] Vinajera. Aquí se contaron diez o doce muertos.

Hace tres días ocurrió un accidente muy lamentable en la zona de operaciones de las columnas 1 y 3. Tuvo su origen en una imprudencia injustificable por parte de la Jefatura de la Cruz Roja Cubana.

El puente de la carretera central, sobre el río Cautillo, entre Bayamo y Sta. Rita, había sido volado por nuestras fuerzas. El enemigo se dio entonces a la tarea de hacer un desvío por tierra, que permitiera el tránsito de los transportes de guerra. Para contrarrestar esta medida, minas de alto poder explosivo y extrema sensibilidad fueron colocadas en la ruta del enemigo.

Fuerzas blindadas de la Dictadura estaban instaladas en el lugar conocido por la Marmolera, al otro lado del Cautillo, en espera de la oportunidad para avanzar.

El día 15 a [las] 3 de la madrugada, sin previo aviso y sin solicitar autorización del mando rebelde, un jeep de la Cruz Roja se puso en marcha por el desvío construido por el enemigo junto al Cautillo.

Apenas había caminado doscientos metros, al pasar sobre una mina de contacto esta hizo explosión destruyendo el vehículo y matando a sus tripulantes. La culpa de este accidente la tiene, en primer término, la Jefatura de la Cruz Roja, que sin comunicarse con el mando rebelde y sin aviso previo alguno envía un carro en horas de la madrugada por un camino donde se está esperando el avance enemigo.

En segundo lugar, también es culpable el mando de la Dictadura, que utilizó un carro de la Cruz Roja como conejillo de Indias, autorizándolo a pasar por un camino minado sin advertirle el peligro.

El resultado fue la muerte de 5 humildes miembros de la Cruz Roja Cubana. Al amanecer, los tanques no avanzaron; se habían valido de la Cruz Roja para explorar el camino, y en lugar de soldados murieron pacíficos ciudadanos, que prestaban sus servicios en la humanitaria institución.

Es curioso que entre los muertos no se encontrase ningún oficial de la Cruz Roja y que enviaran solamente cinco modestos miembros a la riesgosa misión de avanzar a las tres de la madrugada sin aviso previo por una vía que se ha convertido en campo de batalla.

Días antes una ambulancia, con el teniente coronel Caballero, había penetrado hasta Baire sin comunicación ni solicitar autorización previa. Se había comunicado solamente con el Puesto de Mando de Bayamo. Esta Comandancia le advirtió al teniente coronel Caballero que debía permanecer en Baire hasta nuevo aviso, pues todos los caminos, lo mismo hacia Santiago de Cuba que hacia Bayamo estaban minados, y que la Cruz Roja, no podía transitar con la sola autorización del Mando Militar de la Dictadura, ya que de hecho se estaba sirviendo de ella para explorar los caminos, antes de ordenar el avance de sus tanques.

Si el Ejército tiene helicópteros disponibles que en otras ocasiones ha facilitado a la Cruz Roja para evacuar a sus heridos, ¿por qué ahora cuando se está combatiendo en la carretera precisamente, van a mandar ambulancias y jeeps, por los mismos caminos por donde están situadas nuestras posiciones?

Ningún Ejército en guerra tiene obligación de publicar en qué punto está colocada una mina o tiene situados sus elementos de combate.

Se sabe que el Presidente de la Cruz Roja, coronel Figarola Infante es un incondicional de la Dictadura de

Batista. Aunque la mayor parte de los miembros de esa institución son personas respetables y honestas, el Ejército Rebelde tiene la obligación de velar por la seguridad de sus combatientes, y no puede permitir que la Dictadura, valiéndose del Presidente de [la] Cruz Roja y otros adictos que tiene en el organismo, espíe nuestras posiciones militares.

Cuando hemos llamado a la Cruz Roja, lo hemos hecho siempre después que las batallas han finalizado, para devolver prisioneros y heridos enemigos; pero eso no significa que la Cruz Roja esté autorizada a transitar libremente de día o de noche, sin consulta ni aviso previo.

La muerte lamentable y dolorosa de esos modestos miembros de la institución debe ser investigada cabalmente para depurar la responsabilidad que quepa al coronel Figarola Infante, por estar utilizando a los miembros y vehículos de la Cruz Roja en misiones de exploración y espionaje.

Si la Cruz Roja desempeña sus funciones con entera neutralidad, Figarola que es un impostor y un servidor incondicional de la tiranía, debe renunciar.

Fidel Castro [firma]

JUEVES

18

Sierra Maestra,
Dic. 18, 58
12 m.
Montesdeoca [Raimundo Pérez Montes de Oca]:
No he recibido informes de la situación en esa. Me pides obuses y balas por la libre. Ayer no pude ir por allá por estar enfermo.

VIERNES

19

El día 19 en la mañana, cuando prácticamente había terminado la acción de ataque a Jiguaní (mapa p. 568), cayó en combate el capitán Ignacio Pérez, a quien había designado al frente de las fuerzas rebeldes para esa misión. Aún consternado, le escribí a su padre, el veterano guerrillero Crescencio Pérez.

Jiguaní [documento p. 530]

Dic. 19, 58

12 y 5 p.m.

Querido Crescencio:

Me acaban de informar la muerte de Ignacio. Con una pena infinita en mi corazón le escribo estas amargas líneas. Sé que era el hijo que usted más quería; y en verdad que se merecía todo su cariño y el nuestro. Siempre lo cuidé cuanto pude, como hago con todos los compañeros que más riesgos han corrido por el tiempo que llevan en la lucha. Murió de un obús de mortero, combatiendo una tropa que iba en retirada. Recogimos su cadáver y le daremos honrosa sepultura. Duele que haya muerto precisamente cuando el triunfo está a la vista y cuando él estaba resultando ser uno de nuestros oficiales más competentes y de mi mayor confianza.

Su nombre figurará en la lista de los comandantes de nuestro glorioso Ejército y nunca lo olvidaremos. Le diré solo que Ignacio era para todos nosotros un hermano y tal es el dolor que sentimos en este momento.

Fidel Castro [firma]

LUNES
22

Dic. 22, 58

Che:

Considero perjudicial desde el punto de vista militar devolver prisioneros en este instante.

La Dictadura ha obtenido grandes cantidades de armas tácticas pero carece de personal para su uso.

Devolver prisioneros en estas circunstancias es ayudarle a resolver una de sus mayores dificultades. Aunque no los envíen a pelear de nuevo los emplean en guarniciones donde no hay frentes de combate, para sustituir tropas que son enviadas en operaciones.

Fidel

Salvo que en las condiciones de rendición se haya contraído un compromiso expresamente, no deben ser devueltos los prisioneros de Fomento.

Fidel

FIDEL CASTRO RUZ

MARTES
23

Carretera Central

Dic. 23, 58

Se designa al compañero Orestes Bárzaga, responsable de recibir a todo soldado que se presente de la zona de Bayamo.

Toda persona que haga contacto con algún soldado que se presente, está en la obligación de ponerlo en contacto con Bárzaga quien deberá recoger el arma para enviarla a la Comandancia.

Fidel Castro Ruz [firma]

MIÉRCOLES
24

El día de Noche Buena, acompañado por Celia y varios combatientes, visité a mi madre en Birán. Luego fui a Marcané y de allí reemprendí el camino de regreso. En el recorrido hicimos un alto en Mangos de Baraguá, lugar de la histórica protesta de Antonio Maceo.

Carretera Central, Dic. 24, 58

Capitán Luis Crespo:

Toma el mando militar del Territorio Libre en la zona de Estrada Palma desde Jibacoa hasta Bueycito y desde la carretera hasta la Maestra.

Procede a desarmar a todos los escopeteros. Debes disolver todas las patrullas. Quien quiera puede ingresar en la escuela. Al que encuentres con una escopeta, debes enviarlo a puerto Malanga [prisión rebelde]. Bríndale a las arroceras todas las facilidades. Cualquier reunión de cualquier índole debe contar con tu permiso previo. Hay que evitar todo género de anarquía. Tú eres en toda esa zona la máxima autoridad. Voy a escribirle a Orlando Benítez para que actúe de auditor en la zona y se ocupe de las cuestiones legales.

Fidel Castro Ruz [firma]

VIERNES
26

Palma Soriano, 12/26/58 / 8:00 p.m.

Ché:

No tengo en este momento [tiempo] de hacerte una larga carta ni tengo facilidades para hacerlo, por no contar con otra luz que la de una linterna.

FIDEL CASTRO RUZ

Considero que estás cometiendo un grave error político al compartir tu autoridad, tu prestigio y tu fuerza con el Directorio Revolucionario.

La guerra está ganada, el enemigo se desploma estrepitosamente, en Oriente tenemos encerrados diez mil soldados. Los de Camagüey no tienen escapatoria. Todo eso [es] consecuencia de una sola cosa: nuestro esfuerzo. No tiene sentido aupar [a] un grupito cuyas intenciones y cuyas ambiciones conocemos sobradamente, y que en el futuro serán fuente de problemas y dificultades. Tan soberbios y presumidos son, que ni siquiera han acatado tu jefatura, ni la mía, pretenden erigir una fuerza militar autónoma y particular que no podremos tolerar de ninguna forma. Quieren en cambio compartir los frutos de nuestras victorias para robustecer su minúsculo aparato revolucionario y presentarse el día de mañana con toda clase de pretensiones. Es necesario que consideres este aspecto político de la lucha en Las Villas como cuestión fundamental.

Por lo pronto, es de suma importancia que el avance hacia Matanzas y La Habana sea efectuado exclusivamente por fuerzas del Movimiento 26 de julio. La Columna de Camilo debe constituir la vanguardia y apoderarse de La Habana cuando la Dictadura caiga si no queremos que las armas de Columbia se las repartan entre todos los grupos y tengamos en el futuro un problema muy grave.

En este momento la situación de Las Villas constituye mi principal preocupación. No comprendo por qué vamos a caer en el mal que motivó precisamente el envío tuyo y de Camilo a esa Provincia.

Ahora resulta que cuando podíamos haberlo superado definitivamente, lo agravamos.

Fidel Castro R.

Palma Soriano
Dic. 26, 58
7 y 30 p.m.
Aníbal [Belarmino Castilla]:

Te felicito. Luzón [Antonio Enrique Lussón] acaba de informarme todo. Tu objetivo ahora es Mayarí. Envía fuerzas con toda rapidez a tomar el camino de Mayarí a Preston. Deben ser lo suficientemente numerosas para impedir que la guarnición se retire. A mi entender el refuerzo que venía de Preston y que tengo noticias de que pasó hacia Mayarí, tiene el objetivo de retirar la tropa de este punto. No creo que en las actuales circunstancias puedan pensar en otra cosa que en retirarse de Mayarí.

Después que hayas asegurado el camino por donde único pueden retirarse, tienes tiempo para preparar el ataque sistemático contra la posición.

Todo marcha por aquí bien.

Raúl está reunido conmigo hoy y ya hemos tratado este asunto. Para ahorrar tiempo te envío directamente

FIDEL CASTRO RUZ

las instrucciones, ya que en este momento él no está aquí y quiero que el portador salga con toda urgencia.

¡Mucho éxito!

Fidel Castro Ruz [firma]

Dic. 26, 58

Dentista [Dr. Luis Borges Alducín, encargado del armamento]:

Entrégale a Emilio 15 obuses 81 con espoletas y detonadores.

Fidel Castro [firma]

Dic. 26, 58

Dentista:

Entrégale al portador 3 000 balas (tres mil) 30.06.

Ya sabes que Palma Soriano cayó y se ha ocupado mucho parque.

Fidel Castro [firma]

EJÉRCITO REBELDE

COMANDANCIA GENERAL

Sierra Maestra, Diciembre 26, 1958

Sr. Juan Nuiry Sánchez

Presente.

Compañero:

Me es grato poner en su conocimiento la Resolución de esta Comandancia General, por la que se asciende a Ud.

al grado de Capitán del Ejército Rebelde, debiendo seguir prestando sus servicios en la Columna bajo mi mando.

Ninguna exhortación he de dirigirle que no sea la de hacer votos porque prosiga la línea de conducta revolucionaria y persista en el cumplimiento del deber.

Su amigo y compañero,
LIBERTAD O MUERTE
Dr. Fidel Castro Ruz,
Comandante Jefe

SÁBADO
27

Contramaestre
Dic. 27, 58
Pellón [José Pellón, dirigente obrero del M-26-7]:
Quiero que atiendas a la compañera Gloria Suárez que es una luchadora obrera del Movimiento.
Fidel Castro Ruz [firma]

Radio Rebelde trasmitió el parte que redacté sobre la toma de Palma Soriano. Aún combatíamos en Maffo, pero los acontecimientos ya se precipitaban velozmente en las pocas jornadas que restaban para el final de 1958 y el comienzo de 1959.

Radio Rebelde
Parte Militar de la toma de Palma Soriano
Diciembre 27 de 1958

Fuerzas Rebeldes de las Columnas 1 y [2 3], apoyadas por unidades de las Compañías A y B de la Columna No. 17 en su marcha sobre Santiago de Cuba ocuparon hoy la ciudad de Palma Soriano. La ciudad fue tomada por asalto después de cinco días de violentos combates, mientras las columnas 9 y [11 10] transportaban todos los equipos desde Santiago de Cuba.

Las fuerzas enemigas se defendían en la ciudad de Palma Soriano, con unos 350 hombres, la mitad de ellos prácticamente estaban sitiados en los edificios de la ciudad, mientras el resto se atrincheraba en el Cuartel [de la Guardia Rural] que está cerca de la Carretera Central, a la entrada del puente que lo separa de la ciudad.

La acción comenzó el día 23 [mapa p. 570] a las dos y treinta de la madrugada cuando una compañía rebelde a fuego de bazooka atacó la estación de policía al oeste de la ciudad. A esa misma hora, unidades se emboscaban en el Aeropuerto y en los caminos que conducen del Cuartel a dicho punto. En horas de la mañana una patrulla enemiga que se dirigía al Aeropuerto a recibir un avión militar fue abatida por nuestras fuerzas.

Acto seguido fue rodeado el Central Palma donde se parapetó una fuerza enemiga, mientras dos compañías rebeldes tomaban posiciones al sur y este del cuartel.

El día 24 [mapa p. 572] nuestras tropas ocuparon el Central [documento p. 533] mientras las fuerzas se guarnecían y lograban replegarse a tiempo.

Ese mismo día, en horas de la noche, una compañía rebelde atravesando el Cauto entró en la ciudad por el sur, ocupando las manzanas de casas que estaban situadas en el extremo oeste del mismo, dividiendo en dos a las fuerzas enemigas.

Simultáneamente las unidades que atacaban desde el oeste avanzaron hacia el centro de la población después de tomar la Jefatura de Policía. El día 25 una batería de morteros 60 batió el principal cuartel enemigo desde la mañana al anochecer.

El 26 [mapa p. 574] se inició el ataque general contra las posiciones enemigas. A las 7 de la mañana la batería de morteros 81 entró en acción. El fuego concentrado de nuestras baterías causó un efecto terrible sobre la guarnición. Los pesados obuses comenzaron a caer exactamente sobre las azoteas del edificio y en las trincheras enemigas.

Los soldados que manejaban la calibre 50 desde lo alto del edificio fueron puestos fuera de combate por un impacto directo. Al producirse el décimo disparo del 81, la bandera blanca fue izada, siendo hechos prisioneros 250 soldados enemigos que lo defendían, ocupándose 213 armas en el mismo y 65 pistolas.

FIDEL CASTRO RUZ

Mientras tanto la batalla proseguía en el interior de la ciudad. Uno por uno fueron recuperándose los edificios tomados por el enemigo. A la una de la tarde, uno de los más importantes, defendido por 35 soldados, fue tomado por nuestras fuerzas. Pero todavía continuaba resistiendo la Compañía 104 de Infantería, en el centro de la ciudad, al mando del Comandante Sierra. El combate se sostuvo durante la tarde, la noche y las primeras horas de la madrugada del día de hoy, y a las cinco de la mañana, completamente dominado el edificio, la guarnición incluyendo su propio Comandante fue hecho prisionero. En total habían sido hechos prisioneros 256 combatientes enemigos y ocupadas 357 armas: 227 fusiles Springfield, 66 ametralladoras, 21 carabinas M-1, 19 Garands, 2 fusiles ametralladoras Browning, 1 fusil ametralladora Johnson, 1 ametralladora Fal, 1 ametralladora Jane, 4 ametralladoras calibre 30, una ametralladora calibre 50, una bazooka 3.5, 85 000 balas de distintos tipos, cientos de cananas, mochilas, etc.

Ante las victorias logradas por el victorioso Ejército Rebelde 26 de Julio, el Estado Mayor de la tiranía acaba de ordenar el bombardeo de las ciudades liberadas. Esta medida del tirano de Cuba no es nueva. Innumerables ciudades de Las Villas y de Oriente y zonas rurales de Pinar del Río, Las Villas y Camagüey y Oriente son testigos de los bombardeos y ametrallamientos criminales que ha perpetrado la aviación de la tiranía.

Ese anuncio de bombardeo a las poblaciones ocupadas como si fuese algo hasta ahora no realizado es una jugada de la tiranía para justificar su fracaso militar.

Está probada la ineficacia de la aviación en el tipo de guerra que se desarrolla en Cuba. La aviación no pudo vencer a los rebeldes de la Sierra Maestra, la aviación no ha podido vencer a nuestras columnas que invadieron el llano, la aviación no podrá vencer a una revolución que representa los más caros anhelos del pueblo de Cuba.

Lo único que podrán hacer los aviones y bombas que Inglaterra ha vendido al tirano de Cuba es asesinar a niños, mujeres y ancianos, como en Calabazas donde mataron una familia completa, y como han hecho en tantos pueblos y zonas rurales de Cuba. Allí está, destrozado por los bombardeos, el niño José Manuel Pérez, por ironías del destino, hijo de un soldado de la dictadura, Pitágoras Pérez.

No obstante, aclaramos que las poblaciones de la Provincia de Las Villas tomadas por el Ejército Rebelde han sido declaradas ciudades abiertas por orden de nuestro Comandante en Jefe Fidel Castro, para evitar así que los aviones de la dictadura puedan justificar el crimen de bombardear las poblaciones que forman parte del Territorio Libre de Cuba.

Cuando nuestro Ejército Rebelde, reedición gloriosa del Ejército Libertador, toma una ciudad, no acampa en ella sino que se desplaza hacia las zonas rurales cercanas.

FIDEL CASTRO RUZ

El Movimiento 26 de Julio está bien consciente del momento decisivo que vive Cuba. Conocemos perfectamente que todas estas amenazas de ofensiva aérea encierran una antipatriótica maniobra para propiciar una intervención extranjera en Cuba. Pero nadie podrá robarle al pueblo de Cuba el saldo beneficioso de la Revolución.

Conquistaremos toda la justicia, estamos a un paso de obtenerla, pero si intereses mezquinos intentan obstaculizarlo, hasta el último combatiente de la Revolución sabrá morir de cara al sol.

DOMINGO
28

Al compañero Jefe de Policía de Palma [Eduardo Ruiz Samé, capitán del Ejército Rebelde, nombrado para ese cargo, después de la liberación de Palma Soriano].

Esta compañía tiene descanso. Debe pernoctar en Palma. Facilítele alojamiento y oriéntelo en la adquisición de víveres. Todos tienen permiso para visitar el pueblo.

Fidel Castro [firma]

Este mismo día, en las oficinas del administrador del central Palma, dispuse varios ascensos a oficiales del Ejército Rebelde; entre otros, fueron:

Ascendidos a comandante: Calixto García Martínez, Luis Crespo, Raúl Menéndez Tomassevich, Rafael Verdecia, Pungo; Aldo Santamaría, Manuel Piñeiro, Luis Orlando Rodríguez y Félix Duque.

Ascendidos a capitán: Enrique Jiménez Moya y Luis Borges Alducín.

Ascendida a teniente: Pastora Núñez González.

EJÉRCITO REBELDE
COMANDANCIA GENERAL
POR CUANTO:

Por altas conveniencias y en consideración a sus servicios prestados en las Fuerzas Rebeldes, es procedente disponer el ascenso al grado de Comandante del Capitán Universo Sánchez.

POR TANTO:

En uso de las facultades de que estoy investido

RESUELVO:

Aprobar y poner en vigor el siguiente

DECRETO:

Primero: Se asciende al grado de COMANDANTE de las Fuerzas Rebeldes, al Capitán Universo Sánchez, quien pasará a prestar sus servicios en el Mando Militar donde oportunamente se le señale.

Segundo: Que se le comunique la presente al ascendido, así como a los Mandos Militares del Ejército Rebelde, para su conocimiento y efecto.

FIDEL CASTRO RUZ

Dado en Territorio Libre de Cuba de la Comandancia General del Ejército Rebelde, a los veinte y ocho días del mes de Diciembre de mil novecientos cincuenta y ocho.

LIBERTAD O MUERTE

FIDEL CASTRO RUZ

Comandante en Jefe / Ejército Rebelde

Dic. 28, 58

El portador va en misión especial importante. Facilítesele gasolina.

Fidel Castro [firma]

LUNES
29

12/29.58

Entregar al portador 7 galones de gasolina.

Fidel Castro Ruz [firma]

29-12

[Arturo] Aguilera:

Proporciónele 5 galones [de] gasolina al Ctan. Lorenzo [García Frías] que se tiene que trasladar a Palma.

Gracias, Calixto [García].

Fidel Castro Ruz [refrendado]

MARTES
30

El 28 de diciembre, en las ruinas del central Oriente, sostuve conversaciones con el general Eulogio Cantillo, jefe de operaciones del Ejército de la dictadura en la provincia, quien había mostrado disposición para sumarse al movimiento militar que junto al Ejército Rebelde precipitaría la caída de la tiranía y el triunfo de la Revolución.

Tal y como fue previsto en ese encuentro, el día 30 me disponía a avanzar sobre la ciudad de Santiago de Cuba cuando recibí una nota del general Cantillo donde solicitaba una prolongada tregua. Le respondí inmediatamente a través del coronel Rego Rubido:

[A Eulogio Cantillo]

Maffo - 12/30/58

El contenido de la nota se aparta por completo de los acuerdos tomados. Es ambiguo e incomprensible. Me ha hecho perder la confianza en la seriedad de los Acuerdos.

Quedan rotas las hostilidades a partir de mañana a las 3 p.m. que fue la fecha y hora acordada.

Fidel Castro R.

RADIO REBELDE

Diciembre 30 de 1958

Cayó Maffo en poder de las fuerzas rebeldes. La guarnición se rindió después de veinte días de combate. Ciento diecisiete prisioneros, 129 armas y 57 000 balas ocupadas.

Hemos recibido de la comandancia general del E. R. [Ejército Rebelde] el siguiente parte: Maffo, donde las fuerzas de la dictadura ofrecieron una tenaz resistencia, cayó después de 20 días de lucha. Los restos del batallón diez al mando del comandante Leopoldo Hernández Ríos, se rindieron hoy a las cinco y treinta de la tarde. La batalla de Maffo se inició el día diez del presente mes. Durante 20 días se mantuvo el combate. Las fuerzas enemigas se habían atrincherado en las naves del Banfaic, las que convirtieron en una verdadera fortaleza. Las casas y los edificios de Maffo quedaron virtualmente arrasados por los ataques de la aviación enemiga. Con singular heroísmo nuestras tropas mantuvieron el cerco bajo el incesante ataque aéreo con bombas de 500 libras. Todos los refuerzos enemigos fueron rechazados con grandes bajas.

Durante los últimos tres días, las fuerzas de las Columnas 1 y 3 arreciaron el ataque. Un tanque T-17 que cayó en poder de nuestras fuerzas durante la ofensiva a la Sierra Maestra, fue movilizado desde las proximidades de Manzanillo hasta Maffo; un cañón de 37 milímetros y un mortero 81, armas todas ocupadas en los combates contra la dictadura, mantuvieron un incesante fuego contra la posición enemiga, hasta que hoy a las cinco y treinta de la tarde la fortaleza del Banfaic cayó al fin en nuestras manos. Fueron hechos prisioneros un comandante, cinco tenientes y ciento once soldados y clases del ejército enemigo. Se ocuparon 129 armas: 24 garand, 42 fusiles springfields, 46 ametralladoras San Cristóbal, 4 fusiles ametralladoras Browning, un fusil ametrallador Maxim, 7 carabinas M-1, una ametralladora Thompson, dos ametralladoras trípode calibre 30, un mortero 81, un mortero 60, cincuentisiete mil [sic] balas 30.06 y de M-1 y más de cien cananas, mochilas, cantimploras, etc.

Nuestras fuerzas sufrieron cuatro muertos y veinte heridos durante el transcurso de la lucha.

Al caer Maffo, no queda una sola fuerza enemiga entre Bayamo y Santiago de Cuba. En cuarentaicinco [sic] días las fuerzas de las columnas uno y tres, han ocupado más de 700 armas, 186 000 balas y han ocasionado al enemigo, entre prisioneros, muertos y heridos, cerca de mil bajas. Sumados a los que se han ocupado en otras partes de la provincia de Oriente en los últimos dos meses pasan de dos mil el número total de armas arrebatadas a las fuerzas enemigas.

La batalla de Santiago de Cuba comenzará de un momento a otro. De cinco a seis mil soldados enemigos defienden la ciudad; las fuerzas de las columnas uno y tres, que en cuatro semanas han liberado los pueblos

FIDEL CASTRO RUZ

de Jiguaní, Baire, Contramaestre, Maffo y Palma Soriano, unidas ahora con las columnas 9 y 10 tomarán también a Santiago de Cuba, donde se librará una batalla decisiva.

Fidel Castro Ruz
Comandante Jefe

MIÉRCOLES
31

[Carta al coronel José Rego Rubido, jefe de la Plaza Militar de Santiago de Cuba]
EJÉRCITO REBELDE
COMANDANCIA GENERAL
Territorio Libre de Cuba
31 de Diciembre de 1958.
Sr. Coronel:

Un lamentable error se ha producido en la trasmisión a usted de mis palabras. Tal vez se debió a la premura con que respondí a su nota y a lo apurado de la conversación que sostuve con el portador. Yo no le dije que la condición planteada por nosotros en los acuerdos que se tomaron era la rendición de la plaza de Santiago de Cuba a nuestras Fuerzas. Hubiese sido una descortesía con nuestro visitante y una proposición indigna y ofensiva para los militares que tan fraternalmente se han acercado a nosotros.

La cuestión es otra: se había llegado a un acuerdo y se adoptó un plan entre el líder del movimiento militar y nosotros. Debía comenzar a realizarse el día treinta y uno a las tres p.m. Hasta los detalles se acordaron después de analizar cuidadosamente los problemas que debían afrontarse. Se iniciaría con el levantamiento de la guarnición de Santiago de Cuba. Persuadí al General C. [Cantillo] de las ventajas de comenzar por Oriente y no en Columbia, por recelar el pueblo grandemente de cualquier golpe en los Cuarteles de la Capital de la República y lo difícil que iba a ser en ese caso vincular la ciudadanía al movimiento. Él coincidía plenamente con mis puntos de vista; se preocupaba sólo por el orden en la Capital y acordamos medidas para conjurar el peligro.

Se trataba de una acción unida de los militares, el pueblo y nosotros; un tipo de movimiento revolucionario que desde el primer instante contaría con la confianza de la Nación entera. De inmediato y de acuerdo con lo que se convino suspendimos las operaciones que se estaban llevando a cabo y nos dimos a la tarea de realizar nuevos movimientos de fuerzas hacia otros puntos, como Holguín, donde la presencia de conocidos esbirros hacía casi segura la resistencia al Movimiento Militar Revolucionario.

Cuando ya todos los preparativos estaban listos por nuestra parte, recibo la nota de ayer donde se me daba a entender que no se llevaría [a cabo] la acción acordada. Al parecer hacía otros planes, pero no se me informaba cuáles

FIDEL CASTRO RUZ

ni por qué. De hecho ya no era cosa nuestra la cuestión. Teníamos simplemente que esperar. <u>Unilateralmente</u> se cambiaba todo. Se ponía en riesgo a las fuerzas nuestras, que de acuerdo con lo que se contaba habían sido enviadas a operaciones difíciles; quedábamos sujetos además a todos los imponderables. Cualquier riesgo del General C. en sus frecuentes viajes a La Habana, se convertiría militarmente para nosotros en un desastre. Reconozca usted que todo está muy confuso en este instante y que Batista es un individuo hábil y taimado que sabe maniobrar. ¿Cómo puede pedírsenos que renunciemos a todas las ventajas obtenidas en las operaciones de las últimas semanas, para ponernos a esperar pacientemente que los hechos se produzcan? Bien aclaré que no podía ser una acción de los militares solos; para eso realmente no había que esperar los horrores de dos años de guerra. Cruzarnos de brazos en los momentos decisivos es lo único que no se nos puede pedir a los hombres que no hemos descansado en la lucha contra la opresión desde hace siete años. Aunque ustedes tengan la intención de entregar el Poder a los revolucionarios, no es el Poder en sí lo que a nosotros nos interesa, sino que la revolución cumpla su destino. Me preocupa incluso que los militares por un exceso injustificado de escrúpulos, faciliten la fuga de los grandes culpables, que marcharán al extranjero con sus grandes fortunas para hacer desde allí todo el daño posible a nuestra causa. Personalmente, puedo añadirle que el Poder no me interesa, ni pienso ocuparlo. Velaré sólo porque no se frustre el sacrificio de tantos compatriotas, sea cual fuere mi destino posterior. Espero que estas honradas razones que con todo respeto a su dignidad de militares les expongo, las comprendan. Tengan la seguridad de que no están tratando con un ambicioso ni con un insolente. Siempre he actuado con lealtad y franqueza en todas mis cosas. Nunca se podrá llamar triunfo a lo que se obtenga con doblez y engaño. El lenguaje de honor que ustedes entienden es el único que yo sé hablar.

Nunca se mencionó en la reunión con el General C. la palabra rendición, lo que ayer dije y reitero hoy es que a partir de las tres de la tarde del día treinta y uno, fecha y hora acordadas, no podíamos prorrogar la tregua con relación a Santiago de Cuba, porque eso podría perjudicar extraordinariamente a nuestra causa.

Nunca una conspiración es segura. Anoche llegó aquí el rumor de que el general C. había sido detenido en La Habana; que varios jóvenes habían aparecido asesinados en el cementerio de Santiago de Cuba; tuve la sensación de que habíamos perdido el tiempo miserablemente. Aunque afortunadamente hoy parece comprobarse que el general C. se encuentra en su puesto, ¿qué necesidad tenemos de correr esos riesgos?

Lo que dije al mensajero en cuanto a rendición, que no fue transmitido literalmente y pareció motivar las palabras de su nota de hoy, fue lo siguiente: que si se rompían

FIDEL CASTRO RUZ

las hostilidades por no cumplirse lo acordado, nos veríamos obligados a atacar la plaza de Santiago de Cuba, lo que es inevitable, dado que en ese sentido hemos encaminado nuestro esfuerzo en los últimos meses, en cuyo caso una vez iniciada la operación exigiríamos la rendición de las fuerzas que la defienden. Esto no quiere decir que pensemos que se rindan sin combatir, porque yo sé que aun sin razón para combatir, porque lo han hecho en defensa de una causa infame, los militares cubanos defienden las posiciones con tozudez y nos han costado muchas vidas; quise decir sólo que después que se haya derramado la sangre de nuestros hombres por la conquista de un objetivo, no podía aceptarse otra solución, ya que aunque nos cueste muy caro, dada las condiciones actuales de las fuerzas que defienden al régimen, las cuales no podrán prestar apoyo a esa ciudad, ésta caerá inexorablemente en nuestras manos. Ese ha sido el objetivo básico de todas nuestras operaciones los últimos meses y un plan de esa envergadura no puede suspenderse por una semana sin graves consecuencias, caso de que el Movimiento Militar se frustre, perdiéndose además el momento oportuno que es éste, cuando la dictadura está sufriendo grandes reveses en las provincias de Oriente y Las Villas. Se nos pone en el dilema de renunciar a las ventajas de nuestras victorias o atacar; un triunfo seguro a cambio de un triunfo probable. ¿Cree usted que con la nota de ayer, ambigua y lacónica, contentiva de una decisión unilateral, pueda yo incurrir en la responsabilidad de mantener en suspenso los planes?

Como militar que es, reconozca que se nos pide un imposible. Ustedes no han dejado un minuto de hacer trincheras; esas trincheras las pueden utilizar contra nosotros un Pedraza, un Pilar García o un Cañizares, si el General C. es relevado del Mando y con él sus hombres de confianza. No se nos puede pedir que permanezcamos ociosos. Vea usted que se nos coloca en una situación absurda. Aunque defiendan con valor sus armas no nos queda más remedio que atacar, porque nosotros también tenemos obligaciones muy sagradas que cumplir. Más que aliados deseo que los militares honorables y nosotros seamos compañeros de una sola causa, que es la de Cuba, pero ahí señor Coronel hay millares de soldados que defienden todavía el pabellón de la tiranía.

Deseo por encima de todo que usted y sus compañeros no se hagan una idea errónea de mi actitud y de mis sentimientos. He sido extenso para evitar que se confundan o tergiversen los conceptos.

Respecto a la tácita suspensión del fuego en la zona de Santiago de Cuba, para evitar toda duda ratifico que aunque en cualquier instante antes de que se inicien los combates podemos reanudar las conversaciones, a partir de hoy debe quedar advertido que el ataque se va a producir de un momento a otro y que por ninguna razón volveré a suspender los planes ya que todo esto, como son cuestiones

FIDEL CASTRO RUZ

que se tramitan en secreto, puede sembrar la confusión en el pueblo y perjudicar la moral de nuestros combatientes.

Atentamente,

LIBERTAD O MUERTE

FIDEL CASTRO RUZ

Al pueblo de Cuba

Compatriotas:

Pocas veces suelo venir a los micrófonos de Radio Rebelde, porque son muchas mis obligaciones como Comandante de las Fuerzas Rebeldes. Lo hago sólo en circunstancias especiales cuando considero un deber ineludible hablarle al pueblo.

Hoy vengo a decirle a nuestro pueblo que la Dictadura está vencida. Es posible que la caída de Batista sea cuestión ya de 72 horas. A estas horas luce evidente que el régimen no puede resistir por más tiempo. Las fuerzas que lo defienden se están resquebrajando en todas partes. El Ejército Rebelde tiene 10 mil soldados de la tiranía copados en la provincia de Oriente. Sin embargo, yo tengo que hablarle hoy muy claramente al pueblo.

Altos oficiales del Ejército están... [doc. incompleto]

Hay muchos intereses que están tratando de evitar el triunfo pleno de la Revolución. Le quieren escamotear al pueblo y al Ejército Rebelde la Victoria. Altos oficiales del Ejército que han estado sirviendo [a] la odiosa tiranía durante 7 años, convencidos de que si la guerra dura 15 días más nuestras fuerzas hacen rendir a todas las guarniciones de la Isla, [doc. incompleto].

Palma Soriano, 31 Dic./58

INSTRUCCIONES A LOS COORDINADORES PROVINCIALES Y MUNICIPALES DEL 26 DE JULIO

En estos momentos en que la tiranía se desploma, los dirigentes del 26 de Julio en cada localidad deben asumir provisionalmente el gobierno de cada municipio.

Posteriormente y previa investigación por un Comité designado por la Comandancia General, serán nombrados los comisionados municipales y provinciales, que regirán hasta que se convoquen elecciones generales.

Fidel Castro Ruz
Comandante-Jefe

1ro. de Enero de 1959

Boletín especial de Radio Rebelde, órgano oficial del Movimiento 26 de Julio y del Ejército Rebelde, desde las puertas de Santiago de Cuba.

Se acaba de anunciar desde el campamento de Columbia que el tirano Batista ha huido.

El general Cantillo a nombre del Ejército anunció que ha tomado el mando de la Junta Militar.

En la declaración se habla cínicamente del patriotismo del tirano que accedió a renunciar y de la salida de los principales esbirros de la Tiranía de los cuerpos represivos.

Radio Rebelde anuncia al pueblo de Cuba, al Ejército Rebelde y al Movimiento Revolucionario 26 de Julio, que dentro de poco, Fidel Castro Ruz, líder de la revolución cubana y Comandante en Jefe del Ejército Rebelde se dirigirá al pueblo de Cuba con trascendentales pronunciamientos:

El pueblo tiene que estar muy alerta en estos momentos decisivos para el destino de nuestra patria.

Esta larga y difícil lucha no tendrá otro final que el triunfo de la revolución. Jamás aceptaremos otra solución que un gobierno civil.

FIDEL CASTRO RUZ

El pueblo debe estar preparado para declarar la huelga general.

Hay que evitar la huida de los asesinos.

Exigimos la inmediata libertad de los presos políticos.

Que nadie se llame a engaño.

No aceptamos ninguna Junta Militar.

Hay que prepararse para la lucha final.

Nada ni nadie impedirá el triunfo de la Revolución.

Las plantas de La Habana deben estar en sintonía con Radio Rebelde.

RADIO REBELDE

AQUÍ Radio Rebelde, desde las puertas de Santiago de Cuba.

Hablando a nombre del Movimiento 26 de Julio y el Ejército Rebelde.

Pueblo de Cuba: el Tirano ha huido, los principales asesinos se han dado a la fuga más precipitada ante el empuje incontenible del Ejército Rebelde. Los mismos que lo sostuvieron hasta ayer pretenden sustituirle.

Se ha constituido una Junta Militar.

Ahora más que nunca el pueblo tiene que estar alerta y mantenerse unido a la revolución y dispuesto a declarar la huelga general revolucionaria en el mismo instante que se le ordene.

Jamás aceptaremos una Junta Militar.

Dentro de poco el líder de la revolución y comandante Jefe del Ejército Rebelde se dirigirá al Pueblo de Cuba en trascendentales pronunciamientos.

No hay más solución que la entrega del Gobierno.

Las estaciones de radio de La Habana deben ponerse en sintonía y hacer una cadena con Radio Rebelde para trasmitir nuestras orientaciones.

El Ejército Rebelde y el Movimiento 26 de Julio deben actuar en consecuencia.

La revolución no podrá ser escamoteada.

Ahora es más fuerte que nunca.

Esperen las palabras de Fidel Castro dentro de poco.

ATENCIÓN IMPORTANTE

La opinión pública no debe confundirse. Nuestros dirigentes no han hecho otra declaración que la que estamos haciendo por Radio Rebelde. No es cierto que nuestro máximo jefe Fidel Castro Ruz y el Presidente Provisional de la República reconocido por la Revolución, Dr. Manuel Urrutia Lleó, estén camino de La Habana. No es cierto que hayamos prohibido izar otra bandera más que la de la República. En el territorio liberado de Cuba, que es más de la mitad del territorio nacional, ondea victoriosa, junto a la enseña inmortal de Narciso López, la bandera del 26 de Julio y el Ejército Rebelde. Ambas avanzan abrazadas y victoriosas y no permitirán que se entorpezca nuestra Revolución. Frente a las componendas vergonzosas que están permitiendo ya la huida de los asesinos y ladrones de la tiranía, las banderas de la República y de la Revolución están más unidas que nunca.

Ahora viene a los micrófonos de Radio Rebelde el líder máximo de la revolución cubana, Dr. Fidel Castro Ruz, en trascendentales declaraciones:

Con el pueblo de Cuba el doctor Fidel Castro.

INSTRUCCIONES DE LA COMANDANCIA GENERAL A TODOS LOS COMANDANTES DEL EJÉRCITO REBELDE Y AL PUEBLO [doc. pp. 537 y 545]:

Batey del central "América"

Cualesquiera que sean las noticias procedentes de la Capital, nuestras tropas no deben hacer alto al fuego en ningún momento.

Nuestras fuerzas deben proseguir sus operaciones contra el enemigo en todos los frentes de batalla.

Acéptese sólo conceder parlamento a las guarniciones que deseen rendirse.

Al parecer, se ha producido un golpe de estado en la Capital. Las condiciones en que ese golpe se produjo son ignoradas por el Ejército Rebelde.

El pueblo debe estar muy alerta y atender sólo las instrucciones de la Comandancia General.

La dictadura se ha derrumbado como consecuencia de las aplastantes derrotas sufridas en las últimas semanas, pero eso no quiere decir que sea ya el triunfo de la Revolución.

Las operaciones militares proseguirán inalterablemente mientras no se reciba una orden expresa de esta Comandancia, la que sólo será emitida cuando los elementos militares que se han alzado en la Capital se pongan incondicionalmente a las órdenes de la Jefatura Revolucionaria.

¡Revolución SÍ; golpe militar NO!

¡Golpe militar de espaldas al pueblo y a la Revolución NO; porque sólo serviría para prolongar la guerra!

¡Golpe de estado para que Batista y los grandes culpables escapen, NO; porque sólo serviría para prolongar la guerra!

¡Golpe de estado de acuerdo con Batista, NO; porque solo serviría para prolongar la guerra!

¡Escamotearle al pueblo la Victoria, NO; porque sólo serviría para prolongar la guerra hasta que el pueblo obtenga la victoria total!

Después de siete años de lucha, la victoria democrática del pueblo tiene que ser absoluta, para que nunca más se vuelva a producir en nuestra Patria un 10 de marzo.

¡Nadie se deje confundir ni engañar!

¡Estar alerta es la palabra de orden!

El pueblo y muy especialmente los trabajadores de toda la República, deben estar atentos a Radio Rebelde y prepararse urgentemente en todos los centros de trabajo para la huelga general e iniciarla apenas se reciba la orden si fuese necesario para contrarrestar cualquier intento de golpe contrarrevolucionario.

FIDEL CASTRO RUZ

¡Más unidos y más firmes que nunca deben estar el pueblo y el Ejército Rebelde, para no dejarse arrebatar la victoria que ha costado tanta sangre!

FIDEL CASTRO

COMANDANTE EN JEFE

INSTRUCCIONES A SANTIAGO DE CUBA

Santiagueros: La guarnición de Santiago de Cuba está cercada por nuestras fuerzas. Si a las seis de la tarde del día de hoy no han depuesto las armas, nuestras tropas avanzarán sobre la ciudad y tomarán por asalto las posiciones enemigas.

A partir de las seis de la tarde queda prohibido todo tráfico aéreo o marítimo en la ciudad.

Santiago de Cuba: los esbirros que han asesinado a tantos hijos tuyos no escaparán como escaparon Batista y los grandes culpables, en combinación con los oficiales que dirigieron el golpe amañado de anoche.

Santiago de Cuba: Aún no eres libre. Ahí están todavía en tus calles los que te han oprimido durante siete años, los asesinos de cientos de tus mejores hijos. La guerra no ha terminado porque aún están armados los asesinos.

Los militares golpistas pretenden que los Rebeldes no puedan entrar en Santiago de Cuba. Se prohíbe nuestra entrada en una Ciudad que podemos tomar con el valor y el coraje de nuestros combatientes; se quiere prohibir la entrada a Santiago de Cuba a los que han liberado la Patria.

Santiago de Cuba: serás libre, porque tú lo mereces más que ninguna, porque es indigno que por tus calles se paseen todavía los defensores de la Tiranía.

Santiago de Cuba: necesitamos tu apoyo. Desde hoy a las 3 de la tarde la ciudad debe estar totalmente paralizada. Todo el mundo debe abandonar su trabajo en solidaridad con los combatientes que van a liberarla. Solamente la planta eléctrica debe continuar laborando para que el pueblo pueda orientarse a través de sus radios.

Santiago de Cuba: serás libre porque te lo mereces más que ninguna, y porque es indigno que por tus calles se paseen todavía los defensores de la Tiranía [se repite en el original].

SE CURSAN ÓRDENES MILITARES A LOS MANDOS DE CAMAGÜEY Y DE LAS GLORIOSAS COLUMNAS 2 Y 8 DE LAS VILLAS.

El Comandante Jefe del Ejército Rebelde y Máximo Líder de la Revolución Cubana y el Movimiento Revolucionario 26 de Julio, ha cursado por los micrófonos de Radio Rebelde, a las puertas de Santiago de Cuba, las siguientes instrucciones militares:

Al Comandante Víctor Mora, Jefe de la Provincia de Camagüey, se le ordena el avance sobre todas las ciudades,

FIDEL CASTRO RUZ

rindiéndolas por las armas con la cooperación del pueblo y Jefes Militares honrados del ejército enemigo con tropas bajo su mando. El comandante Mora debe cerrar todas las vías de acceso a las poblaciones, especialmente las de la Carretera Central y las de las carreteras de Santa Cruz del Sur, Nuevitas y Camagüey.

El comandante Camilo Cienfuegos, con su gloriosa columna invasora número 2, debe avanzar sobre la ciudad de La Habana, para rendir y tomar el mando del Campamento Militar Columbia.

El Comandante Ernesto Guevara ha sido investido del cargo de Jefe del Campamento Militar de la Cabaña y, en consecuencia, debe avanzar con sus fuerzas sobre la ciudad de La Habana, al paso que rinda las fortalezas de Matanzas.

También se han impartido instrucciones al Comandante Aníbal [Belarmino Castilla], para que conmine la rendición de las fuerzas de Mayarí, al Comandante Raúl Castro la rendición de Guantánamo y a los Comandantes [Lalo] Sardiñas y [Delio] Gómez Ochoa la de Holguín y Victoria de las Tunas.

Se ordena a estos mandos el mantenimiento del mayor orden en las ciudades que se rindan y el apresamiento inmediato, para ser sometidos a juicios sumarísimos, de todos los culpables de la actual situación.

El comandante [Dermidio] Escalona, Jefe Militar de Pinar del Río, debe actuar en consecuencia, de acuerdo con las instrucciones precedentes.

LA CONTRAOFENSIVA ESTRATÉGICA

Mientras tanto las columnas 1, José Martí, 3, 9 y 10, bajo el comando directo del Comandante Jefe Fidel Castro y el Comandante, Juan Almeida, avanzan ya sobre Santiago de Cuba.

[Mensaje radial a Ramiro Valdés, quien se encontraba en Santa Clara.]

No necesario viaje Ramiro.

Pienso estar ahí dentro de 6 días.

Debes cercar Santa Clara y esperar 3 días instrucciones definitivas.

Columna marchará hacia allá vehículos motorizados.

Fidel Castro [firma]

Al pueblo de Cuba y especialmente a todos los trabajadores:

Una junta Militar en complicidad con el Tirano ha tomado el poder para asegurar su huida y la de los principales asesinos e intentar frenar el impulso revolucionario que nos escamoteó la victoria.

El Ejército Rebelde proseguirá su arrolladora campaña, aceptando sólo la rendición incondicional de las guarniciones militares.

El pueblo de Cuba y los trabajadores deben inmediatamente prepararse para que el día 2 de enero la huelga general se inicie en todo el país, apoyando a las armas revolucionarias y garantizar así la victoria total de la Revolución.

FIDEL CASTRO RUZ

Siete años de lucha heroica, miles de mártires cuya sangre se ha derramado en todos los ámbitos de Cuba, no van a servir para que los mismos, que hasta ayer fueron cómplices y responsables de la tiranía y sus crímenes, sigan mandando en Cuba.

Los trabajadores cubanos orientados por la sección obrera del Movimiento Revolucionario 26 de Julio, deben en el día de hoy tomar todos los sindicatos mujalistas y organizarse en las fábricas y centros laborales para iniciar al amanecer de mañana la paralización total del país.

Batista y [Eusebio] Mujal han huido.

Pero sus cómplices se han quedado con el mando en el Ejército y los sindicatos.

Golpe de Estado para traicionar al pueblo, ¡NO!

Eso sería prolongar la guerra.

Hasta que Columbia no se rinda, no habrá terminado la Guerra.

Esta vez nada ni nadie podrá impedir el triunfo de la Revolución.

TRABAJADORES: Por la libertad, por la Democracia, por el triunfo pleno de la Revolución.

A LA HUELGA GENERAL REVOLUCIONARIA, en todos los territorios no liberados.

DISCURSO PRONUNCIADO POR EL COMANDANTE
FIDEL CASTRO RUZ, EN EL PARQUE CÉSPEDES DE
SANTIAGO DE CUBA, EL 1RO. DE ENERO DE 1959

Santiagueros, compatriotas de toda Cuba:

Al fin hemos llegado a Santiago (aplausos). Duro y largo ha sido el camino, pero hemos llegado (aplausos).

Se decía que hoy a las 2:00 de la tarde se nos esperaba en la capital de la República, el primer extrañado fui yo (aplausos), porque yo fui uno de los primeros sorprendidos con ese golpe traidor y amañado de esta mañana en la capital de la República (aplausos).

Además, yo iba a estar en la capital de la República, o sea, en la nueva capital de la República (aplausos), porque Santiago de Cuba será, de acuerdo con el deseo del presidente provisional, de acuerdo con el deseo del Ejército Rebelde y de acuerdo con el deseo del pueblo de Santiago de Cuba, que bien se lo merece, la capital (aplausos). ¡Santiago de Cuba será la capital provisional de la República! (Aplausos).

Tal vez la medida sorprenda a algunos, es una medida nueva, pero por eso ha de caracterizarse, precisamente, la Revolución, por hacer cosas que no se han hecho nunca (aplausos). Cuando hacemos a Santiago de Cuba capital provisional de la República sabemos por qué lo hacemos. No se trata de halagar demagógicamente a una localidad determinada, se trata, sencillamente, de que Santiago ha sido el baluarte más firme de la Revolución (aplausos).

FIDEL CASTRO RUZ

La Revolución empieza ahora, la Revolución no será una tarea fácil, la Revolución será una empresa dura y llena de peligros, sobre todo, en esta etapa inicial, y en qué mejor lugar para establecer el Gobierno de la República que en esta fortaleza de la Revolución (gritos y aplausos); para que se sepa que este va a ser un gobierno sólidamente respaldado por el pueblo en la ciudad heroica y en las estribaciones de la Sierra Maestra, porque Santiago está en la Sierra Maestra (gritos y aplausos). En Santiago de Cuba y en la Sierra Maestra tendrá la Revolución sus dos mejores fortalezas (aplausos).

Pero hay, además, otras razones: el movimiento militar revolucionario, el verdadero movimiento militar revolucionario, no se hizo en Columbia. En Columbia prepararon un "golpecito" de espaldas al pueblo, de espaldas a la Revolución y, sobre todo, de acuerdo con Batista (aplausos).

Puesto que la verdad hay que decirla y puesto que venimos aquí a orientar al pueblo, les digo y les aseguro que el golpe de Columbia fue un intento de escamotearle al pueblo el poder y escamotearle el triunfo a la Revolución. Y, además, para dejar escapar a Batista, para dejar escapar a los Tabernillas, para dejar escapar a los Pilar García y a los Chavianos, para dejar escapar a los Salas Cañizares y a los Ventura (aplausos).

El golpe de Columbia fue un golpe ambicioso y traidor que no merece otro calificativo, y nosotros sabemos llamar las cosas por su nombre y atenernos, además, a la responsabilidad (aplausos).

No voy a andar con paños calientes para decirles que el general Cantillo nos traicionó y no es que lo voy a decir, sino que lo voy a probar. Pero, desde luego, lo habíamos dicho siempre: no vayan a tratar a última hora a venir a resolver esto con un "golpecito militar", porque si hay golpe militar de espaldas al pueblo, la Revolución seguirá adelante, que esta vez no se frustrará la Revolución.

Esta vez, por fortuna para Cuba, la Revolución llegará de verdad al poder. No será como en el 95 que vinieron los americanos y se hicieron dueños de esto (aplausos). Intervinieron a última hora y después ni siquiera dejaron entrar a Calixto García que había peleado durante 30 años, no quisieron que entrara en Santiago de Cuba (aplausos). No será como en el 33 que cuando el pueblo empezó a creer que una Revolución se estaba haciendo, vino el señor Batista, traicionó la Revolución, se apoderó del poder e instauró una dictadura por once años. No será como en el 44, año en que las multitudes se enardecieron creyendo que al fin el pueblo había llegado al poder, y los que llegaron al poder fueron los ladrones. Ni ladrones, ni traidores, ni intervencionistas. Esta vez sí que es la Revolución.

Pero, no querían que fuese así. En los instantes mismos en que la dictadura se desplomaba como consecuencia de las victorias militares de la Revolución, cuando ya no podían resistir ni siquiera 15 días más, viene el señor

Cantillo y se convierte en paladín de la libertad. Naturalmente, que nosotros nunca hemos estado en una actitud de rechazar cualquier colaboración que implicase un ahorro de sangre, siempre que los fines de la Revolución no se pusiesen en peligro. Naturalmente, que nosotros siempre hemos estado llamando a los militares para buscar la paz, pero la paz con libertad y la paz con el triunfo de la Revolución, era la única manera de obtener la paz.

Por eso, cuando el 24 de diciembre se nos comunicó el deseo del general Cantillo de tener una entrevista con nosotros, aceptamos la entrevista. Yo les confieso a ustedes que, dado el curso de los acontecimientos, la marcha formidable de nuestras operaciones militares, yo tenía muy pocos deseos de ponerme a hablar de movimientos militares; pero yo entendí que era un deber, que nosotros los hombres que tenemos una responsabilidad no nos podemos dejar llevar por las pasiones. Y pensé que si el triunfo se podía lograr con el menor derramamiento de sangre posible, mi deber era atender las proposiciones que me hiciesen los militares (aplausos).

Fui a ver al señor Cantillo que vino a hablarme en nombre del Ejército. Se reunió conmigo el día 28 en el central Oriente, adonde llegó en un helicóptero, a las 8:00 de la mañana. Allí conversó con nosotros durante cuatro horas, y yo sí que no voy a hacer una historia inventada ni cosa que se parezca, porque tengo testigos excepcionales de la entrevista. Allí estaba el Dr. Raúl Chibás, allí estaba un sacerdote católico, allí estaban varios militares cuyos testimonios no pueden ser puestos en duda por ningún concepto.

Allí, después de analizar todos los problemas de Cuba, después de puntualizar todos los detalles, acordó, el general Cantillo, realizar de acuerdo con nosotros un movimiento militar revolucionario. Lo primero que le dije fue esto, después de analizar bien la situación: la situación del Ejército, la situación a que lo había llevado la dictadura; después de aclararle que a él no le tenía que importar Batista ni los Tabernillas ni toda aquella gente, no le tenía que importar nada, porque aquella gente había sido muy desconsiderada con los militares cubanos; que aquella gente había llevado a los militares a una guerra contra el pueblo, que es una guerra que se pierde siempre, porque contra el pueblo no se puede ganar una guerra (aplausos).

Después de decirle que los militares eran víctimas de las inmoralidades del régimen, que los presupuestos para comprar armamentos se los robaban, que a los soldados los engañaban constantemente, que aquella gente no merecía la menor consideración de los militares honorables, que el Ejército no tenía por qué cargar con la culpa de los crímenes que cometía la pandilla de los esbirros de confianza de Batista; le advertí, le advertí bien claramente, que yo no autorizaría jamás, por mi parte, ningún tipo de movimiento que permitiese la fuga de Batista. Le advertí que si Batista quería fugarse, que se fugara enseguida y con él Tabernilla y todos los demás, pero que mientras que nosotros pudiéramos evitarlo, teníamos que impedir la fuga de Batista (aplausos).

Todo el mundo sabe que nuestro primer planteamiento en caso de un golpe militar para llegar a un acuerdo con nosotros era la entrega de los criminales de guerra, y esa era una condición esencial.

Y se podía haber capturado a Batista y a todos sus cómplices. Y yo se lo dije bien claro que no estaba de acuerdo con que Batista se fuera. Le expliqué bien qué tipo de movimiento había que hacer; que yo no respaldaría, ni el Movimiento 26 de Julio ni el pueblo, respaldarían un golpe de Estado, porque la cuestión es que el pueblo es el que ha conquistado su libertad y nadie más que el pueblo (aplausos).

La libertad nos la quitaron mediante un golpe de Estado, pero para que se acabaran de una vez y para siempre los golpes de Estado, había que conquistar la libertad a fuerza de sacrificio de pueblo, porque no hacíamos nada con que dieran un golpe mañana y otro pasado y otro dentro de dos años y otro dentro de tres años; porque aquí quien tiene que decidir, definitivamente, quién debe gobernar es el pueblo y nadie más que el pueblo (aplausos).

Y los militares deben estar incondicionalmente a las órdenes del pueblo y a la disposición del pueblo y a la disposición de la Constitución, y de la ley de la República.

Si hay un gobierno malo que roba y que hace más de cuatro cosas mal hechas pues, sencillamente, se espera un poco y cuando llegan las elecciones se cambia el mal gobierno; porque para eso los gobiernos en los regímenes constitucionales democráticos tienen un período de tiempo limitado. Porque si son malos, el pueblo los cambia y vota por otros mejores.

La función del militar no es elegir gobernantes, sino garantizar la ley, garantizar los derechos del ciudadano (aplausos). Por eso le advertí que golpe de Estado ¡no!, movimiento militar revolucionario, ¡sí!, y no en Columbia sino en Santiago de Cuba (aplausos).

Le dije bien claro, que la única forma de lograr la vinculación y la confraternización del pueblo y de los militares y de los revolucionarios, no era dando un "madrugonazo" en Columbia, a las dos o las tres de la mañana, sin que nadie se enterara como acostumbran a hacer estos señores, sino sublevando la guarnición de Santiago de Cuba, que era lo suficientemente fuerte y estaba lo suficientemente bien armada para iniciar el movimiento militar y sumar al pueblo, y sumar a los revolucionarios a ese movimiento; que en las circunstancias en que estaba la dictadura era irresistible, porque de seguro que se sumarían de inmediato todas las guarniciones del país, y eso fue lo que se acordó.

Y no solo se acordó eso, sino que yo le hice prometer, porque él pensaba ir a La Habana al día siguiente, y nosotros no estábamos de acuerdo, porque yo le decía: "Es un riesgo que usted vaya a La Habana". Él decía: "No, no es ningún riesgo". "Usted corre mucho peligro de que lo detengan porque esa conspiración... aquí todo se sabe". "No, yo estoy seguro que no me detienen". Y claro, cómo lo iban a detener si era un golpe de Batista y de Taberni- lla. Yo dije, bueno, o este hombre lo tiene todo resuelto allí, lo controla todo, o este golpe es un poco sospechoso. Y entonces le dije: "Usted me promete que usted no se va a dejar persuadir en La Habana por una serie de in- tereses que están detrás de usted, para dar un golpe en la capital. Usted me promete que no". Y me dice: "Le prometo que no". "Usted me jura que no". Y me dijo: "Le juro que no".

Yo considero que lo primero que debe tener un mi- litar es honor, que lo primero que debe tener un militar es palabra; y este señor ha demostrado no solo falta de honor y falta de palabra, sino falta, además, de cerebro. Porque un movimiento que pudo haberse hecho desde el primer momento con todo el respaldo del pueblo y con el triunfo asegurado de antemano, lo que hizo fue dar un salto mortal en el vacío. Creyó que iba a ser demasiado fácil engañar al pueblo y engañar a la Revolución.

Sabía algunas cosas, sabía que en cuanto dijeran que Batista había agarrado el avión, el pueblo se iba a tirar a la calle loco de contento. Y pensaron que el pueblo no estaba lo suficientemente maduro para distinguir entre la fuga de Batista y la Revolución. Porque si Batista se va y se apo- deran allá de los mandos los amigos de Cantillo, muy bien pudiera ser que el doctor Urrutia tuviera que irse dentro de tres meses también; porque, lo mismo que nos traicionaban ahora, nos traicionaban luego. Y la gran verdad es que el señor Cantillo nos traicionó a nosotros antes de dar el golpe. Dije que lo demostraba, y lo voy a demostrar.

Se acordó con el general Cantillo que el levantamiento se produciría el día 31 a las 3:00 de la tarde. Se aclaró que el apoyo de las fuerzas armadas al movimiento revolucionario sería incondicional, el presidente que designasen los dirigentes revolucionarios y los cargos que a los militares les asignasen los dirigentes revolucionarios. Era un apoyo incondicional el ofrecido.

Se acordó el plan en todos sus detalles: el día 31, a las 3:00 de la tarde, se sublevaría la guarnición de Santiago de Cuba. Inmediatamente varias columnas rebeldes penetrarían en la ciudad, y el pueblo, con los militares y con los rebeldes, confraternizaría inmediatamente, lanzándose al país una proclama revolucionaria e invitando a todos los militares honorables a unirse al movimiento.

Se acordó que los tanques que hay en la ciudad serían puestos a disposición de nosotros, y yo me ofrecí, personalmente, para avanzar hacia la capital con una columna blindada, precedida por los tanques. Los tanques me serían entregados a las 3:00 de la tarde, no porque se pensase que había que combatir, sino para prever en caso de que en La Habana el movimiento fracasase y hubiese necesidad de situar nuestra vanguardia lo más cerca posible de la capital. Y, además, para prever que no se fueran a realizar excesos en la ciudad de La Habana.

Era lógico que con el odio despertado allí contra la fuerza pública por los inenarrables horrores de Ventura y de Pilar García, la caída de Batista iba a producir una desorbitación en la ciudadanía. Y que, además, aquellos policías se iban a sentir sin fuerza moral para contener al pueblo, como efectivamente ocurrió.

Una serie de excesos han tenido lugar en la capital: saqueos, tiroteos, incendios. Toda la responsabilidad cae sobre el general Cantillo por haber traicionado la palabra empeñada y por no haber realizado el plan que se acordó. Creyó que nombrando capitanes y comandantes de la policía —muchos de los cuales cuando los habían nombrado ya se habían ido, prueba de que no tenían la conciencia muy tranquila— iba a resolver la cuestión.

Qué distinto, sin embargo, fue en Santiago de Cuba. ¡Qué orden y qué civismo! ¡Qué disciplina demostrada por el pueblo! Ni un solo caso de saqueo, ni un solo caso de venganza personal, ni un solo hombre arrastrado por las calles, ni un incendio. Ha sido admirable y ejemplar el comportamiento de Santiago de Cuba, a pesar de dos cosas: a pesar de que esta había sido la ciudad más sufrida y que más había padecido el terror, por lo tanto, la que más derecho tenía a estar indignada (aplausos); y a pesar, además, de nuestras declaraciones de esta mañana diciendo que no estábamos de acuerdo con el golpe.

Santiago de Cuba se comportó ejemplarmente bien, y creo que será este caso de Santiago de Cuba un motivo de orgullo para el pueblo, para los revolucionarios y para los militares de la Plaza de Santiago de Cuba (aplausos).

Ya no podrán decir que la Revolución es la anarquía y el desorden. Ocurrió en La Habana por una traición, pero no ocurrió así en Santiago de Cuba, que podemos poner como modelo cuantas veces se trate de acusar a la Revolución de anárquica y desorganizada (aplausos).

Es conveniente que el pueblo conozca las comunicaciones que intercambiamos el general Cantillo y yo. Si el pueblo no está cansado (gritos y exclamaciones de: "¡No!") le puedo leer las mismas.

Después de los acuerdos tomados, cuando nosotros ya habíamos suspendido las operaciones sobre Santiago de Cuba, porque el día 28 ya nuestras tropas estaban muy próximas a la ciudad, y se habían realizado todos los preparativos para el ataque a la Plaza, de acuerdo con la entrevista sostenida, hubimos de realizar una serie de cambios, abandonar las operaciones sobre Santiago de Cuba y encaminar nuestras tropas hacia otros sitios, donde se suponía que el movimiento no estaba asegurado desde el primer instante. Cuando todos nuestros movimientos estaban hechos, la columna preparada para marchar sobre la capital, recibo, unas pocas horas antes, esta nota del general Cantillo que dice textualmente:

FIDEL CASTRO RUZ

"Han variado mucho las circunstancias en sentido favorable a una solución nacional" —en el sentido que él quiere para Cuba. Era extraño, porque después de analizar los factores que se contaban, no podía ser más favorable la circunstancia. Estaba asegurado el triunfo, y esto era una cosa extraña que viniera a decir: "Han variado muy favorablemente las circunstancias". Las circunstancias de que Batista y Tabernilla estaban de acuerdo, asegurado el golpe. "[...] Que recomiendo no hacer nada en estos momentos y esperar los acontecimientos en las próximas semanas, antes del día 6".

Desde luego, la tregua prolongada indefinidamente, mientras ellos hacían todos los amarres en La Habana.

Mi respuesta inmediata fue esta:

El contenido de la nota se aparta por completo de los acuerdos tomados, es ambiguo e incomprensible. Y me ha hecho perder la confianza en la seriedad de los acuerdos. Quedan rotas las hostilidades a partir de mañana a las 3:00 p.m., que fue la fecha y hora acordadas para el movimiento.

(Aplausos)

Ocurrió entonces una cosa muy curiosa. Además de la nota, que era muy breve, yo le mando a decir al jefe de la Plaza de Santiago de Cuba con el portador de la misma, que si las hostilidades se rompían porque los acuerdos no se cumplían y nos veíamos obligados a atacar la Plaza de Santiago de Cuba, entonces no habría otra solución que la rendición de la Plaza; que exigiríamos la rendición de la Plaza si las hostilidades se rompían y el ataque se iniciaba por nuestra parte. Pero ocurrió que el portador de la nota no interpreta correctamente mis palabras y le dice al coronel Rego Rubido que yo decía que exigía la rendición de la Plaza como condición para cualquier acuerdo. Él no dijo lo que yo le había afirmado: "Que si se iniciaba el ataque", pero no que yo le había puesto al general Cantillo como condición que se rindiera la Plaza.

En consecuencia del mensaje, el coronel jefe de la Plaza de Santiago de Cuba me envía una carta muy conceptuosa y muy pundonorosa que voy a leer también. Naturalmente que se sentía ofendido con aquel planteamiento que le habían hecho erróneamente, y dice:

La solución encontrada no es golpe de Estado ni Junta Militar, y, sin embargo, creemos que es la que mejor conviene al doctor Fidel Castro, de acuerdo con sus ideas, y pondría en 48 horas el destino del país en sus manos. No es solución local, sino nacional; y cualquier indiscreción adelantada podría comprometerla o destruirla creando el caos. Queremos que se tenga confianza en nuestra gestión y se tendrá la solución antes del día 6.

FIDEL CASTRO RUZ

389

En cuanto a Santiago, debido a la nota y a las palabras del mensajero, hay que cambiar el plan y no entrar. Dichas palabras han causado malestar entre el personal "llave" y nunca se entregarían las armas sin pelear. Las armas no se rinden a un aliado y no se entregan sin honor.

Frase muy hermosa del jefe de la Plaza de Santiago de Cuba.

Si no se tiene confianza en nosotros o si se ataca Santiago, se considerarán rotos los acuerdos y se paralizarán las gestiones para la solución ofrecida, desligándonos formalmente de todo compromiso. Esperamos, debido al tiempo necesario para actuar en una u otra forma, que la respuesta llegue a tiempo para ser enviada a La Habana en el *viscount* de la tarde.

Mi respuesta a esta nota del coronel José Rego Rubido fue la siguiente:

Territorio Libre de Cuba, diciembre 31 de 1958.
Señor coronel.
Un lamentable error se ha producido en la trasmisión a usted de mis palabras. Tal vez se debió a la premura con que respondí a su nota y a lo apurado de la conversación que sostuve

con el portador. Yo no le dije que la condición planteada por nosotros en los acuerdos que se tomaron era la rendición de la Plaza de Santiago de Cuba a nuestras fuerzas. Hubiese sido una descortesía con nuestro visitante, y una proposición indigna y ofensiva para los militares que tan fraternalmente se han acercado a nosotros.

La cuestión es otra: se había llegado a un acuerdo y se adoptó un plan entre el líder del movimiento militar y nosotros. Debía comenzar a realizarse el día 31 a las 3:00 p.m. Hasta los detalles se acordaron después de analizar cuidadosamente los problemas que debían afrontarse. Se iniciaría con el levantamiento de la guarnición de Santiago de Cuba, persuadí al general C. [Cantillo] de las ventajas de comenzar por Oriente y no en Columbia, por recelar el pueblo grandemente de cualquier golpe en los cuarteles de la capital de la República, y lo difícil que iba a ser, en ese caso, vincular la ciudadanía al movimiento. Él coincidía plenamente con mis puntos de vista; se preocupaba solo por el orden en la capital y acordamos medidas para conjurar el peligro.

La medida era, precisamente, el avance de la columna nuestra sobre Santiago de Cuba.

FIDEL CASTRO RUZ

Se trataba de una acción unida de los militares, el pueblo y nosotros; un tipo de movimiento revolucionario que desde el primer instante contaría con la confianza de la nación entera. De inmediato, y de acuerdo con lo que se convino, suspendimos las operaciones que se estaban llevando a cabo, y nos dimos a la tarea de realizar nuevos movimientos de fuerzas hacia otros puntos como Holguín, donde la presencia de conocidos esbirros hacía casi segura la resistencia al movimiento militar revolucionario.

Cuando ya todos los preparativos estaban listos por nuestra parte, recibo la nota de ayer, donde se me daba a entender que no se llevaría [a cabo] la acción acordada. Al parecer había otros planes, pero no se me informaba cuáles ni por qué. De hecho ya no era cosa nuestra la cuestión. Teníamos simplemente que esperar. Unilateralmente se cambiaba todo. Se ponía en riesgo a las fuerzas nuestras que, de acuerdo con lo que se contaba, habían sido enviadas a operaciones difíciles; quedábamos sujetos, además, a todos los imponderables. Cualquier riesgo del general C., en sus frecuentes viajes a La Habana, se convertiría militarmente para nosotros en un desastre. Reconozca usted que todo está muy confuso en este instante, y que Batista es un individuo hábil y taimado, que sabe maniobrar. ¿Cómo puede pedírsenos que renunciemos a todas las ventajas obtenidas en las operaciones de las últimas semanas, para ponernos a esperar pacientemente a que los hechos se produzcan?

Bien aclaré que no podía ser una acción de los militares solos; para eso, realmente, no había que esperar los horrores de dos años de guerra. Cruzarnos de brazos en los momentos decisivos es lo único que no se nos puede pedir a los hombres que no hemos descansado en la lucha contra la opresión desde hace siete años.

Aunque ustedes tengan la intención de entregar el poder a los revolucionarios, no es el poder en sí lo que a nosotros nos interesa, sino que la Revolución cumpla su destino. Me preocupa, incluso, que los militares, por un exceso injustificado de escrúpulos, faciliten la fuga de los grandes culpables, que marcharán al extranjero con sus grandes fortunas, para hacer desde allí todo el daño posible a nuestra patria.

Personalmente puedo añadirle que el poder no me interesa, ni pienso ocuparlo. Velaré solo porque no se frustre el sacrificio de tantos compatriotas, sea cual fuere mi destino posterior. Espero que estas honradas razones, que con todo respeto a su dignidad de militares les

Fidel Castro Ruz

expongo, las comprendan. Tengan la seguridad de que no están tratando con un ambicioso ni con un insolente [...].

Párenme los tanques allí, hagan el favor (gritos y aplausos).

Cuando terminemos nuestras declaraciones y la proclamación del presidente provisional, los tanques le harán honor al poder civil de la República, pasando enfrente de nuestros balcones (aplausos).

Continúo leyendo la carta del día 31 al señor coronel jefe de la Plaza de Santiago de Cuba.

Personalmente puedo añadirle que el poder no me interesa, ni pienso ocuparlo, velaré solo porque no se frustre el sacrificio de tantos compatriotas, sea cual fuere mi destino posterior. Espero que estas honradas razones, que con todo respeto a su dignidad de militares les expongo, las comprendan. Tengan la seguridad de que no están tratando con un ambicioso ni con un insolente [repite el párrafo anterior a la interrupción].

Siempre he actuado con lealtad y franqueza en todas mis cosas. Nunca se podrá llamar triunfo a lo que se obtenga con doblez y engaño. El lenguaje del honor que ustedes entienden es el único que yo sé hablar.

Nunca se mencionó en la reunión con el general C. la palabra rendición, lo que ayer dije y reitero hoy es que a partir de las 3:00 de la tarde del día 31, fecha y hora acordadas, no podíamos prorrogar la tregua con relación a Santiago de Cuba, porque eso sería perjudicar extraordinariamente a nuestra causa. Nunca una conspiración es segura. Anoche llegó aquí el rumor de que el general C. había sido detenido en La Habana; que varios jóvenes habían aparecido asesinados en el cementerio de Santiago de Cuba. Tuve la sensación de que habíamos perdido el tiempo miserablemente, aunque afortunadamente hoy parece comprobarse que el general C. se encuentra en su puesto, ¿qué necesidad tenemos de correr esos riesgos?

Lo que dije al mensajero en cuanto a rendición, que no fue trasmitido literalmente y pareció motivar las palabras de su nota de hoy, fue lo siguiente: que si se rompían las hostilidades por no cumplirse lo acordado, nos veríamos obligados a atacar la Plaza de Santiago de Cuba, lo que es inevitable, dado que en ese sentido hemos encaminado nuestros esfuerzos en los últimos meses, en cuyo caso, una vez iniciada la operación, exigiríamos la rendición de las fuerzas que la defienden. Esto no quiere decir que pensemos que se

FIDEL CASTRO RUZ

rindan sin combatir, porque yo sé que, aun sin razón para combatir, los militares cubanos defienden las posiciones con tozudez y nos han costado muchas vidas. Quise decir solo que después que se haya derramado la sangre de nuestros hombres por la conquista de un objetivo, no podía aceptarse otra solución, ya que aunque nos cueste muy caro, dadas las condiciones actuales de las fuerzas que defienden al régimen, las cuales no podrán prestar apoyo a esa ciudad, esta caería inexorablemente en nuestras manos. Ese ha sido el objetivo básico de todas nuestras operaciones en los últimos meses, y un plan de esa envergadura no puede suspenderse por unas semanas sin graves consecuencias, caso de que el movimiento militar se frustre, perdiéndose, además, el momento oportuno, que es este, cuando la dictadura está sufriendo grandes reveses en las provincias de Oriente y Las Villas.

Se nos pone en el dilema de renunciar a las ventajas de nuestras victorias o atacar, un triunfo seguro a cambio de un triunfo probable. ¿Cree usted que con la nota de ayer, ambigua y lacónica, contentiva de una decisión unilateral, pueda yo incurrir en la responsabilidad de mantener en suspenso los planes?

Como militar que es reconozca que se nos pide un imposible. Ustedes no han dejado un minuto de hacer trincheras; esas trincheras las pueden utilizar contra nosotros un Pedraza, un Pilar García, o un Cañizares, si el general C. es relevado del mando y con él sus hombres de confianza. No se nos puede pedir que permanezcamos ociosos. Vea usted que se nos coloca en una situación absurda. Aunque defiendan con valor sus armas, no nos queda más remedio que atacar, porque nosotros también tenemos obligaciones muy sagradas que cumplir.

Más que aliados, deseo que los militares honorables y nosotros seamos compañeros de una sola causa, que es la de Cuba [...].

Deseo, por encima de todo, que usted y sus compañeros no se hagan una idea errónea de mi actitud y de mis sentimientos. He sido extenso para evitar que se confundan o tergiversen los conceptos.

Respecto a la tácita suspensión del fuego en la zona de Santiago de Cuba, para evitar toda duda, ratifico que aunque en cualquier instante antes de que se inicien los combates podemos reanudar las operaciones, a partir de hoy debe quedar advertido que el ataque se va a producir de un momento a otro, y que por ninguna razón volveremos a suspender los planes, ya que todo esto, como son cuestiones que se tramitan en

FIDEL CASTRO RUZ

secreto, puede sembrar la confusión en el pueblo y perjudicar la moral de nuestros combatientes.

Atentamente,

Libertad o muerte.

(Aplausos)

El coronel Rego me respondió con una pundonorosa carta que es también digna de aplausos, y que dice así:

Señor:

Recibí su atenta carta fechada en el día de hoy [31 de diciembre de 1958] y créame que le agradezco profundamente la aclaración relativa a la nota anterior, aunque debo confesarle que siempre supuse que se trataba de una mala interpretación, pues a través del tiempo he observado su línea de conducta y estoy convencido de que es usted un hombre de principios.

Yo desconocía los detalles del plan original, pues solamente fui informado de la parte a mí concerniente, como también desconozco algunos pequeños detalles del plan actual. Yo estimo que, en parte, usted tiene razón cuando hace el análisis del plan original, pero creo que demoraría unos días más en llegar a su consumación y nunca podría evitarse que muchos de los culpables —grandes, medianos y chicos— se escaparan.

Soy de los que pienso que es absolutamente necesario dar un ejemplo en Cuba para aquellos que, aprovechando las posiciones del poder (aplausos) cometen toda clase de hechos punibles, pero, desgraciadamente, la historia está plagada de casos semejantes y rara vez los culpables pueden ser puestos a disposición de las autoridades competentes, porque rara vez las revoluciones se hacen como deben hacerse.

Y por eso se escapan los grandes culpables como se han escapado, desgraciadamente, hoy.

Continúa la carta:

Comprendo perfectamente sus preocupaciones en el presente caso. Yo, menos responsabilizado con la historia, también las tengo.

En cuanto a la actuación unilateral de que me habla, le reitero que no he participado en ello. En ambos casos solo fui informado de la parte que me concernía, estimando que lo ocurrido ha sido que el general C. tornó la idea de lo que usted deseaba de acuerdo con sus normas y principios, actuando en consecuencia.

No tengo motivos para suponer que persona alguna esté tratando de propiciar la fuga de culpables y, personalmente, soy opuesto a tal cosa

—decía el coronel Rego Rubido (aplausos)— pero caso de producirse, la responsabilidad histórica por tales hechos recaería sobre quienes los hicieren posible y nunca sobre los demás.

Creo, sinceramente, que todo habrá de producirse en armonía con sus ideas y que el general está procediendo, inspirado en los mejores deseos para bien de Cuba y de la Revolución que usted acaudilla.

Supe de un joven estudiante muerto que se encontraba en el cementerio, y hoy mismo dispuse que se agotaran los medios investigativos, a fin de determinar quién fue el autor y las circunstancias en que ocurriera el hecho, tal como lo realicé en días pasados, hasta poner a disposición de la autoridad judicial correspondiente a los presuntos responsables.

Finalmente, debo informarle que cursé un despacho al general interesando un avión para hacerle llegar su conceptuosa carta, y no se impaciente, que a lo mejor antes de la fecha fijada como límite máximo está usted en La Habana.

Cuando el general se marchó, le pedí que me dejara el helicóptero con el piloto por si a usted se le ocurría pasear el domingo por la tarde sobre Santiago (aplausos).

Bueno, doctor, reciba usted el testimonio de mi mejor consideración y el ferviente deseo de un feliz Año Nuevo.

Firmado: Coronel Rego Rubido

(Aplausos)

En este estado estaban las conversaciones cuando, tanto el coronel Rego, jefe de la Plaza de Santiago de Cuba, como yo, fuimos sorprendidos por el golpe de Estado de Columbia que se apartaba por completo de lo acordado. Y lo primero que se hizo, lo más criminal que se hizo, fue dejar escapar a Batista, a Tabernilla y a los grandes culpables (aplausos). Los dejaron escapar con sus millones de pesos, los dejaron escapar con los 300 ó 400 millones de pesos que se han robado y ¡muy caro nos va a costar eso! Porque ahora van a estar desde Santo Domingo y desde otros países haciendo propaganda contra la Revolución, fraguando todo el daño posible contra nuestra causa. Y durante muchos años los vamos a tener ahí amenazando a nuestro pueblo, manteniéndolo en constante estado de alerta, porque van a pagar y a fraguar conspiraciones contra nosotros. Y todo por la debilidad, por la irresponsabilidad y por la traición de los que promovieron el golpe contrarrevolucionario de la madrugada de hoy.

¿Qué hicimos nosotros? Tan pronto supimos del golpe, nos enteramos por Radio Progreso; y a esa hora, adivinando yo lo que se estaba fraguando, ya estaba haciendo unas declaraciones, cuando me entero de que Batista se había ido para Santo Domingo. Yo pensé: ¿Será un rumor?, ¿será una bola? Y mando a ratificar; cuando oigo la noticia de que, efectivamente, el señor Batista y su camarilla se habían escapado y, lo más bonito es que el general Cantillo decía que ese movimiento se había producido gracias a los patrióticos propósitos del general Batista, ¡los patrióticos propósitos del general Batista!, ¡que renunciaba para ahorrar derramamiento de sangre! ¿Qué les parece? (Gritos).

Hay algo más todavía. Para tener una idea de la clase de golpe que se preparó, basta decir que a Pedraza lo había nombrado miembro de la Junta y se fue (risas y gritos). Yo creo que no hay que añadir nada más para ver la clase de intenciones que tenían los golpistas. Y no nombraron al presidente Urrutia, que es el presidente proclamado por el Movimiento y por todas las organizaciones revolucionarias (aplausos). Llamaron a un señor que es el más viejo, nada menos, de todos los magistrados del Tribunal Supremo, que son bastante viejos todos (risas); y sobre todo un señor que ha sido presidente, hasta hoy, de un Tribunal Supremo de Justicia, donde no había justicia de ninguna clase.

¿Cuál iba a ser el resultado de todo esto? Pues una revolución a medias, una componenda, una caricatura de revolución. El señor Perico de los Palotes; lo mismo da que se llame de una manera o de otra. Ese señor Piedra, que a estas horas si no ha renunciado que se prepare, que lo vamos a ir a hacer renunciar a La Habana (aplausos). Creo que no dura las 24 horas. Va a romper un récord (risas y aplausos).

Designan a este señor, y muy bonito: Cantillo, héroe nacional, paladín de las libertades cubanas, amo y señor de Cuba, y el señor Piedra allí. Sencillamente habíamos derrocado a un dictador para implantar otro. En todos los órdenes, el movimiento de Columbia era un movimiento contrarrevolucionario, en todos los órdenes se apartaba del propósito del pueblo, en todos los órdenes era sospechoso; e inmediatamente el señor Piedra hizo un llamamiento, dijo que lo iba a hacer para llamar a los rebeldes y una comisión de paz. Y nosotros tan tranquilos, dejábamos los fusiles y lo dejábamos todo, y nos íbamos allá a rendirles pleitesía al señor Piedra y al señor Cantillo.

Era evidente que tanto Cantillo como Piedra estaban en la luna. Estaban en la luna porque creo que el pueblo de Cuba ha aprendido mucho, y los rebeldes hemos aprendido algo.

Esa era la situación esta mañana, que no es la situación de esta noche, porque ha cambiado mucho (aplausos). Ante este hecho, ante esta traición, dimos órdenes a todos los comandantes rebeldes de continuar las operaciones militares, y de continuar marchando sobre los objetivos; en consecuencia, inmediatamente dimos órdenes a todas las columnas destinadas a la operación de Santiago de Cuba a avanzar sobre la ciudad.

FIDEL CASTRO RUZ

Yo quiero que ustedes sepan que nuestras fuerzas venían muy seriamente decididas a tomar Santiago de Cuba por asalto. Ello hubiera sido muy lamentable, porque hubiese costado mucha sangre, y esta noche de hoy no sería una noche de alegría como esta, y de paz como esta, y de confraternidad como esta (aplausos).

Debo confesar que si en Santiago de Cuba no se libró una batalla sangrienta se debe, en gran parte, a la patriótica actitud del coronel del Ejército José Rego Rubido (aplausos); a los comandantes de las fragatas *Máximo Gómez* y *Maceo*, al jefe del Distrito Naval de Santiago de Cuba (aplausos), y al oficial que desempeñaba el cargo de la jefatura de policía (aplausos). Todos —y es justo que aquí lo reconozcamos y se lo agradezcamos— contribuyeron a evitar una sangrienta batalla y a convertir el movimiento contrarrevolucionario de esta mañana en el movimiento revolucionario de esta tarde.

A nosotros no nos quedaba otra alternativa que atacar porque no podíamos permitir la consolidación del golpe de Columbia y, por lo tanto, había que atacar sin espera. Y cuando las tropas marchaban ya sobre sus objetivos, el coronel Rego hizo un viaje en el helicóptero para localizarme. Los jefes de las fragatas hicieron contacto con nosotros y se pusieron, incondicionalmente, a las órdenes de la Revolución (aplausos).

Contándose ya con el apoyo de las dos fragatas, que tienen un altísimo poder de fuego, con el apoyo del Distrito

Naval y con el apoyo de la Policía, convoqué entonces a una reunión de todos los oficiales del Ejército de la Plaza de Santiago de Cuba, que son más de 100. Les dije a esos militares, cuando los invité a reunirse conmigo, que yo no tenía la menor preocupación en hablarles, porque sabía que tenía la razón; porque sabía que comprenderían mis argumentos y que de esta reunión se llegaría a un acuerdo.

Y, efectivamente, en horas de la noche, en los primeros momentos de la noche, nos reunimos en El Escandel la casi totalidad de los oficiales del Ejército de Santiago de Cuba, muchos de ellos hombres jóvenes que se les ve ansiosos de luchar por el bien de su país. Reuní a aquellos militares y les hablé de nuestro sentimiento revolucionario, les hablé de nuestro propósito con nuestra patria, les hablé de lo que queríamos para el país, de cuál había sido siempre nuestra conducta con los militares, de todo el daño que le había hecho la tiranía al Ejército y cómo no era justo que se considerase por igual a todos los militares; que los criminales solo eran una minoría insignificante, y que había muchos militares honorables en el Ejército, que yo sé que aborrecían el crimen, el abuso y la injusticia.

No era fácil para los militares desarrollar un tipo determinado de acción; era lógico, que cuando los cargos más elevados del Ejército estaban en manos de los Tabernilla, de los Pilar García, de los parientes y de los incondicionales de Batista, y existía un gran terror en el Ejército; a un oficial aisladamente no se le podía pedir responsabilidad.

Había dos clases de militares —y nosotros los conocemos bien—: los militares como Sosa Blanco, Cañizares, Sánchez Mosquera, Chaviano (gritos y abucheos), que se caracterizaron por el crimen y el asesinato a mansalva de infelices campesinos. Pero hubo militares que fueron muy honrados en su campaña; hubo militares que jamás asesinaron a nadie, ni quemaron una casa, como fue el comandante Quevedo, que fue nuestro prisionero después de una heroica resistencia en la Batalla de Jigüe, y que hoy sigue siendo comandante del Ejército (aplausos); el comandante Sierra, y otros muchos militares que jamás quemaron una casa. A esos militares no los ascendían, a los que ascendían era a los criminales, porque Batista siempre se encargó de premiar el crimen. Tenemos el caso, por ejemplo, del coronel Rego Rubido, que no le debe sus grados a la dictadura, sino que ya era coronel cuando se produjo el 10 de Marzo (aplausos).

El hecho cierto es que recabé el apoyo de la oficialidad del Ejército de Santiago de Cuba, y la oficialidad del Ejército de Santiago de Cuba le brindó su apoyo incondicional a la Revolución Cubana (aplausos). Reunidos los oficiales de la Marina, de la Policía y del Ejército, se acordó desaprobar el golpe amañado de Columbia y apoyar al Gobierno legal de la República, porque cuenta con la mayoría de nuestro pueblo, que es el doctor Manuel Urrutia Lleó (aplausos); y apoyar a la Revolución Cubana. Gracias a esa actitud se ahorró mucha sangre, gracias a esa actitud se ha gestado de verdad, en la tarde de hoy, un verdadero movimiento militar revolucionario.

Yo comprendo que en el pueblo hay muchas pasiones justificadas. Yo comprendo las ansias de justicia que hay en nuestro pueblo, y se cumplirá porque habrá justicia (aplausos). Pero yo le quiero pedir a nuestro pueblo antes de nada, calma. Estamos en instantes en que debemos consolidar el poder antes que nada. ¡Lo primero ahora es consolidar el poder! Después reuniremos una comisión de militares honorables y de oficiales del Ejército Rebelde para tomar todas las medidas que sean aconsejables, para exigir responsabilidad a aquellos que la tengan (aplausos). ¡Y nadie se opondrá!, porque al Ejército y a las Fuerzas Armadas son a los que más les interesa que la culpa de unos cuantos no la pague todo el cuerpo, y que no sea una vergüenza vestir el uniforme militar (aplausos); que los culpables sean castigados para que los inocentes no tengan que cargar con el descrédito (aplausos). ¡Tengan confianza en nosotros!, es lo que le pedimos al pueblo, porque sabemos cumplir con nuestro deber (aplausos).

En esas circunstancias se realizó en la tarde de hoy un verdadero movimiento revolucionario del pueblo, de los militares y de los rebeldes, en la ciudad de Santiago de Cuba (aplausos). Es indescriptible el entusiasmo de los militares, y en prueba de confianza les pedí a los oficiales que entraran conmigo en Santiago de Cuba, ¡y aquí están todos los oficiales del Ejército! (Aplausos). ¡Ahí están los tanques a disposición de la Revolución! (Aplausos). ¡Ahí está la artillería a disposición de la Revolución! (Aplausos). ¡Ahí están las fragatas a disposición de la Revolución! (Gritos y aplausos).

Yo no voy a decir que la Revolución tiene el pueblo, eso ni se dice, eso lo sabe todo el mundo. Yo decía que el pueblo, que antes tenía escopeticas, ya tiene artillería, tanques y fragatas; y tiene muchos técnicos capacitados del Ejército que nos van a ayudar a manejarlas, si fuese necesario (aplausos). ¡Ahora sí que el pueblo está armado! Yo les aseguro que si cuando éramos 12 hombres solamente no perdimos la fe (aplausos), ahora que tenemos ahí 12 tanques cómo vamos a perder la fe.

Quiero aclarar que en el día de hoy, esta noche, esta madrugada, porque es casi de día, tomará posesión de la presidencia de la República, el ilustre magistrado, doctor Manuel Urrutia Lleó (aplausos). ¿Cuenta o no cuenta con el apoyo del pueblo el doctor Urrutia? (Aplausos y gritos). Pero quiere decir, que el presidente de la República, el presidente legal, es el que cuenta con el pueblo, que es el doctor Manuel Urrutia Lleó.

¿Quién quiere al señor Piedra para presidente? (Abucheos y gritos de: "¡Nadie!"). Si nadie quiere al señor Piedra para presidente, ¿cómo se nos va a imponer al señor Piedra para presidente? (Abucheos). Si esa es la orden del pueblo de Santiago de Cuba, que es el sentimiento del pueblo de Cuba entera, tan pronto concluya este acto marcharé con las tropas veteranas de la Sierra Maestra, los tanques y la artillería hacia la capital, para que se cumpla la voluntad del pueblo (aplausos).

Aquí estamos, sencillamente, a las órdenes del pueblo. Lo legal en este momento es el mandato del pueblo. Al presidente lo elige el pueblo y no lo elige un conciliábulo en Columbia, a las 4:00 de la madrugada (aplausos). El pueblo ha elegido a su presidente y eso quiere decir que desde este instante quedará constituida la máxima autoridad legal de la República (aplausos). Ninguno de los cargos ni de los grados que se han concedido de acuerdo con la Junta Militar de la madrugada de hoy tienen validez alguna. Todos los nombramientos de cargos dentro del Ejército son nulos —me refiero a todos los nombramientos que se han hecho esta mañana—; quien acepte un cargo designado por la Junta traicionera de esta mañana estará asumiendo una actitud contrarrevolucionaria, llámese como se llame (aplausos), y, en consecuencia, quedará fuera de la ley.

Tengo la completa seguridad de que mañana todos los mandos militares de la República habrán aceptado las disposiciones del presidente de la República (aplausos). El presidente procederá de inmediato a designar a los jefes del Ejército, de la Marina y de la Policía (aplausos) por los altos servicios que ha prestado en esta hora a la Revolución y por haber puesto sus miles de hombres a la disposición de la Revolución. He recomendado para jefe del Ejército al coronel Rego Rubido (aplausos). Igualmente se designará como jefe de la Marina a uno de los dos comandantes de la fragata que primero se sumaron a la Revolución (aplausos), y le he recomendado al presidente de la República que designe para jefe nacional de la Policía al comandante Efigenio Ameijeiras, que ha perdido tres hermanos (aplausos), que es uno de los expedicionarios del *Granma* y uno de los hombres más capacitados del ejército revolucionario (aplausos). Ameijeiras está en operaciones en Guantánamo, pero mañana él llega aquí (aplausos).

Yo solo pido tiempo para nosotros y para el poder civil de la República a fin de ir realizando las cosas a gusto del pueblo, pero poco a poco (aplausos). Solo le pido una cosa al pueblo, y es que tenga calma. (Del público le dicen: "¡Oriente federal, Oriente capital!"). ¡No!, ¡no!, la República unida siempre y por encima de todas las cosas (aplausos). Lo que hay que pedir es justicia para Oriente (aplausos). En todo, el tiempo es un factor importante. La Revolución no se podrá hacer en dos días; ahora, tengan la seguridad de que la Revolución la hacemos. Tengan la seguridad de que por primera vez de verdad la República será enteramente libre y el pueblo tendrá lo que merece (aplausos). El poder no ha sido fruto de la política, ha sido fruto del sacrificio de cientos y de miles de nuestros compañeros. No hay otro compromiso que con el pueblo y con la nación cubana. Llega al poder un hombre sin compromisos con nadie, sino con el pueblo exclusivamente (aplausos).

El Che Guevara (aplausos) recibió la orden de avanzar sobre la capital no provisional de la República, y el comandante Camilo Cienfuegos, jefe de la Columna 2 Antonio Maceo (aplausos) ha recibido la orden de marchar sobre la gran Habana y asumir el mando del campamento militar de Columbia (aplausos). Se cumplirán, sencillamente, las órdenes del presidente de la República y el mandato de la Revolución (aplausos).

De los excesos que se hayan cometido en La Habana, no se nos culpe a nosotros. Nosotros no estábamos en La Habana. De los desórdenes ocurridos en La Habana, cúlpese al general Cantillo y a los golpistas de la madrugada, que creyeron que iban a dominar la situación allí (aplausos). En Santiago de Cuba, donde se ha hecho una verdadera Revolución, ha habido orden completo. En Santiago de Cuba se han unido el pueblo, los militares y los revolucionarios, y eso es indestructible (aplausos).

La jefatura del Gobierno, la jefatura del Ejército y la jefatura de la Marina estarán en Santiago de Cuba, y sus órdenes serán de obligatorio cumplimiento a todos los mandos de la República.

Esperamos que todos los militares honorables acaten estas disposiciones, porque el militar, antes que nada, está al servicio de la ley y de la autoridad —no de la autoridad constituida, porque muchas veces está una autoridad mal constituida—, la autoridad legítimamente constituida (aplausos).

FIDEL CASTRO RUZ

411

Ningún militar honorable tiene nada que temer de la Revolución. Aquí en esta lucha no hay vencidos, porque solo el pueblo ha sido el vencedor (aplausos). Ha habido caídos de un lado y de otro, pero todos nos hemos unido para darle el apoyo a la Revolución. Nos hemos dado el abrazo fraternal los militares buenos y los revolucionarios (aplausos).

No habrá ya más sangre. Espero que ningún núcleo haga resistencia, porque aparte de ser una resistencia inútil y una resistencia que sería aplastada en pocos instantes, sería una resistencia contra la ley y contra la República y contra el sentimiento de la nación cubana (aplausos).

Ha habido que organizar este movimiento de hoy para que no ocurra otra guerra dentro de seis meses. ¿Qué pasó cuando el machadato? Pues que también un general de Machado dio un golpe y quitó a Machado, y puso a un presidente que duró 15 días; y vinieron los sargentos y dijeron que aquellos oficiales eran responsables de la dictadura de Machado, y que ellos no los respetaban. Creció la efervescencia revolucionaria y expulsaron a los oficiales. Ahora no podrá ocurrir así; ahora estos oficiales tienen el respaldo del pueblo, y tienen el respaldo de la tropa, y tienen el prestigio que les da el haberse sumado a un verdadero movimiento revolucionario (aplausos).

Estos militares serán respetados y considerados por el pueblo y no habrá que emplear la fuerza, ni habrá que andar con fusiles por la calle, ni metiéndole miedo a nadie porque el verdadero orden, el verdadero orden es el que se basa en la libertad, en el respeto y en la justicia, y no en la fuerza. Desde ahora en adelante el pueblo será enteramente libre y el pueblo sabe comportarse debidamente, como lo ha demostrado hoy (aplausos).

La paz que nuestra patria necesita se ha logrado. Santiago de Cuba ha pasado a la libertad sin que hubiera que derramar sangre. Por eso hay tanta alegría, y por eso es que los militares que en el día de hoy desoyeron y desaprobaron el golpe de Columbia para sumarse incondicionalmente a la Revolución merecen nuestro reconocimiento, nuestra gratitud y nuestro respeto (aplausos). Los institutos armados de la República serán en el futuro modelos de instituciones, por su capacidad, por su educación y por su identificación con la causa del pueblo. Porque los fusiles, de ahora en adelante, solo estarán siempre al servicio del pueblo (aplausos).

No habrá más golpes de Estado, no habrá más guerra, porque por eso nos hemos preocupado, de que no ocurra ahora como cuando Machado. Estos señores, para hacer más parecido el caso de la madrugada de hoy con el caso de la caída de Machado, aquella vez pusieron a un Carlos Manuel, y ahora pusieron a otro Carlos Manuel (abucheos).

Lo que no habrá esta vez es un Batista (aplausos), porque no habrá necesidad de un 4 de septiembre, que destruyó la disciplina en las Fuerzas Armadas, porque lo que ocurrió con Batista fue que instauró aquí la indisciplina en el Ejército, porque su política consistía en halagar a los soldados para mantener disminuida la autoridad de los oficiales. Los oficiales tendrán autoridad, habrá disciplina en el Ejército. Habrá un Código Penal Militar, donde los delitos contra los derechos humanos y contra la honradez y la moral que debe tener todo militar, serán castigados debidamente (aplausos).

No habrá privilegios para nadie. El militar que tenga capacidad y tenga méritos será el que ascienda, y no el pariente, el amigo, como ha existido hasta hoy, que no se han respetado los escalafones.

Para los militares se acabará, como se acabará para los trabajadores, toda esa explotación de contribuciones obligatorias, que en los obreros es la cuota sindical y en los militares es el peso para la primera dama, y los dos pesos para esto, y los dos pesos para lo otro, y les acaban con el sueldo (aplausos).

Naturalmente, que el pueblo todo lo debe esperar de nosotros, y lo va a recibir. Pero he hablado de los militares para que ellos sepan que también todo lo van a recibir de la Revolución, todas las mejoras que jamás han tenido, porque cuando no se robe el dinero de los presupuestos estarán mucho mejor los militares de lo que están hoy. Y el soldado no ejercerá funciones de policía, el soldado estará en su entrenamiento, en su cuartel; no tendrá que estar ejerciendo funciones de policía.

Nosotros (gritos de: "¡Microonda!") de microonda nada (aplausos), aunque sí quiero aclarar que en este momento los rebeldes andamos con microondas porque las necesitamos (aplausos), pero las microondas ahora no las tendrán los esbirros, ni nada de eso; nada de asesinos, ni nada de frenazos delante de las casas y la tocadera a medianoche (gritos y aplausos).

Yo tengo la seguridad de que tan pronto tome posesión y asuma el mando el presidente de la República, decretará el restablecimiento de las garantías y la absoluta libertad de prensa y todos los derechos individuales en el país (aplausos); y todos los derechos sindicales, y todos los derechos y todas las demandas de nuestros campesinos y de nuestro pueblo en general.

No nos olvidaremos de nuestros campesinos de la Sierra Maestra y de los de Santiago de Cuba (aplausos). No nos iremos a vivir a La Habana olvidados de todos; donde yo quiero vivir es en la Sierra Maestra (aplausos). Por lo menos, en la parte que me corresponda, por un sentimiento muy profundo de gratitud, no olvidaré a aquellos campesinos; y tan pronto tenga un momento libre voy a ver dónde vamos a hacer la primera Ciudad Escolar, con cabida para 20 000 niños (aplausos). Y lo vamos a hacer con la ayuda del pueblo. Los rebeldes van a trabajar allí. Le vamos a pedir a cada ciudadano un saco de cemento y una cabilla (aplausos y gritos de: "¡Sí, sí!"). Y yo sé que obtendremos la ayuda de nuestra ciudadanía (aplausos).

No olvidaremos a ninguno de los sectores de nuestro pueblo (del público le dicen: "¡Viva Crescencio Pérez!").

FIDEL CASTRO RUZ

¡Que viva Crescencio Pérez que perdió a un hijo en los días postreros de la guerra!

La economía del país se restablecerá inmediatamente. Este año nosotros seremos los que cuidaremos la caña, para que no se queme. Porque este año los impuestos del azúcar no servirán para comprar armas homicidas y bombas y aviones para bombardear al pueblo (aplausos).

Cuidaremos las comunicaciones y ya, desde Jiguaní hasta Palma Soriano, la línea telefónica está restablecida y la vía férrea será restablecida (aplausos). Y habrá zafra en todo el país y habrá buenos salarios, porque yo sé que ese es el propósito del presidente de la República. Y habrá buenos precios porque, precisamente, el miedo a que no hubiera zafra ha levantado los precios del mercado mundial; y los campesinos podrán sacar su café (aplausos); y los ganaderos todavía podrán vender sus reses gordas en La Habana, porque afortunadamente el triunfo ha llegado a tiempo, para que no haya ruina de ninguna clase.

No es a mí a quien le corresponde hablar de estas cosas. Ustedes saben que somos hombres de palabra y que lo que prometemos lo cumplimos. Y queremos prometer menos de lo que vamos a cumplir, no más, sino menos de lo que vamos a cumplir, y hacer más de lo que ofrezcamos al pueblo de Cuba (aplausos).

No creemos que todos los problemas se vayan a resolver fácilmente, sabemos que el camino está preñado de obstáculos, pero nosotros somos hombres de fe, que nos enfrentamos siempre a las grandes dificultades (aplausos).

Podrá estar seguro el pueblo de una cosa, y es que podemos equivocarnos una y muchas veces, lo único que no podrá decir jamás de nosotros es que robamos, que traicionamos, que hicimos negocios sucios, que usamos el favoritismo, que usamos los privilegios (aplausos). Y yo sé que el pueblo los errores los perdona, y lo que no perdona son las sinvergüencerías, y los que hemos tenido son sinvergüenzas (aplausos).

Al asumir como presidente el magistrado, doctor Manuel Urrutia Lleó, a partir de ese instante, cuando jure ante el pueblo la presidencia de la República, él será la máxima autoridad de nuestro país (aplausos). Nadie piense que yo pretenda ejercer facultades aquí por encima de la autoridad del presidente de la República, yo seré el primer acatador de las órdenes del poder civil de la República, y el primero en dar el ejemplo (aplausos). Cumpliremos sencillamente sus órdenes, y, dentro de las atribuciones que nos conceda, trataremos de hacer lo más posible por nuestro pueblo, sin ambiciones, porque afortunadamente estamos inmunes a las ambiciones y a las vanidades. ¡Qué mayor gloria que el cariño de nuestro pueblo! ¡Qué mayor premio que esos millares de brazos que se agitan llenos de esperanza, de fe y de cariño hacia nosotros! (Aplausos).

Nunca nos dejaremos arrastrar por la vanidad ni por la ambición, porque como dijo nuestro Apóstol: "Toda la gloria del mundo cabe en un grano de maíz", y no hay satisfacción ni premio más grande que cumplir con el deber como lo hemos estado haciendo hasta hoy, y como lo haremos siempre. Y en esto no hablo en mi nombre, hablo en nombre de los miles y miles de combatientes que han hecho posible la victoria del pueblo (aplausos).

Hablo del profundo sentimiento de respeto y de devoción hacia nuestros muertos, que no serán olvidados. Los caídos tendrán en nosotros los más fieles compañeros. Esta vez no se podrá decir, como otras, que se ha traicionado la memoria de los muertos, porque los muertos seguirán mandando. Físicamente no están aquí Frank País, Josué País, Pepito Tey ni tantos otros, pero están moralmente, están espiritualmente; y solo la satisfacción de saber que el sacrificio no ha sido vano, compensa el inmenso vacío que dejaron en el camino (aplausos). Sus tumbas seguirán teniendo flores frescas. Sus hijos no serán olvidados, porque los familiares de los caídos serán ayudados (aplausos).

Los rebeldes no cobraremos sueldo por los años que hemos estado luchando. Y nos sentimos orgullosos de no cobrar sueldos por los servicios que le hemos prestado a la Revolución; en cambio, es posible que sigamos cumpliendo nuestras obligaciones sin cobrar sueldos, porque si no hay dinero, ¡no importa!, lo que hay es voluntad, y hacemos lo que sea necesario (aplausos).

Pero también quiero aquí repetir lo que dije en *La historia me absolverá*, y es que también velaremos porque no les falten el sustento, ni la asistencia, ni la educación a los hijos de los militares que han caído luchando contra nosotros, porque ellos no tienen culpa de los horrores de la tiranía (aplausos). Y seremos generosos con todos porque, repito, que aquí no ha habido vencidos sino vencedores. Serán castigados solo los criminales de guerra, porque ese es un deber ineludible con la justicia (aplausos). Y ese deber puede tener la seguridad el pueblo de que lo cumpliremos. Y cuando haya justicia, no habrá venganza. Para que el día de mañana no haya atentados contra nadie tiene que haber justicia hoy. Como habrá justicia no habrá venganza ni habrá odio. El odio lo desterraremos de la República, como una sombra maldita que nos dejó la ambición y la opresión (aplausos).

Triste es que se hayan escapado los grandes culpables. No faltan miles de hombres que quieran perseguirlos, pero nosotros tenemos que respetar las leyes de otros países. A nosotros nos sería fácil porque voluntarios tenemos de sobra para ir a perseguir a esos delincuentes, y hombres que estén dispuestos a jugarse la vida. Pero no queremos aparecer como un pueblo que viole las leyes de los demás pueblos; las respetaremos mientras se respeten las nuestras. Pero sí advierto que si en Santo Domingo se ponen a conspirar contra la Revolución (gritos de: "¡Trujillo!"). Sí, Trujillo. Yo había pensado, en alguna ocasión, que Trujillo nos había hecho daño vendiéndole armas a Batista, y el daño que le hizo no fue porque vendiera armas, sino porque vendiera armas tan malas que cuando cayeron en nuestras manos no servían para nada (risas y aplausos). Sin embargo, vendió bombas, y con las bombas fueron asesinados muchos campesinos. No dan ni deseos de devolverle las carabinas porque no sirven, sino de devolverle algo mejor.

Es lógico, en primer término, que los perseguidos políticos de Santo Domingo tendrán aquí su mejor casa y su mejor asilo. Y los perseguidos políticos de todas las dictaduras tendrán aquí su mejor casa y la mayor comprensión, porque nosotros hemos sido perseguidos políticos.

Si Santo Domingo se convierte en arsenal de la contrarrevolución, si Santo Domingo se convierte en base de conspiraciones contra la Revolución Cubana, si esos señores se dedican desde allá a hacer conspiraciones, más vale que se vayan pronto de Santo Domingo, porque allí no van a estar tampoco muy seguros (aplausos). Y no seremos nosotros, que nosotros no tenemos que meternos en los problemas de Santo Domingo, es que los dominicanos han aprendido el ejemplo de Cuba, y las cosas se van a poner por allí muy serias (aplausos). Los dominicanos han aprendido que es posible pelear contra la tiranía y derrotarla, y ese ejemplo es lo que más temían precisamente los dictadores, el ejemplo alentador para América que acaba de producirse en nuestra patria (aplausos).

Vela por el curso y el destino de esta Revolución la América entera. Toda ella tiene sus ojos puestos en nosotros. Toda ella nos acompaña con sus mejores deseos de triunfo. Toda ella nos respaldará en nuestros momentos difíciles. Esta alegría de hoy no solo es en Cuba, sino en América entera. Como nosotros nos hemos alegrado cuando ha caído un dictador en la América Latina, ellos también se alegran hoy por los cubanos.

Debo concluir, aunque sea enorme el cúmulo de sentimientos y de ideas que con el desorden, el bullicio y la emoción de hoy acuden a nuestra mente. Decía —y quedó sin concluir aquella idea— que habría justicia, y que era lamentable que hubiesen escapado los grandes culpables, por culpa de quienes ya sabemos, porque el pueblo sabe quién tiene la culpa de que se hayan escapado; y que vinieran a dejar aquí, no voy a decir a los más infelices, pero sí a los más torpes, a los que no tenían dinero, a los hombres de fila que obedecieron las órdenes de los grandes culpables. Dejaron escapar a los grandes culpables para que el pueblo saciase su ira y su indignación con los que tienen menos responsabilidad. Aunque está bien que se les castigue ejemplarmente, para que aprendan.

Siempre pasa lo mismo, el pueblo les advierte que los grandes se van y ellos se quedan, y sin embargo, siempre pasa lo mismo, los grandes se van y ellos se quedan, pues que se castiguen también (aplausos). Si los grandes se van tendrán también su castigo. Duro, muy duro es tener que vivir alejado de la patria por toda la vida, porque, cuando menos, serán condenados al ostracismo por toda la vida los criminales y los ladrones que han huido precipitadamente.

¡Quién viera por un agujero —como dice el pueblo— al señor Batista en estos momentos! ¡Al guapo, al hombre soberbio que no pronunciaba un solo discurso si no era para llamar cobardes, y miserables y bandidos a todos los demás! Aquí ni siquiera se ha llamado bandido a nadie, aquí no reina ni se respira el odio, la soberbia ni el desprecio, como en aquellos discursos de la dictadura. Aquel hombre que dice que cuando entró en Columbia llevaba una bala en la pistola (gritos), se marchó en horas de la madrugada en un avión, con una bala en la pistola (gritos). Quedó demostrado que los dictadores no son tan temibles ni tan suicidas, y que cuando llega la hora en que están perdidos huyen cobardemente. Lo lamentable realmente es que haya escapado cuando pudiera haber sido hecho prisionero, y si hacemos prisionero a Batista le hubiéramos quitado los 200 millones de pesos que se robó (aplausos). ¡Reclamaremos el dinero téngalo donde lo tenga! (aplausos) porque no son delincuentes políticos, sino delincuentes comunes. Y vamos a ver los que aparezcan en las embajadas, si es que el señor Cantillo no les ha dado ya salvoconducto. Vamos a distinguir entre los delincuentes políticos y los delincuentes comunes. Asilo para los delincuentes políticos, nada para los delincuentes comunes. Tienen que ir ante los tribunales y demostrar que son delincuentes políticos, y si se demuestra que son delincuentes comunes, que los entreguen a las autoridades (gritos de: "¡Mujal, Mujal!"). Y Mujal, a pesar de lo grande y lo gordo que es, no se sabe dónde está en este momento (gritos). Nadie tiene noticias. ¡Cómo han huido! ¡Yo no me explico cómo ustedes se acuerdan todavía de esos infelices! (Risas). Por fin el pueblo se libró de toda esa canalla.

Ahora hablará el que quiera, bien o mal, pero hablará el que quiera. No es como ocurría aquí, que hablaban ellos solos y hablaban mal (gritos). Habrá libertad absoluta porque para eso se ha hecho la Revolución; libertad incluso para nuestros enemigos; libertad para que nos critiquen y nos ataquen a nosotros; que siempre será un placer saber que nos combaten con la libertad que hemos ayudado a conquistar para todos (aplausos). Nunca nos ofenderemos, siempre nos defenderemos y seguiremos solo una norma: la norma del respeto al derecho y a los pensamientos de los demás.

Esos nombres que se han mencionado aquí, esa gente, Dios sabe en qué embajada, en qué playa, en qué barco, adónde han ido a parar. Bástenos saber que nos hemos librado de ellos, y que si tienen alguna casita, alguna finquita, o alguna vaquita por ahí; la tendremos sencillamente que confiscar.

Porque debo advertir que los funcionarios de la tiranía, los representantes, los senadores, los alcaldes, los que no han robado particularmente, pero que han cobrado los sueldos, tendrán que devolver hasta el último centavo de lo que han cobrado en estos cuatro años, porque han cobrado ilegalmente y tendrán que devolverle a la República el dinero que han cobrado todos esos senadores, y todos esos representantes; y si no lo devuelven, les confiscaremos las propiedades que tengan.

Esto, aparte de lo que se hayan robado, porque el que haya robado, a ese no le quedará nada del producto del robo, porque esa es la primera ley de la Revolución. No es justo que se mande a prisión a un hombre que se robó una gallina, o un guanajo, y que los que se roban millones de pesos estén encantados de la vida por ahí. ¡Que se anden con cuidado! (Aplausos). Y que anden con cuidado los ladrones de hoy y de ayer. Que anden con cuidado porque la ley revolucionaria puede caer sobre los hombros de todos los culpables de todos los tiempos, porque la Revolución llega al triunfo sin compromisos con nadie en absoluto, sino con el pueblo, que es al único al que debe su victoria (aplausos).

Voy a terminar (gritos de: "¡No!"). Voy a terminar por hoy (gritos de: "¡No!"). Bueno, recuerden que tengo que marchar inmediatamente, es mi obligación, y ustedes llevan muchas horas parados (gritos de: "¡No, no!").

Veo tantas banderas blancas, rojas y negras en los vestidos de nuestras compañeras, que realmente se nos hace duro abandonar esta tribuna, donde hemos experimentado, todos los que estamos aquí presentes, la más grande emoción de nuestras vidas (gritos y aplausos).

No podemos menos que recordar a Santiago de Cuba con entrañable cariño. Las veces que nos reunimos aquí, un mitin allá en la Alameda, un mitin acá en una avenida (gritos de: "¡Trocha!"). En Trocha, donde dije un día que si nos arrebataban los derechos por la fuerza cambiaríamos las escobas por los fusiles, y culparon a Luis Orlando de aquellas declaraciones, yo me callé la boca. En el periódico salió que era Luis Orlando el que las había hecho, y era yo el que las había hecho; pero no estaba muy seguro de si estaban bien hechas, porque en aquella época no había... (risas). Y resultó que tuvimos que cambiarlo todo: los estudiantes, sus libros y sus lápices por los fusiles; los campesinos, sus aperos de labranza por el fusil, y todos tuvimos que cambiarlo todo por el fusil. Afortunadamente, la tarea de los fusiles ha cesado. Los fusiles se guardarán donde estén al alcance de los hombres que tendrán el deber de defender nuestra soberanía y nuestros derechos.

Pero, cuando nuestro pueblo se vea amenazado, no pelearán solo los 30 000 ó 40 000 miembros de las Fuerzas Armadas, sino pelearán los 300 000, 400 000 ó 500 000 cubanos, hombres y mujeres que aquí pueden coger las armas (gritos y aplausos). Habrá armas necesarias para que aquí se arme todo el que quiera combatir cuando llegue la hora de defender nuestra independencia (aplausos). Porque está demostrado que no solo pelean los hombres, sino pelean las mujeres también en Cuba (aplausos), y la mejor prueba es el pelotón Mariana Grajales, que tanto se distinguió en numerosos combates (aplausos). Y las mujeres son tan excelentes soldados como nuestros mejores soldados hombres (aplausos).

Yo quería demostrar que las mujeres podían ser buenos soldados. Al principio la idea me costó mucho trabajo, porque existían muchos prejuicios. Había hombres que decían que cómo mientras hubiera un hombre con una escopeta se le iba a dar un fusil a una mujer. ¿Y por qué no?

Yo quería demostrar que las mujeres podían ser tan buenos soldados, y que existían muchos prejuicios con relación a la mujer, y que la mujer es un sector de nuestro país que necesita también ser redimido, porque es víctima de la discriminación en el trabajo y en otros muchos aspectos de la vida (aplausos).

Organizamos las unidades de mujeres, que demostraron que las mujeres pueden pelear. Y cuando en un pueblo pelean los hombres y pueden pelear las mujeres, ese pueblo es invencible.

Mantendremos organizadas las milicias o la reserva de combatientes femeninas, y las mantendremos entrenadas, todos los voluntarios. Y estas jóvenes que hoy veo con los vestidos negro y rojo, del 26 de Julio, yo aspiro a que aprendan también a manejar las armas (aplausos).

Y esta Revolución, compatriotas, que se ha hecho con tanto sacrificio, ¡nuestra Revolución!, ¡la Revolución del pueblo es ya hermosa e indestructible realidad! ¡Cuánto motivo de fundado orgullo! ¡Cuánto motivo de sincera alegría y esperanza para todo nuestro pueblo! Yo sé que no es aquí solo en Santiago de Cuba, es desde la punta de Maisí hasta el cabo de San Antonio.

Ardo en esperanzas de ver al pueblo a lo largo de nuestro recorrido hacia la capital, porque sé que es la misma esperanza, la misma fe de un pueblo entero que se ha levantado, que soportó paciente todos los sacrificios, que no le importó el hambre; que cuando dimos permiso tres días para que se restablecieran las comunicaciones, para que no pasara hambre, todo el mundo protestó (aplausos). Es verdad, porque lo que querían era lograr la victoria costara lo que costara. Y este pueblo bien merece todo un destino mejor, bien merece alcanzar la felicidad que no ha logrado en sus 50 años de República; bien merece convertirse en uno de los primeros pueblos del mundo, por su inteligencia, por su valor, por su espíritu (aplausos).

Nadie puede pensar que hablo demagógicamente, nadie puede pensar que quiero halagar al pueblo. He demostrado suficientemente mi fe en el pueblo, porque cuando vine con 82 hombres a las playas de Cuba, y la gente decía que nosotros estábamos locos y nos preguntaban que por qué pensábamos ganar la guerra, yo dije: "porque tenemos al pueblo" (aplausos).

Y cuando fuimos derrotados la primera vez, y quedamos un puñado de hombres, y persistimos en la lucha, sabíamos que esta sería una realidad, porque creíamos en el pueblo. Cuando nos dispersaron cinco veces en el término de 45 días, y nos volvimos a reunir y reanudar la lucha, era porque teníamos fe en el pueblo; y hoy es la más palpable demostración de que aquella fe era fundamentada (aplausos).

Tengo la satisfacción de haber creído profundamente en el pueblo de Cuba y de haberles inculcado esa fe a mis compañeros. Esa fe, que más que una fe es una seguridad completa en todos nuestros hombres. Y esa misma fe que nosotros tenemos en ustedes es la fe que nosotros queremos que ustedes tengan en nosotros siempre (aplausos).

La República no fue libre en el 95 y el sueño de los mambises se frustró a última hora. La Revolución no se realizó en el 33 y fue frustrada por los enemigos de ella. Esta vez la Revolución tiene al pueblo entero, tiene a todos los revolucionarios, tiene a los militares honorables. ¡Es tan grande y tan incontenible su fuerza, que esta vez el triunfo está asegurado!

Podemos decir con júbilo que en los cuatro siglos de fundada nuestra nación, por primera vez seremos enteramente libres (aplausos), y la obra de los mambises se cumplirá (aplausos).

Hace breves días, el 24 de diciembre, me fue imposible resistir la tentación de ir a visitar a mi madre, la que no veía desde hacía varios años. Cuando regresaba por el camino que cruza a través de los Mangos de Baraguá, en horas de la noche, un sentimiento de profunda devoción a los que via- jábamos en aquel vehículo, nos hizo detener allí, en aquel lugar donde se levanta el monumento que conmemora la Protesta de Baraguá y el inicio de la Invasión. En aquella hora, la presencia en aquellos sitios, el pensamiento de aquellas proezas de nuestras guerras de independencia, la idea de que aquellos hombres hubiesen luchado durante 30 años para no ver logrados sus sueños, para que la Repú- blica se frustrara, y el presentimiento de que muy pronto la Revolución que ellos soñaron, la patria que ellos soñaron sería realidad, nos hizo experimentar una de las sensacio- nes más emocionantes que puedan concebirse.

Veía revivir aquellos hombres con sus sacrificios, con aquellos sacrificios que nosotros hemos conocido tam- bién de cerca. Pensaba en sus sueños y sus ilusiones, que eran los sueños y las ilusiones nuestras, y pensé que esta generación cubana ha de rendir, y ha rendido ya, el más fervoroso tributo de reconocimiento y de lealtad a los héroes de nuestra independencia.

Los hombres que cayeron en nuestras tres guerras de independencia juntan hoy su esfuerzo con los hombres que han caído en esta guerra; y a todos nuestros muertos en las luchas por la libertad podemos decirles que por fin ha llegado la hora en que sus sueños se cumplan.

Ha llegado la hora de que al fin ustedes, nuestro pueblo, nuestro pueblo bueno y noble, nuestro pueblo que es todo entusiasmo y fe; nuestro pueblo que quiere de gratis, que confía de gratis, que premia a los hombres con cariño más allá de todo merecimiento, tendrá lo que necesita (aplausos). Y solo aquí me resta decirles, con modestia, con sinceridad, con profunda emoción, que aquí en nosotros, en sus combatientes revolucionarios, tendrán siempre servidores leales, que solo tendrán por divisa servirles (aplausos).

Hoy, al tomar posesión de la presidencia de la República el doctor Manuel Urrutia Lleó, el magistrado que dijo que la Revolución era justa (aplausos), pongo en sus manos las facultades legales que he estado ejerciendo como máxima autoridad dentro del territorio liberado, que ya es hoy toda la patria; asumiré, sencillamente, las funciones que él me asigne. En sus manos queda toda la autoridad de la República (aplausos).

Nuestras armas se inclinan respetuosas ante el poder civil en la República civilista de Cuba (aplausos). No tengo que decirle que esperamos que cumpla con su deber, porque sencillamente estamos seguros de que sabrá cumplirlo. Al presidente provisional de la República de Cuba cedo mi autoridad; y le cedo en el uso de la palabra al pueblo. Muchas gracias.

(Ovación)

Fotografías

Fidel junto a las combatientes del pelotón Mariana Grajales. Aparecen también en la imagen, los guerrilleros Fidel Vargas, Paco Cabrera Pupo y Marcelo Verdecia.

De izquierda a derecha, los dirigentes de la FEU José Fontanil, Juan Nuiry y Omar Fernández, que integraban la Columna 32 del Cuarto Frente.

Combatientes de la Columna 32 José Antonio Echeverría reunidos con Fidel.

Fidel imparte instrucciones en la Comandancia de La Plata.

Detrás de Fidel, el combatiente de la Columna 1, Antonio Llibre.

El Comandante pone a prueba su puntería.

Arturo Aguilera, *Aguilerita*, observa cómo el Comandante manipula un fusil. Su labor de abastecimiento al Ejército Rebelde fue muy valiosa durante la guerra.

Fidel muestra al combatiente Florentino Alarcón el manejo de un fusil.

Fidel lleva dos relojes en la muñeca como medida previsora para conocer la hora exacta y no quedar a la deriva del tiempo.

Fidel y Pastorita Núñez en la Comandancia de La Plata, octubre de 1958.

En primer plano, a la izquierda, el teniente Orlando Rodríguez Puertas frente a su tropa.

El teniente Orlando Rodríguez Puertas, jefe de pelotón de la Columna 1, formó parte del grupo de combatientes que acompañó al Comandante en Jefe Fidel Castro desde su salida de la Comandancia de La Plata hasta el cerco a Santiago de Cuba.

Capitán Orlando Lara, tras la victoria sobre la ofensiva de verano, Fidel
le asignó una columna que operó en el Cuarto Frente.

Reclutas de la escuela de Minas de Frío en el poblado de Charco Redondo, diciembre de 1958.

Poblado de Minas de Charco Redondo, diciembre de 1958.

Pastorita fue comisionada para cobrar el impuesto azucarero establecido por el Ejército Rebelde, tarea en la que se destacó.

Ascienden la montaña, de izquierda a derecha, Ciro Redondo, Ramiro Valdés, Fidel, Almeida y Raúl. Las fuerzas del Primero, Segundo y Tercer frentes se aunaron para la operación del cerco a Santiago.

El bravo capitán Braulio Curuneaux cayó combatiendo en la Batalla de Guisa.

Tras la Batalla de Guisa el capitán Luis Pérez Martínez fue
asignado al Cuarto Frente.

Vitalio Acuña Núñez, *Vilo*, diciembre de 1958.

Braulio Curuneaux con su inseparable ametralladora calibre 50.

Calixto García Martínez, asal-
tante al cuartel Carlos Manuel
de Céspedes, expedicionario
del *Granma* y comandante del
Ejército Rebelde.

El capitán Ignacio Pérez cayó en
combate en San José del Retiro,
Jiguaní, el 19 de diciembre de
1958.

Fidel, Vilma, Raúl, Paco Cabrera Pupo, Calixto García y otros guerrilleros rinden tributo al capitán Ignacio Pérez Zamora y a los caídos en
el combate en San José del Retiro, Jiguaní, el 19 de diciembre de 1958.

El combatiente Alcibiades Bermúdez, participante de la contraofensiva final.

Edilberto González, conocido como Puerto Padre, miembro de la Columna 1 del Ejército Rebelde.

El combatiente Lázaro Soltura, jefe de pelotón de las fuerzas bajo el mando de Calixto García, en el Tercer Frente.

El capitán Rafael Verdecia, *Pungo*, combatió como jefe de pelotón en la Batalla de Guisa.

El capitán Raúl Podio cayó en combate el 26 de diciembre de 1958, en la acción de Rejondones de Báguanos.

El combatiente Crisógenes Vinageras pertenecía a la tropa de Calixto García.

De pie, de izquierda a derecha, cuarto, el capitán Cristino Naranjo. En la fotografía parte de su tropa en Palma Soriano, cuando se coordinaban acciones para el cerco a la ciudad de Santiago de Cuba.

Arria de mulos utilizada para el traslado de mercancías, Maffo.

Cuartel de Maffo atacado por los rebeldes, diciembre de 1958.

Banco de Fomento Agrícola e Industrial de Cuba (BANFAIC) en el poblado de Maffo, donde se encontraban atrincherados los soldados del Batallón 10 de Infantería del Ejército de la tiranía, diciembre de 1958.

Trinchera de sacos utilizada por los soldados de la tiranía en el BANFAIC, diciembre de 1958.

Destrucción después del bombardeo a Maffo, diciembre de 1958.

Huellas del bombardeo al poblado de Maffo.

El comandante Juan Almeida Bosque, jefe del Tercer Frente Oriental
Mario Muñoz Monroy.

De izquierda a derecha, el primer teniente Rubén Fonseca Guevara y
el comandante Guillermo García Frías, tras la toma de Palma Soriano.

Hotel Palma, lugar donde se encontraban atrincherados los militares de la tiranía, en diciembre de 1958.

Rendición de los guardias de la tiranía al mando del capitán Sierra Talavera, Palma Soriano, diciembre de 1958.

De izquierda a derecha, el teniente Fidel Vargas, el comandante Juan Almeida y el teniente Israel Pardo Guerra.

Los combatientes Aeropagito Montero y Fidel Vargas, después del Combate de Palma Soriano.

Vilma y Raúl en Palma Soriano, fines de diciembre de 1958.

Los comandantes Raúl y Almeida, junto al Comandante en Jefe Fidel Castro. Las columnas bajo su mando cercaron a Santiago.

En primer plano, de izquierda a derecha, el comandante Guillermo García Frías, Fidel, un combatiente no identificado y Celia; Palma Soriano, diciembre de 1958.

Fidel rodeado de combatientes en Palma Soriano.

Entrevista de Fidel y el general del Ejército de la dictadura Eulogio Cantillo, en las ruinas del central Oriente, 28 de diciembre de 1958.

En la reunión del central Oriente, Fidel estuvo acompañado por Vilma, Raúl, el comandante del Batallón 18 rendido en Jigüe, José Quevedo, extrema izquierda, y otras personas.

De izquierda a derecha, el doctor Bernabé Ordaz, el comandante Raúl Castro Ruz, el doctor Julio Martínez Páez y el Comandante en Jefe Fidel Castro Ruz.

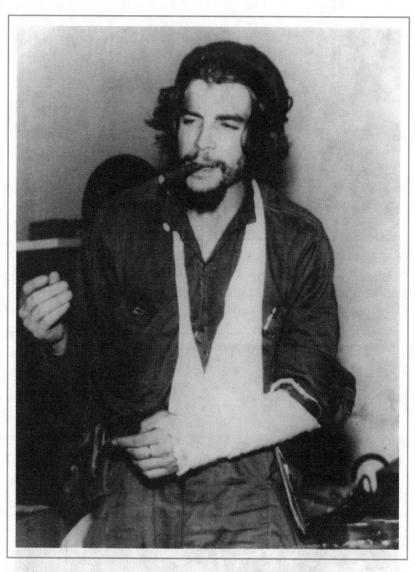

El Che en Cabaiguán, el 22 de diciembre de 1958, después de fracturarse el brazo izquierdo durante el ataque a ese poblado.

Fidel se dirige al combatiente Marcelo Verdecia. En segundo plano, los guerrilleros José López y Augusto Martínez Sánchez.

De la Columna 1, los combatientes Miguelito Milanés, Marcelo Verdecia, Arturo Aguilera, y un combatiente no identificado.

.En el Seminario San Basilio El Magno, en el poblado de El Cobre, la mañana del 1ro. de enero de 1959. Fidel avanza por el corredor es-coltado por Marcelo Verdecia, y a su lado, el comandante Augusto Martínez.

Fidel y Raúl, en la reunión de El Escandel, el 1ro. de enero de 1959.

En Palma Soriano, a fines de diciembre de 1958.

Central Palma, diciembre de 1958.

Camino y casa de El Escandel, 1ro. de enero de 1959.

Reunión de combatientes del Ejército Rebelde, previa al encuentro de
Fidel con el coronel Rego Rubido, jefe de la Plaza Militar de Santiago
de Cuba. El Escandel, 1ro. de enero de 1959. De izquierda a derecha,
de pie, el fotógrafo de la Universidad de Oriente, Elías Sánchez; los
comandantes Augusto Martínez Sánchez y Luis Crespo Castro, y, al
fondo, Marcelo Verdecia. Sentados, Fidel, Raúl, Celia; y de espaldas
junto a ella, el comandante Félix Duque.

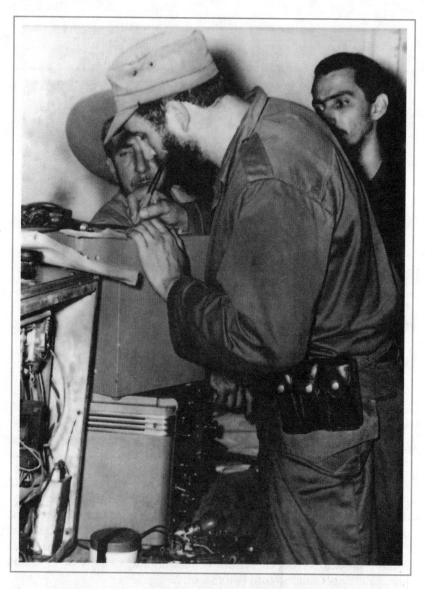

El Comandante en Jefe redacta instrucciones a todos los comandantes del Ejército Rebelde, 1ro. de enero de 1959.

Llamamiento de Fidel a todo el pueblo de Cuba a la huelga general revolucionaria contra el golpe de Estado en la capital.

Alocución de Fidel a todo el país. "Revolución sí, golpe militar no".

El Comandante a la entrada del camino al central América, diciembre de 1958.

Fidel junto a Arturo Duque de Estrada y el comandante René de los Santos, en el portal de la casa que utilizó como comandancia en el central América.

A la entrada de la comandancia en el central América, Fidel imparte instrucciones a Marcelo Verdecia, combatiente de su escolta.

El 1ro. de enero de 1959, Raúl Castro entró al cuartel Moncada solo con su escolta, Raúl Orosmaro, *Maro*. Allí, el comandante Raúl Castro conversó con el coronel José Rego Rubido, jefe de la Plaza Militar de Santiago de Cuba.

En las primeras horas de la noche, desde un balcón del cuartel Moncada, Raúl se dirige a los oficiales y soldados de esa guarnición, 1ro. de enero de 1959. A la derecha, junto a Raúl, su escolta Raúl Orosmaro, *Maro*.

El 1ro. de enero de 1959, Raúl y Fidel saludan al pueblo desde el balcón del Ayuntamiento de Santiago de Cuba.

El 2 de enero, Fidel habla al pueblo en Bayamo. Junto a él, a la derecha, Lilia Rielo, combatiente del pelotón Mariana Grajales.

Camilo se reúne con Fidel en Bayamo.

Fidel junto a los comandantes Delio Gómez Ochoa y Belarmino Castilla
en la ciudad de Holguín, 2 de enero de 1959.

Documentos Históricos

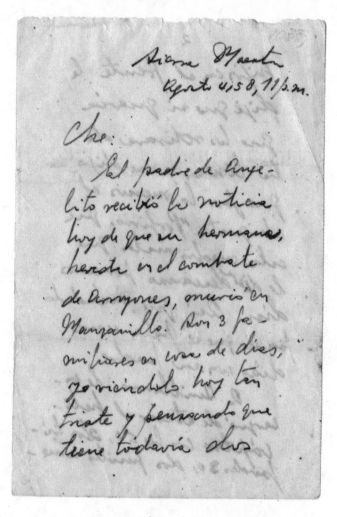

(1 de 2)

Fragmento de una carta enviada por el Comandante en Jefe Fidel Castro al Che, en la cual expresa su sensibilidad ante la tristeza del padre de Angelito Verdecia, quien para esa fecha, 4 de agosto de 1958, ya había perdido a tres miembros de su familia en la guerra.

2

hijos en el frente le
dije que si quería
que los retirara de
la línea, y me dijo
que por lo menos el
chiquito, "Porfirio", que
está medio malo, que
le dé descanso por unos
días. Así que mándalo
para que se pase unos
días con su padre.

(2 de 2)

Orden Militar

Se asigna al Comandante Camilo Cienfuegos la misión de conducir una columna rebelde desde la Sierra Maestra hasta la Provincia de Pinar del Río, en cumplimiento del plan estratégico del Ejército Rebelde.

La Columna n° 2, "Antonio Maceo," que así se denominará la fuerza invasora en homenaje al glorio...

(1 de 5)

Orden Militar del Comandante en Jefe Fidel Castro donde le asigna al comandante Camilo Cienfuegos la misión de conducir la Columna 2 Antonio Maceo, desde la Sierra Maestra hasta la provincia de Pinar del Río, 18 de agosto de 1958.

2

so guerrero de la Independencia, partirá del salto
el próximo miércoles 20 de
Agosto de 1958.

Al Comandante de
la Columna Invasora se
le otorgan facultades para
organizar unidades de
combate rebeldes a lo largo
del territorio nacional, hasta tanto los comandantes
de cada provincia, arriben
con sus columnas a sus
respectivas jurisdicciones;
aplicar el Código Penal y
las Leyes Agrarias del Ejército Rebelde en el territorio

(2 de 5)

invadido; percibir las contribuciones establecidas por las disposiciones militares; combinar operaciones con cualquier otra fuerza revolucionaria que se encuentre ya operando en algún sector determinado; establecer un frente permanente en la Provincia de Pinar del Río que será base de operaciones definitiva de la columna invasora y designar para esos fines a oficiales del Ejército Rebelde hasta el grado de Comandante de Columna.

(3 de 5)

La Columna Invaso-
ra, aunque tiene como objetivo primordial llevar la
guerra libertadora hasta
el occidente de la Isla,
y a él deberá supeditarse
toda otra cuestión táctica,
batirá al enemigo cuantas
ocasiones se presenten durante el trayecto.

Las armas que se ocu-
pen al enemigo serán pre-
ferentemente destinadas
a la organización de uni-
dades locales.

(4 de 5)

Para premiar, desta-
car y estimular los actos
de heroísmo en los solda-
dos y oficiales de la columna nº 2, invasora, Anto-
nio Maceo, se crea la me-
dalla al valor "Osvaldo
Herrera", capitán de dicha
Columna, que se arrancó
la vida en las prisiones de
Bayamo, después de gallarda y heróica actitud de
resistencia frente a las
torturas de los esbirros de
la tiranía. Fidel Castro
Comandante Jefe
Sierra Maestra, Junio 1.55, 958

(5 de 5)

(1 de 5)

Informe enviado por Camilo al Comandante en Jefe. Incluye la lista de hombres, armas y parque de la columna invasora Antonio Maceo.

Relación Personal de las Armas Columna Invasora
No. 2

Número	Hombre y Apellidos	Armas	Balas No.
1	Camilo Cienfuegos	M-2	200
2	William Galvez	M-1	150
3	German Borrero	M-1	150
4	Heroldo Cantallops	Garant.	25 Peine
5	Osvaldo Rabaza	"	25 "
6	Roberto Sanchez	Springfield	100 balas
7	Romerico Hernandez	Sin Arma.	—
8	Rafael Moreno	San Cristobal	6 peines
9	Orestes Guerra	Garant.	2al Peines
10	Walfrido Perez	Browning	vai balas
11	Rodolfo Vazquez	San Cristobal	6 peines
12	Victor Ochoa	Garant	2al peines
13	Alejandro Oñate	"	2al "
14	Roberto Oduardo	"	2al "
15	Armando Borrero	"	2al "
16	Francisco Matamoro	"	2al "
17	Pablo Avila	"	2al "
18	Alfredo Adden	"	2al "
19	Manolo Espinosa	"	2al "
20	Antonio Ochoa	"	2al "
21	Delfin Moreno	"	2al "
22	Arnaldo Ochoa	Beretta	330 balas
23	Alfredo Ochoa	San Cristobal	6 peines
24	Zenen Mariño	Garant	30 Peines
25	Ernesto Guevara	"	30 "
26	Raúl Garbobo	"	30 "
27	Joaquin Garcia	"	30 "
28	Juan Rivero	"	30 "
29	Antonio Roxas	San Cristobal	6 peines
30	Antonio Espinosa	Garant	30 "

(2 de 5)

Número	Nombre y Apellido	Armas	balas y/
31	Alcibiades Cabrera	garant.	20 Peines
32	Primitivo Argote	Sprinfield	100 balas
33	Rafael Ponce de Leon	garant.	23 Peines
34	Mario Ricardo		23 "
35	Mario Arma.	Springfield	100 balas
36	Walter Vazquez	"	"
37	Esteban Perez	"	"
38	Tomas Benitez	"	"
39	Angel Reyes	Remington (Ametr.)	100 balas
40	Victor Sotomayor	Thompson (Ametralladora)	200 balas
41	Argel Alonso	No tiene Arma.	—
42	Minervino Hernandez	" "	—
43	Ramón Cordero	garant.	20 Peines
44	Serafin Garcia	"	
45	Manuel Lastre	"	
46	Juan Cruz	"	
47	Abel Machado	Metralleta	200 balas
48	Ruben Calderia	San Cristobal	6 peines
49	Rene Nuñez		
50	Marcos Carmenates	Springfield	100 balas
51	Etelio Miranda	"	
52	Augusto Valdespino	"	
53	Arsenio Carbonell	garant	22 peines
54	Agapito Figmontes	"	20 "
55	Evgenio Ferriol	"	"
56	Manolo Medina	"	"
57	Edvardo Valdespino	"	"
58	Dionisio Bamayo	"	100 balas
59	Walter Vices	Springfield	6 peines
60	Manolo Peña	San Cristobal	230 balas
61	Rolando Kindelan	Browning (Ametralladora)	
62	Armarando Peña	Ayodante	—

(3 de 5)

FIDEL CASTRO RUZ

495

Número	Nombre y Apellido	Armas	Balas q/c
63	Agustín Méndez	San Cristóbal	6 peines
64	Ramón Armas	"	"
65	Pablo Cabrera	"	"
66	Sereño González	"	20 "
67	Valentín Jácera	Garand.	
68	Elgio Fontaines	Garand	40 balas
69	Delio Mora	Springfield	100 balas
70	Miguel Álvarez	"	"
71	Antonio Sánchez (Pinares)	Garand.	30 Peines
72	Alberto Barroso	"	"
73	Carlos Díaz	"	"
74	Herminio Martínez	"	"
75	Juan de Dios García	"	"
76	José López Ríos	"	"
77	Abelardo Lima	"	"
78	Carlos J. San Pico	"	"
79	Darío Pérez	"	"
80	Primitivo Pérez	Trípode cal 30 col (Ametralladora)	700 balas
81	Fernando Camayo	Thompson (Ametralladora)	400 "
82	Lorenzo Ramírez	(Ayudante)	—
83	Eduardo Alarcón	"	—
84	Luis A. Moreno	"	—
85	Eduardo Guerra	"	—
86	Dr. Sergio del Valle	(Garlos) - Nº 1	150 balas
87	Ramón López	Nº 3	300 balas
88	Joel Espinosa	Springfield	100 "
89	Alfredo Álvarez	"	"
90	Evelio Rodríguez	"	"
91	Mario Herrera	(San Anna)	—
92	Ángel Estrada		

(4 de 5)

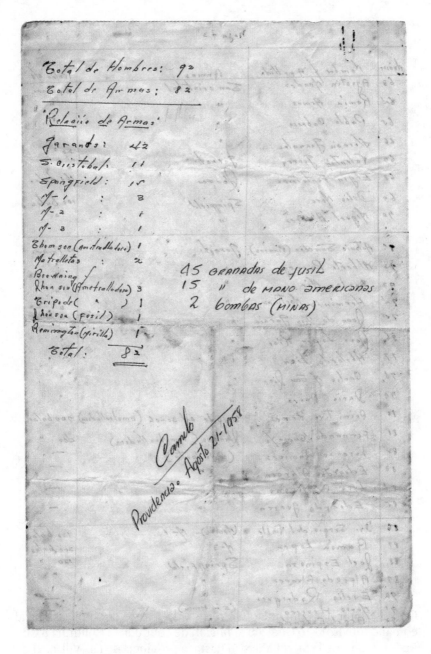

Total de Hombres: 92
Total de Armas: 82

Relación de Armas:

Garands: 42
S. Cristobal: 11
Spingfield: 15
M-1 : 3
M-2 : 1
M-3 : 1
Thomson (ametralladora) 1
Metralletas : 2
Browning
Thomson (Ametralladora) 3
Tripode (") 1
Thomson (Fusil) 1
Remington (pistola) 1
Total: 82

45 granadas de fusil
15 " de mano americanas
2 bombas (minas)

Camilo
Providencia° Agosto 21-1958

(5 de 5)

Orden Militar

Se asigna al Comandante Ernesto Guevara la misión de conducir desde la Sierra Maestra hasta la Provincia de las Villas una columna rebelde y operar en dicho territorio de acuerdo con el plan estratégico del Ejército Rebelde.

La columna n° 8 que se destina a ese objetivo llevará el nombre de "Ciro Redondo", en homenaje al heroíco capitán rebelde muerto en acción y ascendido póstumamente a Comandante.

(1 de 4)

Orden Militar del Comandante en Jefe Fidel Castro donde le asigna al comandante Ernesto Guevara la misión de conducir la Columna 8 Ciro Redondo, desde la Sierra Maestra hasta la provincia de Las Villas. 21 de agosto de 1958.

La Columna Nº 8, Ciro Redondo partirá de las Mercedes entre el 24 y el 30 de Agosto.

Se nombra al Comandante Ernesto Guevara Jefe de todas las unidades rebeldes del Movimiento 26 de Julio que operan en la Provincia de las Villas, tanto en las zonas rurales como urbanas y se le otorgan facultades para recaudar y disponer en gastos de guerra las contribuciones que establecen nuestras disposiciones militares, aplicar el Código

(2 de 4)

Penal y las "Leyes Agrarias" del Ejército Rebelde en el territorio donde operen sus fuerzas; coordinar operaciones, planes, disposiciones administrativas y de organización militar con otras fuerzas revolucionarias que operen en esa Provincia, las que deberán ser invitadas a integrar un solo cuerpo de Ejército para vertebrar y unificar el esfuerzo militar de la revolución; organizar unidades locales de combate, y designar oficiales del Ejército Rebelde hasta el grado de Comandante

(3 de 4)

de Columna.

La Columna nº 8 tendrá como objetivo estratégico batir incesantemente al enemigo en el territorio central de Cuba, e interceptar hasta su total paralización los movimientos de tropas enemigas por tierra desde Occidente a Oriente, y otros que oportunamente se le ordenen.

Fidel Castro R
Comandante Jefe

Sierra Maestra, Agosto 21, 58, 9 p.m.

(4 de 4)

FIDEL CASTRO RUZ

501

Sierra Maestra   Agosto 30, 58

Huber:

Mas que como un acto de indisciplina y una grosería, indigna del
espíritu de confraternidad conque siempre nos hemos tratado todos aquí,
duele la evidente ingratitud conque has pasado por alto las reiteradas
pruebas de consideración personal que he tenido contigo.

Soy hombre poco dado al teatralismo y he tratado siempre aquí a
quienes tengo en alguna estima, con la confianza y familiaridad conque
se trata a los hombres cuando no median ridículos convencionalismos ni
hipocresías de ninguna índole. Soy franco y natural en todas mis expresiones y eso comprensa en mí lo que falte de formulismos cortesanos en
mis relaciones con los compañeros a los que he considerado siempre como
iguales, porque no soy aristócrata ni en la más insignificante manifestación de mi espíritu.

Estoy haciendo esta revolución con hombres de humilde cuna, con
más instinto para conocer las verdaderas raíces de mis sentimientos
democráticos y humanos, que los hombres un poco más privilegiados por
la fortuna, ha quienes ha sido dada la oportunidad de adquirir un poco
más de educación y con ella también muchos prejuicios.

No he deplorado jamás, ha pesar de haber sufrido muchas más amarguras, más ofensas y más sacrificios que tú, haber estado luchando poresta causa desde hace siete años, venciendo muchos más obstáculos de
los que han encontrado los hombres a los que algún modo ha ayudado a
satisfacer sus ansias de lucha y sus anhelos de realizar un ideal, para
lo cual he tenido la abnegación y la paciencia que debieran tener en cuen
ta los que tan fácilmente como tú deploran el haber venido a un lugar
de sacrificio donde por todo premio no hay que esperar otra cosa que
heridas como la contenidas en tu importuno y desconsiderado mensaje no
es tal vez más que una leve muestra.

Tú no eres un colaborador mío, sino de la revolución. Yo aquí no
soy un amo, ni un jefe arbitrario, sino un miserable esclavo de lo que
creo mis obligaciones. Si me excedo a veces en el humor conque exijo detalles insignificantes, como el que puede implicar un arma para dotar a
otras unidades con el mismo celo e interés conque he dotado la que tú
mandas y las que han partido con otros compañeros, se debe a la lucha
que tengo que librar en un ambiente donde cada cual quiera tener lo mejor para su tropa y se olvidan de que la victoria solo puede ser el frato de la eficacia y el esfuerzo de todos. Y esa lucha contra los individualismos y tendencias personales debiera preocupar más a los que son
testigos de ellas, que andar expurgando agravios inexistentes, como si
el orgullo importara por encima de todo lo demás. Rechazo terminantemen
te el calificativo de insulto que le das a las palabras contenidas en mi
nota que guardaré como constancia de este incidente. No te la devuelvo
porque nunca hago nada con el fin de ofender. Invierto mis
energías y mi tiempo en propósito más elevados.

Aun tu acción de que la hayas realizado en instante en
que exigirte cuenta de tu conducta ocasionaría un irreparable daño a todos los planes, o por lo menos al más importante plan contra las fuerzas
enemigas, a las que me interesa más destruir que reparar agravios personales. Lo personal no me importa y cuando personalmente sea un estorbo a esta causa y así lo entiendan los que hoy me obedecen, me apar-

(1 de 2)

Carta del Comandante en Jefe Fidel Castro a Huber Matos donde enér-
gica y honorablemente le señala un acto de indisciplina y grosería.

taré sin vacilación, porque veo en eso mucha más honestidad y honra que en-
estar mandando a otros y asumir jefaturas que para mí no constituyen un placer
sino un amargo deber, y hubiera deseado que otro más capaz y mejor que yo(lo
que digo con toda sinceridad, por si lo dudas) estuviese dirigiendo esta lucha,
porque con la modesta filosofía que he dotado mis más íntimas convicciones sien
to un profundo desprecio por todas las vanidades y ambiciones humanas. Todo el
orgullo del mundo vale menos que un átomo de humildad cuando comprendemos que-
los hombres somos una desoladora nada.
        No te tomes jamás la molestia de pensar que me preocupe lo más mínimo-
la actitud que cada cual asuma con respecto a mí. Me preocupa solo la forma en
que cada cual cumpla con su deber. Y ese deber, entiéndelo bien, no lo veré -
jamás como algo que tenga que ver con mi nombre, o con mi orgullo o con mi personal interés, que or fortuna no existe en absoluto. Y cuando otros entiendan
su deber de modo distinto al que mi conciencia me indique que es el mío, cuando
esté seguro de que mis actos estén limpios de todo innoble propósito, me tienen
sin cuidado lo que ello implique, porque en definitiva esa es mi vocación y mi
destino: luchar.
        Duro es tener que invertir las energías de un hombre para llevar este-
mensaje que hubiera sido innecesario, pero tú no eres un soldado de fila sino
un jefe de columna y algún interés tengo en aclararte estos conceptos.
        Exhortaciones, no te hago ninguna. Yo debo darte ordenes y no hacerte -
exhortaciones. Te agradeceré en cambio todas las que me hagas, siempre que te -
las autorice, y te exijo terminantemente que rectifiques los concetos vertidos
en tu mensaje. Y si tu honor, tu orgullo o como quieras entenderlo, te impide -
rectificar la indecencia de haber devuelto la nota mía, entrega el mando al Capitán Felix Duque, al que impondré de este incidente, y en cuyo caso debe proseguir hasta la Comandancia de Almeida a recibir instrucciones, y tú presenta-
te en la Comandancia General.

                                        fidel Castro Ruz/

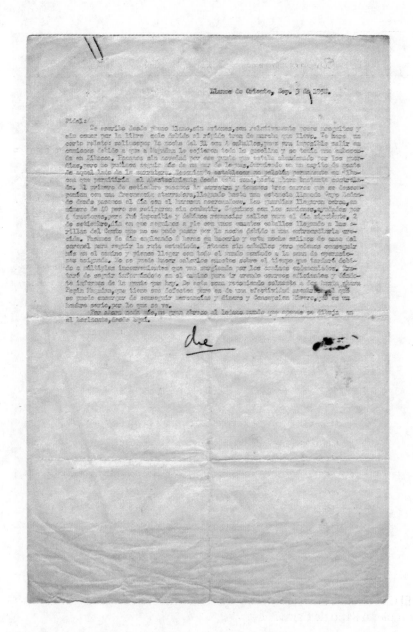

El comandante Ernesto Guevara, al salir de la Sierra para cumplir la misión invasora, comenzó a escribir pequeñas notas dirigidas a Fidel en tono de diario.

Departamento Comercial Cabaniguán

EZEQUIEL GONZALEZ MIRANDA
CENTRAL JOBABO, ORIENTE

Llanos de Camagüey, setiembre 8/58-1.50 a.m.

Fidel:

Despues de agotadoras jornadas nocturnas, te escribo al fin desde Camagüey y sin perpectivas inmediatas de acelerar la marcha que lleva un promedio de 3-4 leguas diarias, con la tropa montada a medias y sin monturas. Camilo está en las inmediaciones y lo esperaba aquí, en la arrocera Bartles, pero no llegó. En llano es formidable; no hay tantos mosquitos, no se ha visto ni un casquito y los aviones parecen inofensivas palomas. Radio rebelde es escuchada con muchas dificultades a través de Venezuela.

Todo indica que los guardias no quieren guerra y nosotros tampoco; te confieso que le tengo miedo a una retirada con 150 inexpertos reclutas en estas zonas desconocidas, pero una guerrilla armada de 30 hombres puede hacer maravillas en la zona y revolucionarla. Yo de paso dejé las bases de un sindicato arrocero en Ecuero y hablé del impuesto pero se me tiraron al suelo. No es que haya claudicado frente a la patronal pero me parece que la cuota es excesiva; les dije que eso se podría conversar y lo dejé para el proximo que caiga. Un tipo con conciencia social puede hacer maravillas en esta zona y hay bastante monte para esconderse. De mis planes futuros no te puedo decir nada, en cuanto a camino se refiere, porque yo mismo no lo sé; depende más bien de circunstancias especiales y aleatorias como ahora que estamos esperando unos camiones para ver si nos libramos de los caballos, perfectos para los tiempos anatiónicos de Maceo, pero muy visibles desde el aire. Si no fuera por la caballería podríamos caminar de día tranquilamente. El fango y el agua están por la libre y los fidelazos que he tenido que tirar para llegar con los obuses en buen estado son de película; hemos tenido que atravezar varios arroyos a nado con un trabajo bárbaro, pero la tropa se porta bien aunque ya la escuadra de castigo está funcionando a todo tren y promete ser la más nutrida de la columna. El próximo informe irá por vías mecanizadas, si es posible de la ciudad de Camagüey. Nada más que la reiteración del fraterno abrazo a los de la "Sierra", que ya no se ve.

El Che relata a Fidel las incidencias de su paso por zonas desconocidas, en pleno llano de Camagüey.

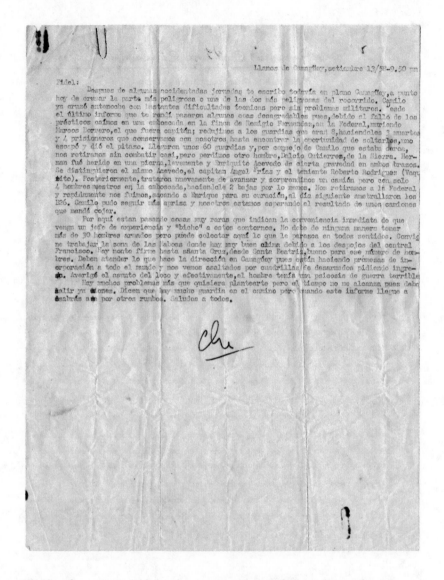

El Che da parte a Fidel sobre una emboscada que le tendieron a su tropa. Alerta sobre el acontecer de "cosas muy raras" y problemas en Camagüey.

(1 de 5)

Páginas iniciales de la carta del Comandante en Jefe Fidel Castro dirigida al comandante Juan Almeida desde La Plata, en la cual le informa en detalle sus planes para la operación Santiago, 8 de octubre de 1958.

FIDEL CASTRO RUZ

medias si me aparto de aquí y emprendo una marcha larga.

Persistente como sabes que soy en mis propósitos no ha costado grandemente renuncia a la idea de partir. Al mismo tiempo, para dar empleo rápido a todas las fuerzas con vistas a las elecciones he iniciado una serie de movimientos hacia distintos territorios de la Provincia, pero procurando que estos movimientos al mismo tiempo que lleven objetivos específicos con vistas al 3 de Noviembre, sirvan de base a la estrategia a desarrollar en las semanas venideras al transcurso de esa fecha. Es decir, que las tropas que ahora mando a los territorios de Victoria de las Tunas, Puerto Padre, Holguín y Gibara, están llamadas a cumplir importantes objetivos en los meses finales de año. El plan de tomar primero Santiago de Cuba

(2 de 5)

lo estoy sustituyendo por el plan
de tomar la Provincia. La toma
de Santiago y otras ciudades resultará así mucho más fácil y sobre todo podrán ser sostenidas. Primero nos
apoderaremos del campo. Dentro de
12 días, aproximadamente, todos los
municipios estarán invadidos. Después, nos apoderaremos, y si es posible, destruiremos por tierra todas las vías de
comunicación (carreteras y ferroviari-
les). Si paralelamente, progresan
las operaciones en las Villas y Camagüey, la tiranía puede sufrir en la
Provincia un desastre completo como
el que sufrió en la Sierra Maestra
Esta estrategia resulta para nosotros
mucho más segura que cualquier otra,
y entre tanto, lejos de concentrar el
grueso de nuestras fuerzas en una dirección, lo que lleva tiempo, requiere

(3 de 5)

gran acumulación de víveres e implica riesgos de consideración, los distribuimos de forma que puedan
mantener al enemigo bajo hostigamiento constante en todas partes.
Al frente tuyo que es el frente de
Santiago de Cuba, quedan asignadas por ahora las columnas 3,
9 y 10. Tienes que hacer de esas
tropas una potente y disciplinada
fuerza que vaya dominando progresivamente y sobre todo estudiando
minuciosamente la zona para cuando llegue la hora de atrincherarse
en los puntos estratégicos. Todas
las ciudades importantes van a ser
aisladas simultáneamente. Y se
hay que hacerlo en el momento en que
seamos lo suficientemente fuertes
para resistir y el enemigo lo bastante débil, desmoralizado
y cansado para que no pueda

(4 de 5)

librarse de los cercos. Siguiendo las tácticas empleadas en la Sierra Maestra
nuestra ofensiva los obligará no solo
a defenderse si no a tener que tomar
trincheras si quieren salvarse. (Todo lo
anterior es rigurosamente secreto, es tu exclusivo conocimiento)

Ahora bien: esta es la estrategia que
vamos a seguir en la Provincia. Pero
en el medio tenemos las elecciones que
hay que impedir a toda costa.

El plan girará sobre estas bases:

a) Prohibición pública del tránsito
en todo el territorio nacional, posiblemente
a partir del día 30 de este mes. Será anun-
ciada por todos los medios desde una
o dos semanas antes.

b) Paro nacional de protesta los días 3,
4 y 5 de Noviembre.

c) Operaciones militares de envergadura que obliguen al enemigo a una
gran movilización de tropas
y al recurso general.

La sola necesidad que se le va

(5 de 5)

FIDEL CASTRO RUZ

Noviembre 10/58.

Dr. Fidel Castro R.
Comandante en Jefe.

Estimado Comandante, en el día de ayer
I hice contacto con Verdecia aquí en Cana-
-bacoa. Hemos escuchado por Radio Rebelde
el parte de la mina al Sherman, y puedo
agregarle para su conocimiento que la
Mina fué colocada en la forma en
que se había dispuesto, elevándola, y
tapando las salidas de la alcantarilla,
el propio Capitán Verdecia fué quién explo-
-tó la Mine. En el camino a este me
encontré con Cheo quién me comunicó que
Rafael tenía fulminantes eléctricos, respecto
a eso Rafael me dice que ni tiene ni
ha recibido fulminantes, excepto uno que
se le puso a la mina. Adicional a la
mina se le pusieron 50 cartuchos desbara-
-tados que habían en el saco.
Según el plan trazado en esa, la primera
parte, o sea, el Sherman, considero que
ha sido cumplida, en cuanto al resto,
he recibido los seis hombres y me llega-
-ron los artilleros de Charco Redondo con
los cuales espero dentro de unos días
volar el Puente y Verdecia atacar Jara,

(1 de 2)

Carta del ingeniero Miguel Calvo al Comandante en Jefe, donde le comunica sobre los contactos con Rafael Verdecia y la colocación de minas, 10 de noviembre de 1958.

este plan lo estamos estudiando y lo efectuaremos completamente en Coordina-ción.

En cuanto al Capitán Verdecia tiene poco parque y esperamos mande cuanto antes. En cuanto a mí necesito fulminan-tes eléctricos, y cable. El detonador que me dió lo probamos hoy y está agotado, el que tenía Rafael se hechó a perder. Espero me envíe, fulminantes, cable, y algún detonador potente, así como algún dinero para materiales.

No obstante, cuando Ud. reciba ésta espero haber hecho el trabajo del puente, con fulminante de mixto.

En cuanto a los tanques se han retirado de la carretera y el sherman averiado cuando fué remolcado le hizo un gran surco a la carretera.

Atentamente.

Capitán
R. Verdecia

Ingeniero Miguel Cabra

P.D.- Esperamos nos mande el parque y el material a vuelta de ésta, pues después de la próxima operación quedaremos completa-mente agotados de parque y de material.

(1 de 3)

Carta del teniente Orlando Rodríguez Puertas al Comandante en Jefe Fidel Castro acerca de las posiciones que mantienen las fuerzas rebeldes en la Batalla de Guisa, 27 de noviembre de 1958.

retrocedieron y ya no se ven. Solo se
ven los dos tanques ligeros y algunos disparos
que tiran de cuando en cuando algunos
soldados que están dispersados por la
carretera. También vemos de esta posición
que es donde está la 30, siete carros entre
camiones y camionetas. Anoche quemaron
un carro, y hace poco le prendieron fuego
a una casa de zinc, y ya quemó.
El firme que tiene Coronel de han
tirados varios, y algunos han dado
en punta que Coronel tiene trincheras.

(2 de 3)

Estamos escaso de parque, a la 30
le quedan solo 35 balas y a las esplin-
fue igualmente pocas.
Anoche Reynaldo Mora y Verdecia
me mandaron a buscar con diez hombres
y fui, pero me dijeron cuando llegué que toma-
ría de nuevo mi posición que ellos la iban
a tomar, pues con las tanquetas no se
podía atravesar para la carretera.
Ahora se sienten algunos disparos por la
zona que tienen Mora y Verdecia.
Espero sus instrucciones
De Ud. Respetuosa-
mente

(3 de 3)

Mensaje del teniente Orlando Rodríguez Puertas sobre las posiciones de las fuerzas rebeldes en el firme del Matadero, a la espera de las órdenes del Comandante en Jefe, 29 de noviembre de 1958.

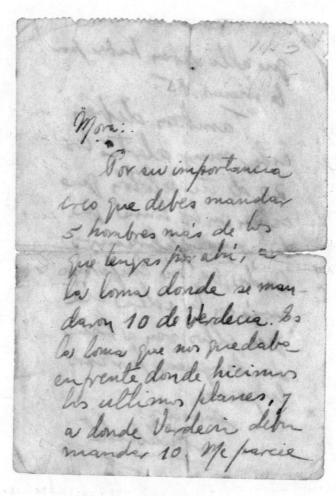

(1 de 2)

Mensaje de Fidel al capitán Reinaldo Mora sobre la ubicación de posiciones rebeldes durante la Batalla de Guisa, noviembre de 1958.

que allí deben haber por
lo menos 15.

    También deben
estar muy alertas los
20 de tu sección que
están en los lomas que
tú y yo exploramos.
Cada vez me confirmo
más en la idea de
que ellos van a tratar
de flanquear por esos
lugares.
    saludos,
    Fidel Castro

(2 de 2)

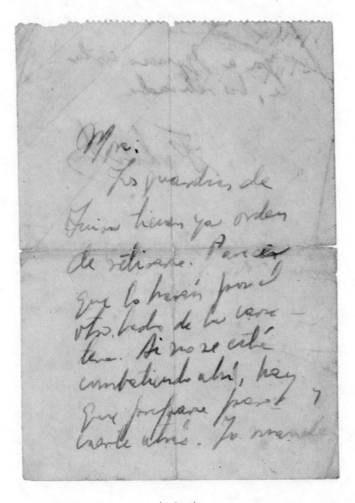

(1 de 2)

Mensaje enviado por Fidel al capitán Reinaldo Mora sobre la retirada de los guardias de Guisa, noviembre de 1958.

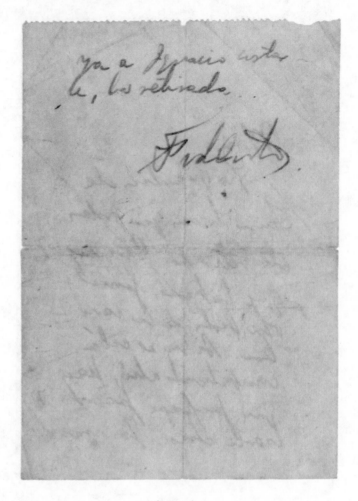

(2 de 2)

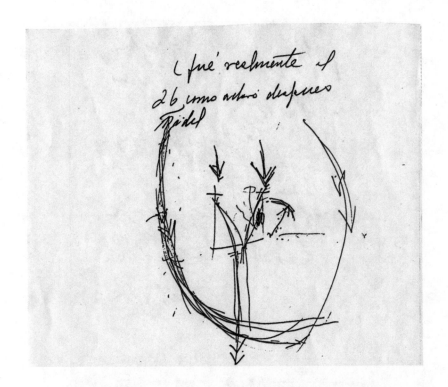

Croquis dibujado por Fidel sobre la Batalla de Guisa, al pie de una nota en la que el propio Comandante en Jefe aclara que, en el Parte Militar, donde dice día 25, las acciones corresponden en realidad al 26. Esta acotación está fechada el 24 de noviembre de 1988, durante la celebración del aniversario 30 de la batalla.

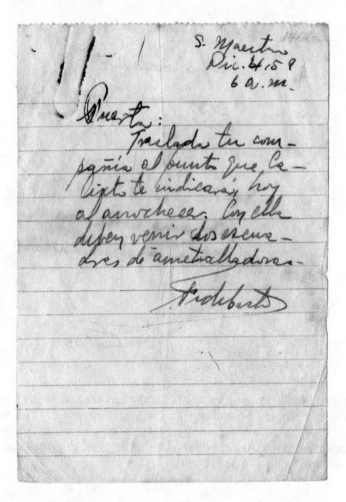

Orden del Comandante en Jefe al teniente Orlando Rodríguez Puertas,
4 de diciembre de 1958.

(1 de 3)

El teniente Orlando Rodríguez Puertas informa al Comandante en Jefe el lugar donde se encuentran emboscadas sus fuerzas, 9 de diciembre de 1958.

(2)

hoy muchas personas que
saben estamos aqui.
Esta noche boy a
buscar otro lugar acer-
candome mas a Jiguany.
Me han dicho
que tienen soldado a
pie por la linea por
el puente de Cautillo.
aun que no le doy mucho
credito estoy alerta
y pienso atajarlos por
cualquier parte

(2 de 3)

que intenten pasar.

El asunto de la comida vamos pasando bastante bién.

Hoy los aviones han tirado cerca de Jiguaní.

Esperando sus intruciones de Ud.

respectuosamente.

Fdo. Perlas

(3 de 3)

(1 de 4)

Carta de agradecimiento del Comandante en Jefe Fidel Castro al contralmirante Wolfang Larrazábal, con motivo del envío solidario de un avión con un cargamento de armas para la Sierra Maestra, procedente de Caracas, Venezuela.

triotas perdidos la mayor
parte por la persecución de
los gobiernos, para comprender con cuanta emoción y
gratitud recibimos la ayuda que usted nos envía en
nombre de Venezuela.

Hemos visto convertido en
realidad lo que durante mucho tiempo fué como un sueño. Temo que usted no llegue a imaginarse cuan-
to se lo agradecemos.

A la satisfacción que ha
de producirle el beneficio

(2 de 4)

3

que de mano suya recibe
este pueblo que tanto
quiere al suyo y lo ad-
mira a usted, puede aña-
dir la seguridad de que
muchos cubanos buenos,
combatientes de una cau-
sa justa, dispuestos a
hacer por Venezuela lo que
hacen por Cuba, le debe-
rán la vida, porque lo
que se recibe en armas se
ahorra en sangre, y esto,
yo que he visto caer a tantos compañeros entrañables,

(3 de 4)

4

siempre los mejores, se
lo agradeceré eternamente.
Desde hoy le digo que cualquiera que sea la posición
que usted ocupe en su país,
la más alta o la más mo-
desta, para nosotros será
siempre el primero de los
venezolanos.

Fraternalmente

Fidel Castro

(4 de 4)

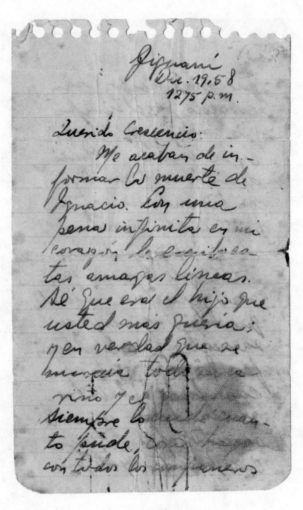

(1 de 3)

Carta de Fidel al viejo combatiente Crescencio Pérez para expresarle su pena infinita por la muerte de su hijo, el capitán Ignacio Pérez, a quien los combatientes consideraban como un hermano.

que más riesgos han corrido por el tiempo que ~~conocen~~ no llevan en las luchas. Murió de un obús de mortero, combatiendo una tro- pa que iba en retira- ~~da~~. Recogimos su ca- daver y le dijemos hon- rosa sepultura. Duele que haya muerto preci- samente cuando el triun- fo está a la vista, y cuando él estaba re- sultando ser uno de nuestros oficiales más competentes y de mi

(2 de 3)

mayor confianza.
Su nombre figurará en
la lista de los coman-
dantes de nuestro glo-
rioso Ejército y nunca
lo olvidaremos. Le
diré sólo que significó
era para todos nosotros
un hermano y tal es
el dolor que sentimos
en este momento.

Fidelberto

(3 de 3)

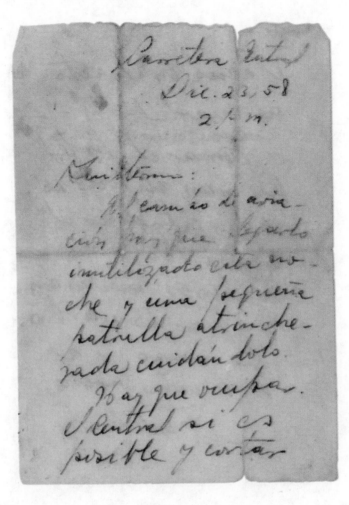

(1 de 2)

Mensaje de Fidel a Guillermo García con órdenes de dejar inutilizado el campo de aviación y ocupar el central Palma, 23 de diciembre de 1958.

(2 de 2)

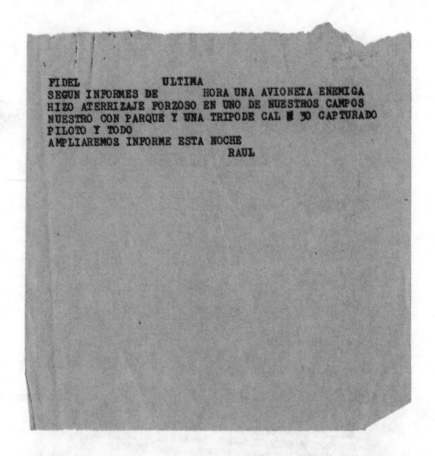

FIDEL   ULTIMA
SEGUN INFORMES DE   HORA UNA AVIONETA ENEMIGA
HIZO ATERRIZAJE FORZOSO EN UNO DE NUESTROS CAMPOS
NUESTRO CON PARQUE Y UNA TRIPODE CAL # 30 CAPTURADO
PILOTO Y TODO
AMPLIAREMOS INFORME ESTA NOCHE
                                  RAUL

En la última etapa de la guerra, el comandante Raúl Castro trasmitía informaciones a través de la radio.

CAYO GUARO SE OCUPARON 7 SAN CRISTOBAL UNA THOMSON
Y CINCO SPFLDS DIRIGIO LA OPERACION ABELARDO COLEG
UN HERIDO DEL EJERCITO REBELDE Y UN HERIDO DE LA
TIRANIA

EN CUETO SE OCUPARON 30 ARMAS LARGAS ENTRE ELLAS
GARAND M-1 Y SAN CRISTOBAL
SEGUIREMOS INFORMANDO.
EN TOTAL SON 14 CUARTELES CERCA DE 250 SOLDADOS
PRISIONEROS Y 270 ARMAS LARGAS

SITUACION ENEMIGA DIFICIL SEGUIMOS OFENSIVA
APROVECHANDO DESMORALIZACION ENEMIGA. SUGERIMOS
ESTUDIEN SITUACION PARA OBRAR EN CONSECUENCIA
ACONSEJAMOS LA MAYOR PRESION.
HOY NOCHE ATACAREMOS NUEVAS POSICIONES.

PARA FIDEL DE RAUL

El comandante Raúl Castro informa sobre el triunfo rebelde en Guaro y
Cueto. En otro parte destaca la desmoralización del enemigo y anuncia
que las fuerzas del Segundo Frente atacarán nuevas posiciones.

(1 de 8)

Primera página del borrador de: Instrucciones de la Comandancia General a todos los Comandantes del Ejército Rebelde, 1ro. de enero de 1959.

fuerzas deben prose-
guir sus operaciones
contra enemigo. Acep-
tese solo cuando jura-
mento a las gua-
niciones que deseen
rendirse.

Al parecer se ha
producido un gol-
pe de estado de
estado en la Capital.
Las circunstancias en
que ese golpe se

(2 de 8)

produjo son iguales ajenas

al Movimiento 26
de Julio.

El pueblo debe
estar muy alerta y
atender sólo en
estas horas las instru-
cciones de la Coman-
dancia General del
Ejército Rebelde.

La Dictadura se
ha derrumbado, pero
eso no quiere decir

(3 de 8)

que sea todavía
el triunfo de la revo-
lución.

Las operaciones mili-
tares proseguirán
inalterablemente,
mientras no se reciba
una orden expresa, la
que sólo será dada,
cuando los elementos
militares que hayan
dado el golpe de esta-
do se pongan in —

(4 de 8)

condicionalmente a
las ordenes de la Jefa-
tura Revolucionaria.

Revolución sí, gol-
pe militar no.

Después de 7 años
de lucha, la victo-
ria del pueblo tiene
ser completa o la
guerra seguirá.

Golpe de estado pa-
ra que Batista y los
esbirros escapen, no.

(5 de 8)

(6 de 8)

Patriota, no; porque
lo la.

Ivenciremente o puesto
la victoria, seo

Después de 7 años
de lucha, la victoria
del pueblo, tiene que
ser cosa total.

Nadie se deje con-
fundir y engañar.

Más unido y más
firme que nunca de.
ber entre el pueblo y

(7 de 8)

el ejército rebelde para
no dejarse arrebatar
la victoria que ha costado
tanto sacrificio.

(8 de 8)

INSTRUCCIONES DE LA COMANDANCIA GENERAL A TODOS LOS COMANDANTES
DEL EJERCITO REBELDE Y AL PUEBLO:

Batey del central "América"

Cualesquiera que sean las noticias procedentes de la Capital, nuestras tropas no deben hacer alto al fuego en ningún momento.

Nuestras fuerzas deben proseguir sus operaciones contra el enemigo en todos los frentes de batalla.

Acéptese sólo conceder parlamento a las guarniciones que deseen rendirse.

Al parecer, se ha producido un golpe de estado en la Capital. Las condiciones en que ese golpe se produjo son ignoradas por el Ejército Rebelde.

El pueblo debe estar muy alerta y atender sólo las instrucciones de la Comandancia General.

La Dictadura se ha derrumbado como consecuencia de las aplastantes derrotas sufridas en las últimas semanas, pero eso no quiere decir que sea ya el triunfo de la Revolución.

Las operaciones militares proseguirán inalterablemente mientras no se reciba una orden expresa de esta Comandancia, la que sólo será emitida cuando los elementos militares que se han alzado en la Capital se pongan incondicionalmente a las órdenes de la Jefatura Revolucionaria.

¡Revolución SI; golpe militar NO!

¡Golpe militar de espaldas al pueblo y a la Revolución NO, porque sólo serviría para prolongar la guerra!

¡Golpe de estado para que Batista y los grandes culpables escapen, NO; porque sólo serviría para prolongar la guerra!

¡Golpe de estado de acuerdo con Batista, NO; porque sólo serviría para prolongar la guerra!

¡Escamotearle al pueblo la Victoria, NO; porque sólo serviría para prolongar la guerra hasta que el pueblo obtenga la victoria total!

Después de siete años de lucha la victoria democrática del pueblo tiene que ser absoluta, para que nunca más se vuelva a pasar en nuestra Patria un 10 de marzo.

¡Nadie se deje confundir ni engañar!

¡Estar alerta es la palabra de orden!

El pueblo y muy especialmente los trabajadores de toda la República, deben estar atentos a Radio Rebelde y prepararse urgentemente en todos los centros de trabajo para la huelga general e iniciarla apenas se reciba la orden si fuese necesario para contrarrestar cualquier intento de golpe contrarrevolucionario.

¡Más unidos y más firmes que nunca deben estar el pueblo y el Ejército Rebelde, para no dejarse arrebatar la victoria que ha costado tanta sangre!

FIDEL CASTRO
COMANDANTE EN JEFE

Este llamamiento a los comandantes rebeldes y al pueblo lo pronunció el Comandante Fidel Castro en histórica alocución por Radio Rebelde, recién instalada la emisora en territorio libre de Palma Soriano.

FIDEL CASTRO RUZ

Mapas

Inicio de la Contraofensiva Rebelde
el 11 de noviembre de 1958

Ruta del Comandante en Jefe desde la Comandancia General en La Plata hasta Guisa

LEYENDA

Comandancia Fidel Castro
Puntos de partida y destino

Recorrido - →

Casa de Sabino Sosa ①

Casa de Mongo Chacón ②

Casa de Tano Martínez ③

Casa de Cheto Mojena ④

Casa de Carlos Repilado ⑤

Casa de Eutimio de la Paz ⑥

Casa de Petronila Guerra ⑦

Casa de Hipólito Vázquez ⑧

Casa de Ramón Tasé ⑨

Casa de Ramón Corría ⑩

Auditoría ⑪

⑫ Panadería

⑬ Casa de Leovigildo Domínguez

⑭ Casa de Domingo Domínguez

⑮ Casa de Pascual Ramírez

⑯ Casa de Calín Jiménez

⑰ Casa de Luis Roblejo

⑱ Casa de Efrén Avilés
y Juan Viltre

⑲ Casa de Mon Corona

Ⓐ Fidel se entrevista con los
representantes de la Cruz Roja

Ⓑ Se incorporan las fuerzas
de Ignacio Pérez, Luis Pérez
y Rafael Verdecia, entre otros

Ⓒ Se incorporan Calixto García,
Lazaro Soltura y otros jefes
rebeldes con sus hombres

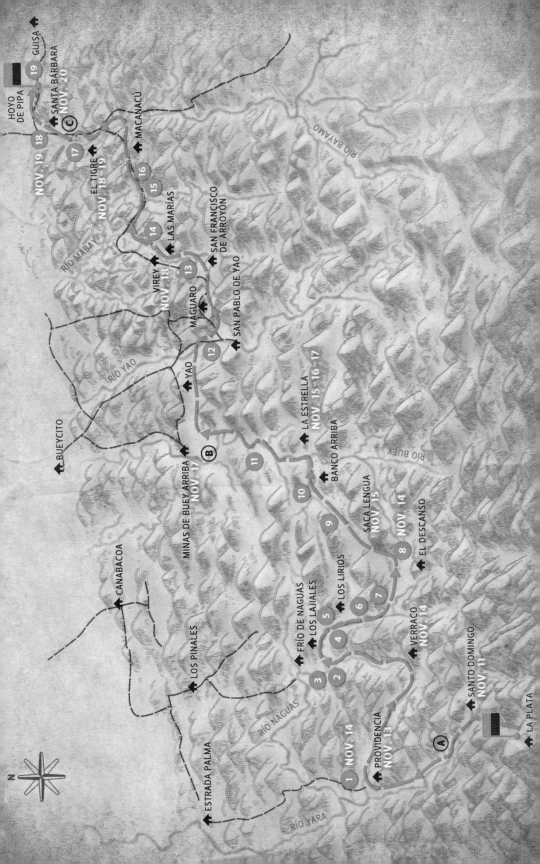

Batalla de Guisa
20 de noviembre, 8:30 a.m.

Combate contra la patrulla

LEYENDA

Comandancia Fidel Castro

Compañía M de la Guardia Rural

Capitán Braulio Curuneaux ①

Avance de la patrulla

Capitán Reinaldo Mora ②

Capitán Rafael·Verdecia ③

Teniente Armelio Mojena ④

Capitán Luis Pérez ⑤

Teniente Paco Reyes ⑥

Teniente Niní Serrano ⑦

Trincheras

Mortero 81 mm, teniente Cintra Frías, *Polo*

Mortero 60 mm, teniente Aeropagito Montero

Ametralladora calibre 30

LOMA DEL MATADERO

LOMA LA ESTRELLA

LOMA GRANICHE

LOMA EL MARTILLO

LOMA MATEO ROBLEJO

LOMA JUANICO MARTÍNEZ

LOMA TEÓFILO

GUISA

LOMA DE PIEDRA

LOMA SAN ANTONIO

LA NENITA

LOMA LAS CAROLINAS

RÍO CUPEINICÚ

LOMA LOS MAMEYES

HOYO DE PIPA

MON CORONA

LOMA SAN ANDRÉS

1
2
3
4
5
6
7

Batalla de Guisa
20 de noviembre, 10:30 a.m.

Combate contra el primer refuerzo

LEYENDA

Comandancia
Fidel Castro

Compañía M
de la Guardia Rural

Capitán Braulio Curuneaux ①

Trincheras

Capitán Reinaldo Mora ②

Primer refuerzo enemigo:
Compañía 32 del Batallón 2,
pelotón de la Compañía L,
pelotón de la Compañía 22

Capitán Rafael Verdecia ③

Teniente Armelio Mojena ④

Bombardero B-26

Capitán Luis Pérez ⑤

Cazabombardero F-47 D

Teniente Niní Serrano ⑥

Avioneta L-20 Beaver

Trincheras

Mortero 81 mm,
teniente Cintra Frías, *Polo*

Mortero 60 mm,
teniente Aeropagito Montero

Minas rebeldes

Ametralladora calibre 30

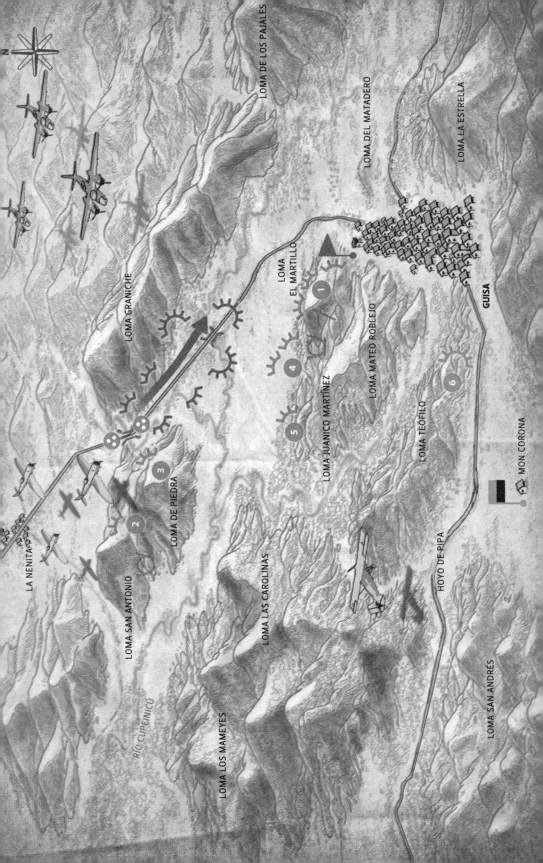

Destrucción de un tanque ligero T-17
y retirada enemiga

LEYENDA

Comandancia Fidel Castro		Explosión de mina antitanque
Capitán Braulio Curuneaux	1	
Capitán Reinaldo Mora	2	Compañía M de la Guardia Rural
Capitán Rafael Verdecia	3	Trincheras
Teniente Armelio Mojena	4	Segundo refuerzo enemigo: pelotón de la Compañía 81, pelotón de la Compañía 93
Capitán Luis Pérez	5	
Teniente Niní Serrano	6	Tanque ligero T-17
Trincheras		Primer refuerzo cercado
Mortero 81 mm, teniente Cintra Frías		Retirada de los dos refuerzos
Mortero 60 mm, teniente Aeropagito Montero		Tanque ligero T-17 (volado)
Minas rebeldes		Bombardero B-26
		Cazabombardero F-47 D
Ametralladora calibre 30		Avioneta L-20 Beaver

LOMA DE LOS PAJALES

LOMA DEL MATADERO

LOMA LA ESTRELLA

LOMA GRANICHE

LOMA
EL MARTILLO

LOMA MATEO ROBLEJO

GUISA

LOMA DE PIEDRA

LOMA JUANICO MARTÍNEZ

LOMA TEÓFILO

MON CORONA

LOMA SAN ANTONIO

LOMA LAS CAROLINAS

HOYO DE PIPA

LA NENITA

RÍO CUPEINICÚ

LOMA LOS MAMEYES

LOMA SAN ANDRÉS

Batalla de Guisa
26 de noviembre

Combate contra el refuerzo del día 26 en las primeras horas de la mañana

LEYENDA

Comandancia Fidel Castro	🏴	🚩	Compañía M de la Guardia Rural
Capitán Braulio Curuneaux	①		Trincheras
Capitán Rafael Verdecia	②	→	Refuerzo enemigo: Compañía 32 (menos un pelotón), del Batallón 24, Compañía 65 del Batallón 25, Compañía 105 del Batallón 10 y dos tanques ligeros T-17
Capitán Reinaldo Mora	③		
Tte. Orlando Rguez. Puertas	④		
Teniente Niní Serrano	⑤		Tanque ligero T-17 (volado)
Teniente Armelio Mojena	⑥		Tanque ligero T-17 (averiado)
Teniente Rafael Boza	⑦		Bombardero B-26
Teniente Tano Puebla	⑧		Cazabombardero F-47 D
Trincheras			Avioneta L-20 Beaver
Mortero 81 mm, teniente Cintra Frías			
Ametralladora calibre 30			
Explosión de mina antitanque			

LOMA DE LOS PAJALES

LOMA DEL MATADERO

LOMA LA ESTRELLA

7

6

LOMA GRANICHE

LOMA
EL MARTILLO

1

LOMA MATEO ROBLEJO

LOMA JUANICO MARTÍNEZ

GUISA

4

8

6

LOMA DE PIEDRA

2

LOMA TEÓFILO

5

MON CORONA

LA NENITA

3

LOMA SAN ANTONIO

LOMA LAS CAROLINAS

HOYO DE PIPA

LOMA LOS MAMEYES

RÍO CUPEINICÚ

LA LAJA

LOMA SAN ANDRÉS

Batalla de Guisa
27 de Noviembre

Contraataque del día 27 y combate contra
el refuerzo enemigo. Muerte de Braulio Curuneaux

LEYENDA

Comandancia Fidel Castro		Avance rebelde
Capitán Braulio Curuneaux	1	Ataque rebelde
Capitán Rafael Verdecia	2	Minas rebeldes
Capitán Reinaldo Mora	3	Muerte de Braulio Curuneaux
Tte. Orlando Rguez. Puertas	4	
Teniente Tano Puebla	5	Compañía M de la Guardia Rural
Teniente Lázaro Soltura	6	Trincheras
Capitán Calixto García	7	Refuerzo enemigo: Batallón 25 (más un pelotón de la Compañía 91) y un pelotón de tanques M-4
Teniente Niní Serrano	8	
Teniente Rafael Boza	9	Refuerzo enemigo cercado
Teniente Armelio Mojena	10	Retirada hacia Bayamo
Teniente Gonzálo Camejo	11	Repliegue del enemigo
Mortero 81 mm, teniente Cintra Frías		Tanque Sherman M-4

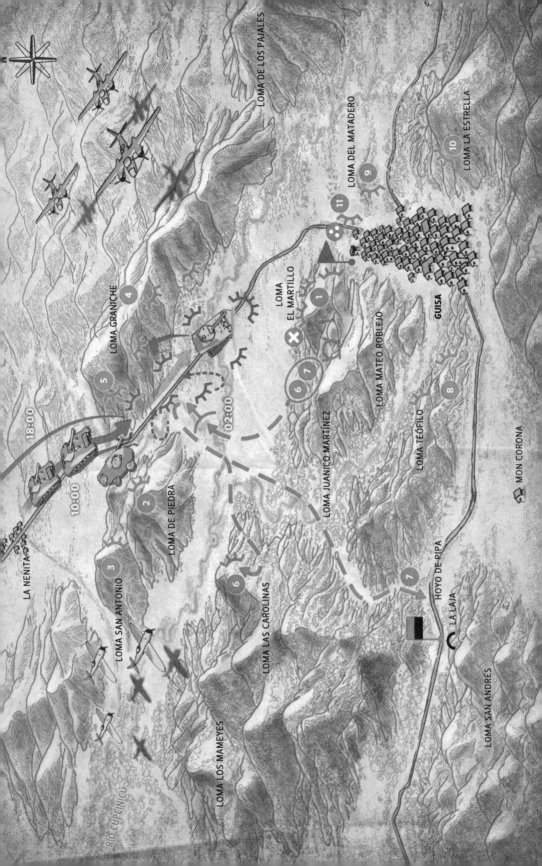

Combate contra el refuerzo del enemigo el día 29 de noviembre

LEYENDA

Comandancia Fidel Castro		T-17 capturada al enemigo	
Capitán Alcibiades Bermúdez	①	Movimientos tácticos de repliegue	
Capitán Reinaldo Mora	②		
Capitán Rafael Verdecia	③	Compañía M de la Guardia Rural	
Capitán Miguel Aguilar	④		
Tte. Orlando Rguez. Puertas	⑤	Compañía 91	❶
Teniente Magín Peña	⑥	Batallón 14	❷
Teniente Niní Serrano	⑦	Batallón 25	❸
Teniente Armelio Mojena	⑧	Batallón 27	❹
Capitán Ignacio Pérez	⑨	Batallón especial	❺
Teniente Raúl Podio	⑩	Avance enemigo	
Capitán Calixto García	⑪	Retirada hacia Bayamo	
Capitán Lázaro Soltura	⑫	Línea alcanzada por el enemigo	
		Fuerza enemiga concentrada	

Batalla de Guisa
30 de noviembre

Huida del enemigo el 30 de noviembre.
Últimas acciones

LEYENDA

Comandancia Fidel Castro	Compañía M de la Guardia Rural
Capitán Alcibiades Bermúdez ①	① Batallón 14
Capitán Rafael Verdecia ②	② Batallón 25
Capitán Reinaldo Mora ③	③ Batallón 27
Tte. Orlando Rguez. Puertas ④	④ Batallón especial
Capitán Ignacio Pérez ⑤	⑤ Agrupación de Guisa: Batallón especial, Compañía M, familiares y personas afines al Ejército.
Teniente Raúl Podio ⑥	
Teniente Niní Serrano ⑦	
Teniente Armelio Mojena ⑧	Avance hacia Guisa del Batallón especial
Teniente Magín Peña ⑨	Retirada general del enemigo
Capitán Lázaro Soltura ⑩	Línea alcanzada por el enemigo
	Fuerza enemiga concentrada
Trincheras	
Avance rebelde	

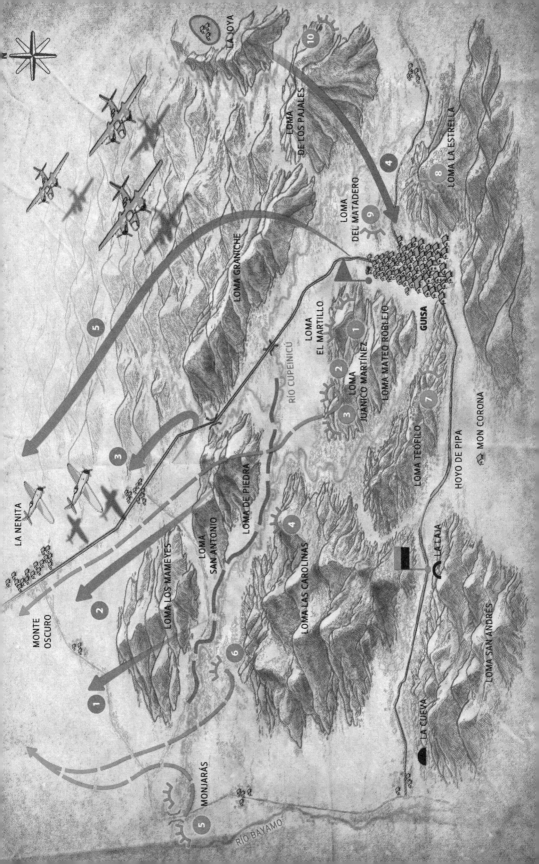

CONTRAOFENSIVA REBELDE
DEL 1RO. DE DICIEMBRE DE 1958
AL 1RO. DE ENERO DE 1959

Ruta del Comandante en Jefe desde Guisa hasta Santiago de Cuba

LEYENDA

Comandancia Fidel Castro
Puntos de partida y destino

Recorrido →

Visita a su madre (A)
Lina Ruz González

Paso por el lugar (B)
de la histórica Protesta
de Baraguá

Sitio de reunión con (C)
el general Eulogio Cantillo

Operación Santiago. (D)
Encuentro con sus hermanos
Ramón y Raúl Castro

Sitio de reunión para (E)
la entrega de Santiago
a las fuerzas rebeldes

♠ Poblados   ♠ Centrales

LA CONTRAOFENSIVA ESTRATÉGICA

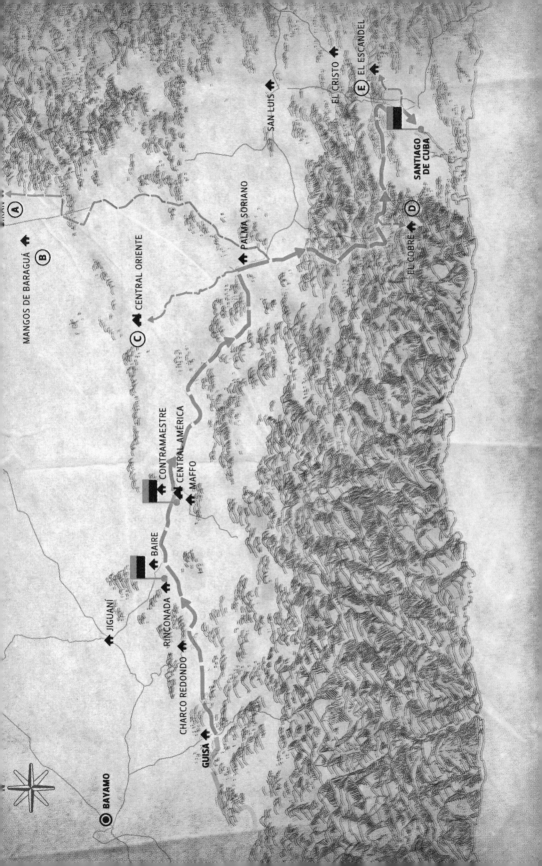

Combate de Maffo
del 10 al 30 de diciembre de 1958

Los soldados se atrincheraron en el BANFAIC,
pero finalmente fueron vencidos por los rebeldes

LEYENDA

Comandancia Fidel Castro		Posiciones rebeldes	
Capitán Reinaldo Mora	1	Mortero 60 mm	
Teniente Leopoldo Cintra	2	Tanque ligero T-17	
Capitán Rubén Fonseca	3	Cañón 37 mm de la T-17 capturada en Guisa	
Teniente Raúl Escalona	4		
Capitán Rafael Verdecia	5		
Teniente Pedro García	6	Batallón 10 de Infantería	
Teniente Francisco Reyes	7	Posiciones enemigas	
Teniente Arsenio Peña	8	Mortero 82 mm	
		Fuego de mortero	
Heridos		Minas	
Carlos Paneque			
René Pérez		Cerca de alambre	
Muertos		Pozo de agua	
Humberto Hechavarría			
Raimundo P. Montes de Oca			
Wilfredo Pagés			

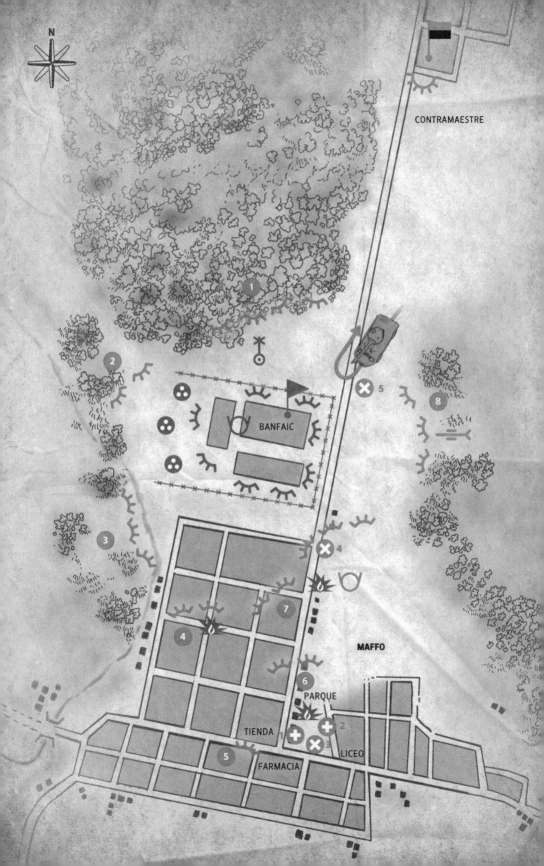

N

CONTRAMAESTRE

BANFAIC

MAFFO

PARQUE

TIENDA

LICEO

FARMACIA

Combate de Jiguaní
19 de diciembre de 1958

En esta acción cayó en combate
el capitán Ignacio Pérez

LEYENDA

Cmte. Guillermo García **1**

Capitán Eisler Leyva **2**

Capitán Israel Pardo **3**

Teniente Lázaro Soltura **4**

Capitán Ignacio Pérez **5**

Capitán Alcibiades Bermúdez **6**

Tte. Orlando Rguez. Puertas **7**

Capitán Cristino Naranjo **8**

Minas rebeldes

Trincheras

Avance rebelde

Ataque rebelde

Ametralladora Calibre 30

Muertos

Batallón 28
y Batallón especial

Trincheras

Retirada

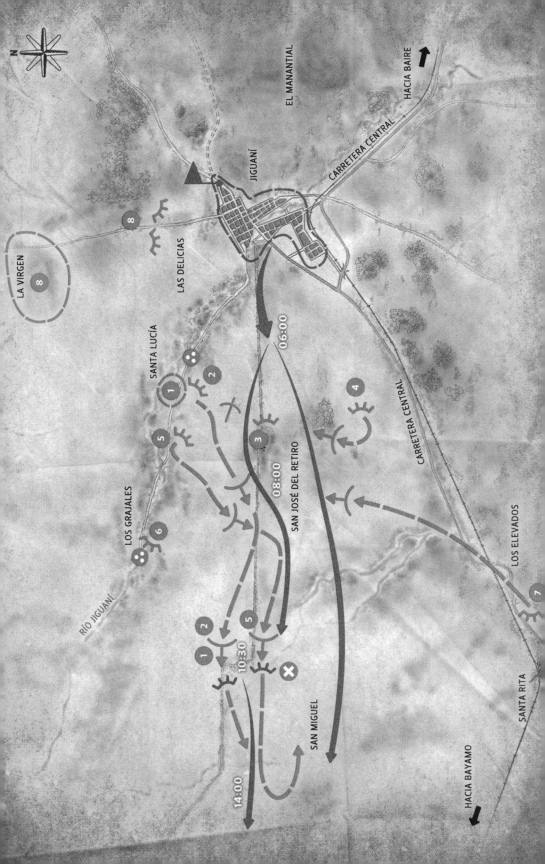

Combate de Palma Soriano
23 de diciembre de 1958

El Combate de Palma Soriano se libró en cinco días

LEYENDA

Cmte. Vilo Acuña (02:30) ①		① Estación de policía
Fuerzas del Tercer Frente ②		② Hotel Palma
Capitán Bartolo Navarro ③		③ Compañía 104
Teniente Santana ④		④ Escuadrón 14 GR Compañía 14 SVC
Capitán Lorenzo García y Capitán Viera ⑤		⑤ Patrulla (07:15)
Cptán. Orlando Rguez. Puertas ⑥		Posiciones enemigas
Capitán Universo Sánchez ⑦		⟶ Avance
Posiciones rebeldes		
Avance rebelde ⇢		

RÍO CAUTO

PALMA SORIANO

7

5 07:15 a. m.

6

5

4

4

3

3

2

2

2

1

1 02:30 a. m.

N

COMBATE DE PALMA SORIANO
24 Y 25 DE DICIEMBRE DE 1958

Como muestra el mapa, parte de las acciones tuvieron
lugar dentro del propio poblado

LEYENDA

Comandante Vilo Acuña **1**

Fuerzas del Tercer Frente **2**

Capitán Bartolo Navarro **3**

Teniente Santana **4**

Capitán Lorenzo García
y Capitán Viera **5**

Cptán. Orlando Rguez. Puertas **6**

Capitán Universo Sánchez **7**

Comandante Guillermo García **8**

Compañía B de la Columna 17 **9**

Pelotón de la Compañía A
de la Columna 17 **10**

Posiciones rebeldes ⵛ

Mortero 81 mm ⌀

1 Estación de policía

2 Hotel Palma

3 Compañía 104

4 Escuadrón 14 GR
y Compañía 14 SVC

ⵛ Posiciones enemigas

RÍO CAUTO

N

5

7

8

6

4

4

DÍA 24 3

DÍA 25

PALMA SORIANO

9 NOCHE DEL 24

2

DÍA 25 3

3

2

2

1 DÍA 25

DÍA 25 10

NOCHE DEL 24 10

1

1 DÍA 24

Combate de Palma Soriano
26 y 27 de diciembre de 1958

Tarde en la noche del día 27, Palma Soriano fue liberado

LEYENDA

Comandante Vilo Acuña	1	Posición tomada	
Fuerzas del Tercer Frente	2	Mortero 60 mm	
Capitán Bartolo Navarro	3	Mortero 81 mm	
Teniente Santana	4	Posiciones rebeldes	
Capitán Lorenzo García y capitán Viera	5		
Cptán. Orlando Rguez. Puertas	6	Estación de policía	1
Capitán Universo Sánchez	7	Hotel Sariol	2
Comandante Guillermo García	8	Compañía 104	3
Compañía B de la Columna 17	9	Escuadrón 14 GR Compañía 14 SVC	4
Pelotón de la Compañía A de la Columna 17	10	Posiciones enemigas	

RÍO CAUTO

N

5

7

8

6

4

4

DÍA 26
07:00 a.m.

PALMA SORIANO

9

TARDE DEL 26 7

3

3

2

2

DESDE LA TARDE DEL 26
HASTA LAS 05:00 a.m. DEL 27 1

2

1

10

1

Fuerzas insurreccionales a lo largo del país, 1958

Toda Cuba estaba en pie de guerra a finales de año

LEYENDA

Territorio que ocupaban los diferentes frentes

Primer Frente
- Columna 1
- Columna 4
- Columna 7

Segundo Frente
- Columna 6
- Columna 16
- Columna 17
- Columna 18
- Columna 19
- Columna 20

Tercer Frente
- Columna 3
- Columna 9
- Columna 10

Cuarto Frente
- Columna 12
- Columna 14
- Columna 31
- Columna 32

Frente Pinar del Río
- Columna 1
- Columna 2
- Columna 3
- Columna 4

Habana - Matanzas (Frente en formación)
- Grupos aislados de combatientes revolucionarios

Frente Centro y Sur Las Villas
- M-26-7
- II F.N.E.
- DR 13 de marzo
- Columna 8

Frente Norte Las Villas
- Columna 2

Frente Camagüey
- Columna 11
- Columna 13

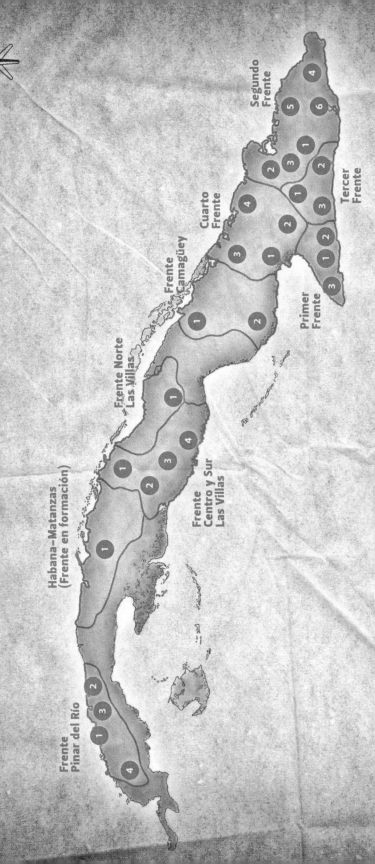

MAR CARIBE

CONTRAOFENSIVA REBELDE DEL 11 DE NOVIEMBRE DE 1958 AL 1RO. DE ENERO DE 1959

Ruta del Comandante en Jefe desde el firme de La Plata hasta Santiago de Cuba

LEYENDA

Comandancia Fidel Castro
Puntos de partida y destino

Recorrido — →

⚑ Poblados   ⚑ Centrales

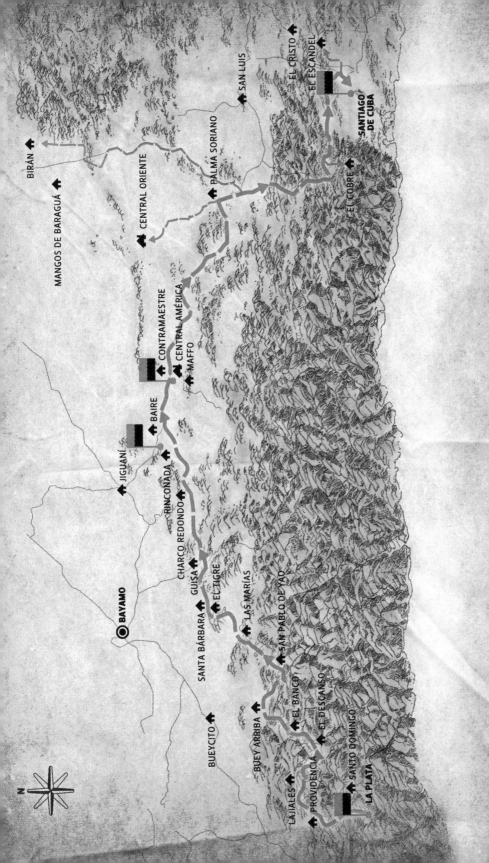

Escenarios de la Guerra

El firme de la Sierra Maestra fue el punto de partida de la contraofensiva rebelde. Esta cadena montañosa, ubicada en la antigua provincia de Oriente, es rica en plantaciones de café y constituye la mayor cordillera del país que bordea la costa sur de esa región.

Fidel instaló en La Plata su Comandancia General en mayo de 1958. Desde allí, dirigió y llevó a cabo las batallas decisivas de la lucha del Ejército Rebelde contra la tiranía batistiana, al enfrentar la ofensiva del verano de ese año. Durante la contraofensiva rebelde final, importantes combates, avances y encuentros se dieron lugar en zonas como Buey Arriba, Bueycito, Baire, Palma Soriano, Maffo, Contramaestre, Jiguaní, La Rinconada, El Escandel y, en especial, Guisa, donde se libró una de las más significativas batallas, desde el 20 hasta el 30 de noviembre de 1958, muy cerca del Puesto de Mando de la Zona de Operaciones, ubicado en las afueras de la ciudad de Bayamo. Por estos caminos las fuerzas rebeldes, a pesar de las condiciones difíciles, crecieron y triunfaron, hasta llegar a Santiago de Cuba donde el Comandante en Jefe proclamó el triunfo definitivo de la Revolución Cubana.

FIDEL CASTRO RUZ

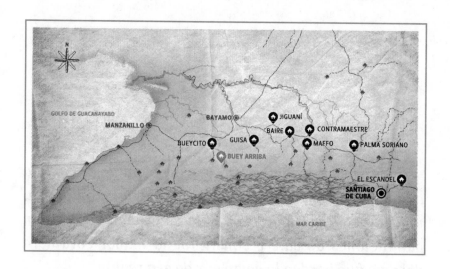

Buey Arriba

Municipio montañoso situado al sur de la actual provincia Granma en la zona oriental de Cuba. Fue el primer poblado que se fundó en las márgenes del río Buey, cuyas fuertes crecidas en tiempo de lluvia le valieron ese nombre. Durante la Guerra de los Diez Años, nuestros mambises libraron allí importantes combates. Es una zona cafetalera, en cuyos paisajes serranos crece la palma real, vuela el tocororo y florece la mariposa.

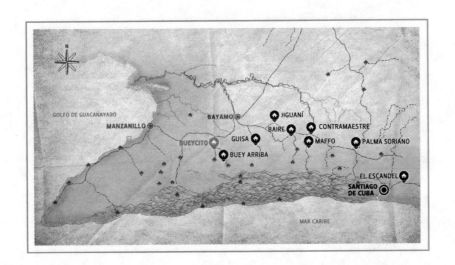

BUEYCITO

Es hoy una localidad del municipio Buey Arriba, en la provincia Granma. Se conoció primero como Buey Abajo. Fue el segundo poblado fundado en las márgenes del río Buey, más hacia el llano. Es una zona cafetalera y minera, escenario también de nuestras luchas por la independencia. En 1953, contaba con 17 739 habitantes; ya para entonces su economía respondía a los intereses norteamericanos.

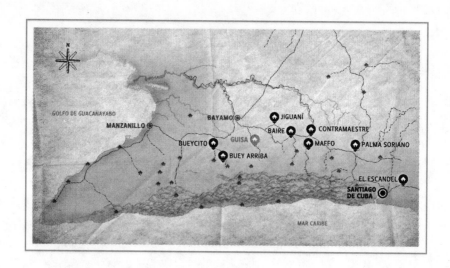

Guisa

Este municipio, ubicado en la Sierra Maestra al sur de la actual provincia Granma, se distingue por sus genuinas elevaciones. En sus fértiles valles, favorecidos por las cuencas superiores de los ríos Bayamo, Guamá y Guisa, se cultiva café, tabaco y se desarrolla la ganadería. En la Guerra del 95 fue escenario de los combates librados por el mayor general Calixto García. En el censo realizado en 1953, Guisa contaba con un total de 14 595 pobladores.

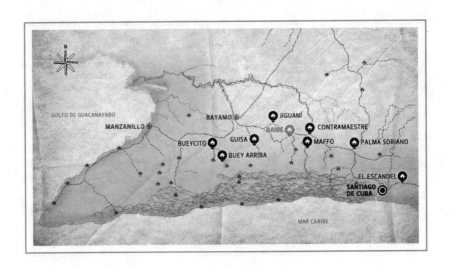

Baire

Poblado del actual municipio Contramaestre, en Santiago de Cuba. Es el segundo pueblo libre de Cuba, luego de comenzada la guerra, el 10 de octubre de 1868. El 24 de febrero de 1895 fue el día escogido por el Partido Revolucionario Cubano para reiniciar la lucha por la independencia de Cuba, y fue precisamente el poblado de Baire el que mayor protagonismo tuvo en dicha acción. Desde su Plaza se declaró públicamente la ruptura con el colonialismo español y se escuchó el grito de: "¡Viva Cuba Libre! ¡Independencia o Muerte!". En 1953, contaba con 6 836 pobladores.

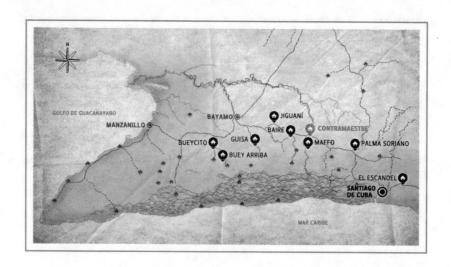

CONTRAMAESTRE

Municipio de la actual Santiago de Cuba, situado geográficamente en el occidente de esta provincia. En 1958 era un poblado que abarcaba los territorios de los antiguos términos municipales de Palma Soriano y Jiguaní, de la antigua provincia de Oriente. Su eje central está representado por el río Contramaestre. Sus actividades económicas fundamentales son la ganadería, el cultivo de la caña de azúcar y los cítricos, entre otras.

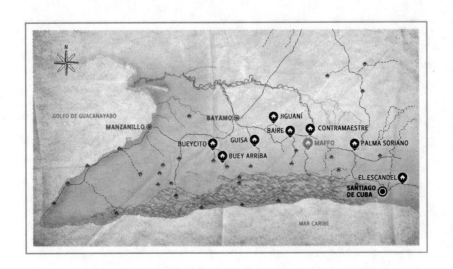

MAFFO

Se funda como grupo poblacional a partir de 1880; toma su nombre del apellido Maffo, que era un catalán propietario de una finca rústica en la zona. En 1958 era un barrio de la jurisdicción de Jiguaní, en la antigua provincia de Oriente. Actualmente es uno de los principales poblados del municipio Contramaestre. Maffo ha aportado muchos de sus hijos a las luchas por nuestra independencia, su contribución fue fundamental en la última etapa de liberación nacional. Según el censo realizado en el año 1953, contaba en esa etapa con 13 191 pobladores.

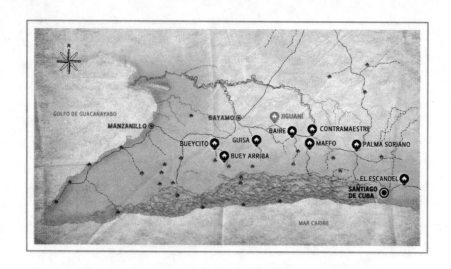

JIGUANÍ

Situado en la parte norteña de la cordillera montañosa de la Sierra Maestra. Su nombre se deriva de la lengua taína y quiere decir "Arena de Oro" o "Río de Oro". El municipio es atravesado por varios ríos como Cauto, Jiguaní, Contramaestre, Cautillo y Baire. La fertilidad de sus campos propicia el desarrollo de actividades agropecuarias, fundamentalmente la ganadería. En la parte agrícola, se destaca la producción de cítricos, cultivos varios, tabaco, café y frutales. En el censo de población correspondiente a 1953, la población de Jiguaní era de 6 186 pobladores.

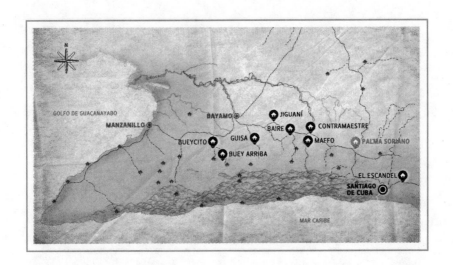

PALMA SORIANO

Ubicada en las orillas del río Cauto. Fue fundada en el año 1775. Con la llegada de poderosos hacendados, a mediados de 1800, se desarrollaron los cultivos de caña y café, centrales azucareros, comercios, acueductos, etc. Esta ciudad tuvo prisionero a Carlos Manuel de Céspedes, en 1844. En el parque de esta ciudad fue expuesto el cadáver de José Martí, el apóstol de nuestra independencia, a raíz de su caída en combate en Dos Ríos. Palma Soriano está reconocida como una de las ciudades con mayor participación en las luchas de liberación nacional desde 1868. En el censo de población realizado en el año 1953, Palma Soriano contaba con 25 421 pobladores.

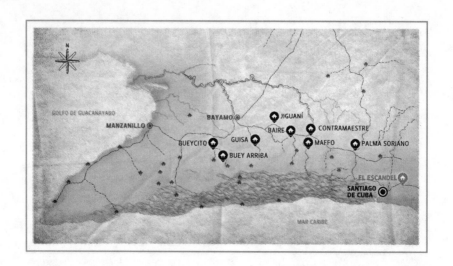

El Escandel

Zona montañosa en las afueras de Santiago de Cuba, conocida como el alto de El Escandel. En este lugar el Comandante Fidel Castro se reúne con el coronel Rego Rubido, jefe de la Plaza Militar de Santiago de Cuba. En el encuentro se acuerda que los oficiales y soldados de la guarnición de esa ciudad depongan sus armas y se sumen a la Revolución, con lo cual se evitaba un derramamiento de sangre, cuando ya era inminente y seguro que la ciudad sería tomada por las fuerzas guerrilleras. El Ejército Rebelde entró victorioso a Santiago. Nada ni nadie podría impedir el triunfo revolucionario.

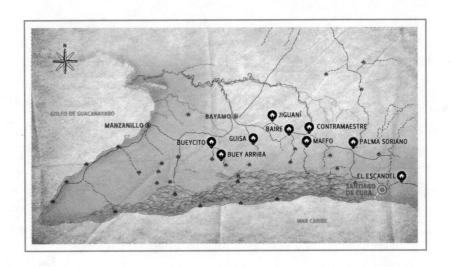

SANTIAGO DE CUBA

Capital de la antigua provincia de Oriente; actualmente forma parte de la provincia del mismo nombre. Fue fundada en 1515 por el conquistador español Diego Velázquez. Fue la primera capital de Cuba; por su bahía entraron los primeros esclavos negros al país. Santiago responde al grito de independencia, y el fin del dominio colonial español tiene como uno de sus escenarios la Batalla Naval de Santiago de Cuba. El 26 de julio de 1953, se produce el asalto al cuartel Moncada por jóvenes revolucionarios dirigidos por Fidel Castro. El 30 de noviembre de 1956 tiene lugar el levantamiento de Santiago de Cuba y salen a las calles, por primera vez, las milicias verde olivo del Movimiento 26 de Julio para apoyar el desembarco de Fidel en el Granma. Es conocida como la Ciudad Héroe de Cuba. Su población, en 1953, era de 163 237 habitantes.

Índice

Este libro ha sido
compuesto en las tipografías
Leitura News Italic 1
Leitura Roman 1, 2, **3** y **4**
Leitura Italic 1 y 3
Leitura Sans Grot 1, **2** y **3**
en puntajes 10/12, 12/18 y 18/24;
editado en Adobe InDesign.

Imprenta
Federico
Engels